2005

#17

LE FILS
DU VENT

Du même auteur

AUX MÊMES ÉDITIONS

Comédia infantil
roman
2003

SEUIL POLICIERS

Meurtriers sans visage
coll. « Points », n° P 1122
(et Bourgois, 1994)

Le Guerrier solitaire
1999
Prix Mystère de la Critique 2000
et coll. « Points », n° P 792

La Cinquième Femme
2000
et coll. « Points », n° P 877

Les Morts de la Saint-Jean
2002
et coll. « Points », n° P 971

La Muraille invisible
2002
Prix Calibre 38
et coll. « Points », n° P 1081

Les Chiens de Riga
2003
Trophée 813
et coll. « Points », n° P 1187

La Lionne blanche
2004

HENNING MANKELL

LE FILS
DU VENT

r o m a n

TRADUIT DU SUÉDOIS
PAR AGNETA SÉGOL ET PASCALE BRICK-AÏDA

ÉDITIONS DU SEUIL
27, rue Jacob, Paris VIe

Ce livre est édité par Anne Freyer-Mauthner

Titre original : *Vindens son*
Éditeur original : Norstedts Förlag, Stockholm
© original : 2000, Henning Mankell
Cette traduction est publiée en accord
avec Norstedts Förlag, Stockholm
et l'agence littéraire Leonhardt & Høier, Copenhague
ISBN original : 91-1-300736-X

ISBN 2-02-052381-7

www.seuil.com

En souvenir de Jan Bergman

Scanie, 1878

1

Les corneilles se battaient. Elles plongeaient vers la terre détrempée pour reprendre leur envol. Leurs croassements transperçaient le vent. Il pleuvait depuis longtemps en ce mois d'août 1878. La nervosité des corneilles annonçait l'automne et présageait un hiver long et pénible. L'un des petits fermiers du château de Kågeholm, situé au nord-ouest de Tomelilla, fut troublé par le comportement des oiseaux. Il était habitué aux volées de corneilles, mais cette fois-ci leur réaction était inhabituelle. Tard dans l'après-midi, il longea un fossé rempli d'eau pour essayer de trouver la raison de leur inquiétude. Les corneilles poursuivaient leur va-et-vient, imperturbables. Mais quand il fut tout près, elles se turent et s'éloignèrent en battant des ailes. L'homme qui s'était approché pour comprendre eut l'explication de cette agitation : disparaissant à moitié sous des branchages, le corps d'une fillette gisait là, inanimé.

La fillette avait été assassinée, aucun doute à ce sujet. Quelqu'un l'avait égorgée et avait criblé son corps de coups de couteau. En se penchant au-dessus de son visage, l'homme découvrit une chose étrange qui l'effraya encore plus que la gorge tranchée. L'assassin avait d'abord étouffé la petite en lui enfonçant de la terre dans la gorge et dans les narines. Il avait poussé si fort que l'arête nasale s'était brisée. La fillette était morte dans de grandes souffrances.

Il rebroussa chemin en courant.

De toute évidence il s'agissait d'un meurtre et le commissaire de police Landkvist de Tomelilla demanda du renfort à la police détective de Malmö.

La victime s'appelait Sanna Sörensdotter. Tout le monde, y compris le pasteur David Hallén, considérait qu'elle était un peu attardée. Elle avait disparu de son domicile à Kverrestad trois jours avant que son corps ne soit retrouvé.

D'après le médecin légiste chargé de l'examiner, le docteur Madsen de Simrishamn, elle n'avait probablement pas subi d'agression sexuelle. Vu l'état de décomposition du corps et les dégâts importants causés par les corneilles, il émit cependant une certaine réserve. La vérité pouvait être tout autre.

Les rumeurs qui circulaient sur l'assassin présumé étaient nombreuses. Selon celle qui revenait le plus souvent, un marin polonais aurait été vu dans le voisinage peu de temps avant la disparition de Sanna Sörensdotter. Bien que l'alerte fût donnée dans le pays tout entier et même au Danemark, l'homme n'avait jamais été retrouvé.

Le meurtrier était en liberté.
Lui seul savait ce qu'il avait fait.
Et pourquoi.

PREMIÈRE PARTIE

Le désert

2

Il avait parcouru une très grande distance à pied sous la chaleur accablante. Au cours des dernières vingt-quatre heures, il avait, à plusieurs reprises, été pris de vertiges, croyant même frôler la mort. Une grande frayeur, ou plutôt une rage indomptable, l'avait poussé à poursuivre sa route. Le désert était immense. Il ne voulait pas mourir. Pas là et pas encore. Au Cap il avait loué Amos, Neka le gras et d'autres hommes noirs pour s'occuper de ses trois bœufs et de la charrette dans laquelle était empaquetée et amarrée toute sa vie. Il les avait forcés à avancer, convaincu que, quelque part devant eux dans cette chaleur aveuglante, se trouvait une étape de ravitaillement. Il suffirait de l'atteindre pour se rendre maître de la situation. Pour qu'il ne risque plus de mourir. Il pourrait ainsi continuer à rechercher ses insectes, notamment cette fichue mouche que personne n'avait jamais vue et à laquelle il donnerait son nom, *Musca bengleriensis*. Il ne baisserait pas les bras. Pas maintenant. Il avait misé toute sa vie pour trouver cette mouche inconnue. Il continuerait donc de se battre même si le sable et le soleil entaillaient sa conscience de leurs lames aiguisées.

Deux ans auparavant, il était encore dans sa chambre d'étudiant dans Prästgatan à Lund.

Il entend les sabots des chevaux frapper les pavés pendant qu'il étudie la carte allemande incomplète du désert du Kalahari. Du doigt, il suit la côte qui longe l'Ouest africain allemand vers la frontière de l'Angola, puis vers le sud-est jusqu'au pays des Boers, ensuite vers la partie centrale de l'Afrique du Sud qui n'a pas encore de nom. A l'époque, en 1874, il a vingt-sept ans et il a abandonné toute idée de terminer ses études universitaires et d'obtenir un diplôme. En arrivant à Lund de Katedralskolan à Växjö, son projet initial était d'étudier la médecine, mais lors de sa première visite à l'Amphithéâtre d'anatomie, il s'évanouit et tombe comme une souche. Avant que les portes ne s'ouvrent, le professeur Enander a consciencieusement expliqué qu'il va faire l'autopsie d'une vagabonde, une célibataire morte à la suite d'un coma éthylique dans un bordel de Copenhague et dont le cercueil a ensuite été transporté en Suède. Il s'agit de Mlle Andersson de Kivik, tombée dans une vie de péché et fille mère à quinze ans. Partie à Copenhague à la recherche du bonheur, elle n'y a trouvé que l'affliction. Il se souvient encore du mépris presque concupiscent dont le discours du professeur Enander était empreint.

– Nous allons maintenant disséquer un cadavre qui était déjà pourri de son vivant. C'est celui d'une putain de l'Österlen.

Puis le groupe pénètre dans l'Amphithéâtre d'anatomie : sept étudiants en médecine, tous des hommes, tous aussi pâles les uns que les autres. Le professeur Enander se met à inciser l'abdomen. C'est alors qu'il s'évanouit. Sa tête cogne contre l'un des angles en acier de la table de dissection. Il en garde encore la trace, une cicatrice placée juste au-dessus de l'œil droit.

Après cet incident, il abandonne l'idée de faire une carrière médicale. Il envisage ensuite de se tourner vers l'armée, mais l'image absurde de jeunes hommes qui marchent en hurlant le fait changer d'avis. Au cours des soirées de beuverie en compagnie de ses camarades, il a des vues sur la philosophie, songe à la prêtrise, mais, devant l'absence de Dieu, il finit par se retrouver parmi les insectes.

Il se rappelle encore ce matin d'été où il s'est réveillé en sursaut, comme s'il avait été piqué par quelque chose. Il ouvre la fenêtre, mais la puanteur qui monte de la rue lui donne la nausée. Se sentant exposé à un danger imminent, il s'habille à toute vitesse. Il attrape sa canne et quitte la ville, direction le sud, vers Staffanstorp. Après un moment de marche, il quitte la route pour se reposer et peut-être se masturber à l'ombre d'un arbre. Et c'est là qu'un papillon riche en couleurs se pose sur sa main. C'est un papillon jaune citron, mais il a quelque chose en plus. Les reflets de ses ailes, qu'il ouvre et referme lentement, varient sans cesse. Les rayons du soleil tamisés par le feuillage les font passer du jaune au rouge, du rouge au bleu et du bleu au jaune. Le papillon reste sur sa main comme s'il avait un message important à lui communiquer. Lorsqu'il s'envole, il a trouvé la réponse.

Les insectes.

Le monde en est plein. Ils sont nombreux à ne pas avoir de nom, à ne pas être encore décrits. Des insectes qui l'attendent. Qui attendent d'être étudiés, classés, catalogués. Il retourne à Lund pour demander son admission en botanique. Malgré ses antécédents universitaires, le professeur l'accueille aimablement. Pendant l'été, il se rend dans la maison familiale en Småland, près de Hovmantorp. Son père y vit de ses rentes. Sa mère est morte quand il avait seulement quinze ans. Il n'y trouve que son père et la vieille gouvernante. Ses deux sœurs, plus âgées que lui, sont toutes les deux mariées et installées à l'étranger, à Berlin et à Vérone. La maison se dégrade au rythme de la décrépitude de son père qui traîne une syphilis depuis sa jeunesse à Paris et qui passe maintenant ses étés seul sur une chaise sous une tonnelle. Elle a été taillée de telle sorte qu'il est obligé de s'y glisser par un trou près du sol. Dès l'automne, il s'enferme dans sa chambre où il passe ensuite l'hiver, immobile, à regarder le plafond et à serrer et à desserrer les mâchoires en attendant la chaleur printanière. Le grand-père avait fait des spéculations financières fructueuses au cours des guerres napoléoniennes. Il reste encore un peu d'argent, même si le capital a bien diminué. La propriété est hypothéquée jusqu'au toit et, à chaque visite, il constate que l'héritage sera bien maigre. Il faudra sans doute qu'il se contente de la rente mensuelle qui lui permet de survivre à Lund.

Son père n'est qu'une ombre. D'ailleurs, il n'avait jamais été autre chose. Pourtant, si Bengler se rend à Hovmantorp cet été-là, c'est pour obtenir sa bénédiction. Il nourrit aussi le vague espoir que son père apporte une petite contribution financière à l'expédition qu'il a l'intention de mettre sur pied.

Mais surtout, et c'est là la raison essentielle, il sait que le vieil homme n'en a plus pour longtemps et que c'est l'heure de faire ses adieux.

Un marchand qui se rendait à Lessebo lui offrit une place dans sa voiture à Växjö. La route était mauvaise, le véhicule inconfortable, et une forte odeur de moisissure émanait du manteau de fourrure du commerçant. Car il portait une fourrure bien que ce soit déjà le début de juin. La chaleur estivale n'était pas encore à son comble, mais il faisait chaud cependant.

– Hovmantorp, dit-il au bout d'une heure. C'est un joli nom mais ce n'est rien d'autre.

Puis ils procédèrent aux présentations. Cela ne s'était pas fait la veille lorsqu'il avait fait le tour des auberges de la petite ville à la recherche d'un voyageur susceptible de l'emmener.

– Hans Bengler.

Au bout de quelques kilomètres de réflexion, le marchand répondit :

– Ça ne sonne pas suédois. Mais on peut se demander ce qui est suédois, à part les routes interminables qui traversent les forêts tout aussi interminables. Mon nom n'est pas suédois non plus. Je m'appelle Puttmansson, Natanael

Puttmansson, et j'appartiens au peuple élu et exclu néanmoins. Je vends des brosses et des remèdes contre la stérilité et la goutte.

– C'est un nom d'origine wallonne, précisa Hans Bengler, et française également. Ma famille compte aussi un huguenot et un Finlandais. Et il faut ajouter un capitaine de cavalerie qui était au service de Napoléon et qui a reçu une balle dans la tête à Austerlitz. Le nom est resté authentique malgré ce mélange.

Ils avancèrent en cahotant pendant quelques kilomètres encore. Un lac brillait entre les arbres. Il n'est pas bien bavard, se dit Bengler. Les grandes forêts rendent les gens silencieux ou bien prolixes. Je suis content que ce marchand qui sent la moisissure soit quelqu'un de taiseux.

C'est alors que le cheval mourut, brutalement.

Il s'arrêta au milieu d'un pas, essaya de se cabrer devant un ennemi invisible, puis s'effondra. Le marchand n'émit aucun signe d'étonnement.

– Escroqué, se contenta-t-il de dire. On m'a vanté les qualités de ce cheval et j'ai été dupé. Et pourtant, s'il y a un domaine que je connais bien, c'est justement celui des chevaux.

Ils se séparèrent sans cérémonie. Hans Bengler attrapa son baluchon et fit les derniers kilomètres jusqu'à Hovmantorp à pied. Puisqu'il était maintenant un homme qui se consacrait aux insectes, il s'arrêtait de temps en temps pour étudier diverses bestioles en attendant la rencontre avec son père. Peu avant Hovmantorp, il se mit à pleuvoir. Bengler s'abrita dans une grange, se masturba en pensant à Matilda, sa putain attitrée dans un bordel au nord de la cathédrale. Les nuages se dissipèrent au bout de quelques heures. Le temps que son membre sèche, il contempla le ciel sombre en imaginant que les nuages étaient une caravane et en se demandant à quoi pouvait bien ressembler la vie dans le désert où il ne pleuvait presque jamais.

Pourquoi avait-il décidé de se rendre dans le désert ?

Il l'ignorait. En étudiant les cartes, il avait d'abord envisagé d'aller en Amérique du Sud. Mais comme il avait la phobie du vide, les chaînes de montagnes l'avaient découragé. Il n'avait jamais pu se résoudre à monter dans les tours de la cathédrale de Lund pour admirer la vue sur les champs alentour. Rien que cette idée lui donnait le vertige. Son choix s'était finalement réduit aux vastes plaines dans le royaume des Mongols, aux déserts arabes et à une tache blanche au sud-ouest de l'Afrique. C'étaient sans doute ses connaissances en allemand qui lui avaient dicté sa décision définitive. Il parlait la langue depuis qu'il avait fait des randonnées avec un camarade quelques années auparavant. Ils étaient descendus jusqu'au Tyrol où son ami avait soudain trouvé la mort, pris de violents vomissements et d'un brutal accès de fièvre. Bengler avait rebroussé chemin à toute vitesse. Mais il avait tout de même eu le temps d'apprendre l'allemand.

Là, dans la grange, son membre dans la main, il se dit qu'il était en fait un disciple, envoyé par Linné, le grand maître disparu. Mais il se dit aussi qu'il n'avait pas les qualités requises. Il ne résistait pas bien à la douleur, il n'était pas particulièrement costaud et supportait mal les bruits forts. La seule chose qui penchait en sa faveur, c'était sa ténacité. Et dans son sillage suivait la vanité. Peut-être trouverait-il quelque part un papillon, ou une mouche, qui ne figurait pas dans les catalogues des botanistes et auquel il pourrait donner son nom.

Il se dirigea vers la maison. Après s'être glissé sous la tonnelle, il trouva son père assis sur sa chaise, trempé jusqu'aux os, les mâchoires en perpétuel mouvement. Il s'était effrité, il était chauve, sa peau pendait mollement autour de son corps et il ne reconnut pas son fils. C'était un mort vivant. Ses mâchoires s'agitaient comme des meules sans grains. Son squelette grinçait, son cœur ronflait comme le soufflet du forgeron. Bengler se dit que le pèlerinage qu'il avait entrepris vers son enfance ressemblait plutôt à l'entrée dans un cauchemar. Il passa cependant un moment à discuter avec son père sénile avant de pénétrer dans la maison. La gouvernante manifesta une certaine joie de le voir, sans plus. Elle lui prépara sa chambre de jeune homme et lui fit à manger. Pendant qu'elle s'affairait dans la cuisine, il put faire le tour de la maison pour récupérer l'argenterie qui restait – une avance sur l'héritage – et constata qu'il serait un entomologiste bien pauvre dans le désert africain.

Il ne ferma pas l'œil de la nuit. Comme d'habitude, la gouvernante était allée chercher son père en fin de journée pour l'aider à se coucher sur un canapé au rez-de-chaussée. Bengler descendit dans la nuit et, caché dans l'obscurité, il observa son père dont les mâchoires continuaient à moudre pendant son sommeil. Une émotion soudaine le submergea, une douleur inattendue. Il s'approcha de son père et caressa sa tête chauve. Ce fut à ce moment-là, lors de ce contact physique, qu'il lui fit ses adieux. Il eut l'impression de voir déjà le cercueil descendre dans la terre.

Ensuite, il attendit l'aube. Une attente parfaitement vide, dépourvue de toute inquiétude, de tout rêve. Ses sentiments étaient lisses et froids comme un rocher.

Il quitta la maison avant le réveil de la gouvernante.

Trois jours plus tard, il était de retour à Lund. Dès la première semaine, il traversa le Sund pour vendre l'argenterie à Copenhague. Ses appréhensions se révélèrent fondées : ce qu'il avait à proposer ne rapporta effectivement pas grand-chose. Seule la tabatière ayant appartenu à l'ancêtre qui avait eu le cerveau brûlé à Austerlitz avait de la valeur.

L'année suivante, il apprit tout ce qu'il savait à présent sur les insectes. Le professeur était aimable. A sa question pourquoi un vieil étudiant comme lui se mettait-il brusquement à se passionner pour ces animaux minuscules, Bengler répondit qu'il l'ignorait lui-même. Il étudia des planches et des insectes imbibés d'alcool qui flottaient en apesanteur dans des bocaux rangés sur les étagères muettes des salles de l'Institut biologique. Il apprit à distinguer, à identifier, à retirer des ailes, à disséquer. En même temps, il essaya de se documenter sur les déserts et sur le continent africain, encore en grande partie inconnu. Or, à Lund, aucun professeur ne connaissait les déserts, pas plus que l'Afrique. Il fut obligé de se renseigner seul dans des livres. Deux ou trois fois, il se rendit dans le port de Nyhavn à Copenhague pour y trouver des marins naviguant vers Le Cap ou Dakar et qui pouvaient lui parler de l'Afrique.

Matilda était la seule personne à être informée de ses projets. Elle venait le voir chaque jeudi après-midi entre quatre et six. Après avoir couché ensemble – toujours dans la même position, elle sur lui –, ils buvaient du porto et parlaient. Elle lui lavait également ses chemises. Matilda avait dix-neuf ans. Elle avait quitté Landskrona parce que son père avait tenté de la violer et de la brûler. Pendant une courte période, elle avait été employée comme bonne mais elle s'était rapidement débarrassée de son tablier et de sa soumission pour aller travailler dans un bordel. Elle avait la poitrine plate mais elle était gentille. Et lui qui ne voulait pas que l'acte soit douloureux ni passionnel n'avait en matière d'érotisme d'autre exigence que la gentillesse. C'était donc avec elle qu'il parlait de ce voyage qu'il allait entreprendre au début du printemps l'année suivante. Il savait qu'à cette époque il ne faisait pas encore trop chaud en Afrique du Sud. Elle écoutait sans manifester un grand intérêt, sa seule préoccupation étant la manière dont elle allait trouver un nouveau client régulier.

Un jour, il lui proposa de partir avec lui.

– Je ne veux pas voyager sur la mer, répondit-elle en s'affolant. On peut couler, on y meurt, on n'en revient pas.

Ils n'abordèrent plus jamais la question.

Cette année-là, l'hiver fut très doux en Scanie. Début mai, il quitta Prästgatan. A ses rares amis, il annonça qu'il allait entreprendre un petit voyage à travers l'Europe et qu'il serait bientôt de retour.

Un bateau de pêche le transporta à Copenhague. Il passa trois semaines dans une modeste auberge parmi les marins de Nyhavn. Un dimanche, il assista à une décapitation. Il n'alla pas au théâtre et ne fréquenta pas les musées. Il discutait avec les marins et il attendait. Son bagage se réduisait au minimum. Tout tenait dans un simple coffre qu'il avait trouvé dans le grenier de la maison de Prästgatan. Il y mit ses cartes, ses planches et ses livres. Quelques chemises, un pantalon de rechange, des bottes en cuir. A Copenhague, il se procura un revolver et des balles. Ce fut tout. Il changea son argent en or. Il le portait sous sa chemise dans une pochette en cuir.

Il se fit couper les cheveux très court et commença à se laisser pousser la barbe. Et il attendit.

Le 23 mai, il apprit qu'une goélette anglaise, *Le Renard*, qui partait pour Le Cap en passant par Cardiff, était à quai à Elseneur. Le jour même, il quitta l'auberge et s'y rendit avec la diligence postale. Il alla trouver le capitaine du navire peint en noir qui lui promit de l'accepter à bord en tant que passager. Pas question d'avoir une cabine personnelle. Le prix du voyage correspondait à peu près à la moitié du contenu de la pochette en cuir.

Le Renard quitta Elseneur le 25 mai au soir. Appuyé au bastingage, Bengler sentit une forte poussée en lui. Dans sa poitrine, il y avait des mâts sur lesquels étaient hissées des voiles. Un cordage enserra son cœur et le tira en avant. Soudain, l'espace d'un instant, il fut pris d'une envie irrésistible de redevenir un enfant. Là, sur le pont, il aurait voulu sauter à la corde, babiller, marcher à quatre pattes, apprendre à se tenir debout.

Cette nuit-là, il sombra dans un sommeil profond.

Le lendemain à l'aube, ils avaient déjà dépassé Skagen et pénétré dans un autre monde.

Un monde fait d'un brouillard dense et immobile.

3

A bord du navire, il fut libéré de son nom. On ne l'appelait jamais autrement que le Passager. Sans qu'il s'en rende réellement compte, il fut également débarrassé de son ancienne identité pour devenir le Passager. Au milieu de tous ces gens pâles qui peinaient, il était le seul à n'avoir rien d'autre à faire qu'à voyager. Il n'avait plus de nom, plus de passé. La seule chose dont il disposait à présent était une couchette parmi les hommes de l'équipage. Cela lui convenait parfaitement. Son histoire disparut en même temps que son identité. On aurait dit que ses souvenirs, ombres du passé, s'effritaient petit à petit, rongés par l'eau salée qui passait par-dessus le bastingage. Les mâchoires de son père qui remuaient dans le vide s'estompèrent, Matilda ne fut plus qu'une silhouette floue, la maison à Hovmantorp une ruine. Il ne lui restait plus rien de sa mère, ni de ses deux sœurs. Pas même le souvenir de leurs voix. En subissant cette transformation, il découvrit pour la première fois l'existence de cette chose dont il avait entendu parler mais qu'il n'avait jamais bien comprise : la liberté.

Leur approche du Cap ressemblait à un rêve long et irréel qui se grava définitivement dans sa mémoire. Mais peut-être n'était-ce que la fin d'un cauchemar qui, imperceptiblement, se glissait dans un autre rêve tout aussi désagréable. Déjà avant leur arrivée à Cardiff, le capitaine, un certain Robertson, avait montré des signes de folie qui revenaient de

LE FILS DU VENT

façon cyclique. Il lui arrivait, dans un état de démence, de se précipiter dans la cabine de l'équipage en brandissant des couteaux. Il fallait alors l'attacher jusqu'à ce qu'il se mette à pleurer, ce qui arrivait généralement au bout de quelques jours. Cependant Bengler s'était aperçu que les hommes de l'équipage l'entouraient de beaucoup d'affection. En réalité, la goélette était une véritable cathédrale flottante chargée de disciples prêts à mourir pour leur Maître. Entre ses crises, Robertson était un homme tout à fait charmant qui consacrait du temps et de l'attention à son passager solitaire et silencieux. Robertson avait la quarantaine. A neuf ans il avait embarqué, à seize il avait traversé une crise religieuse et, une fois capitaine, il avait revêtu un manteau invisible qui ressemblait davantage à un habit de prêtre qu'à un uniforme de marin. Bien qu'il ne se soit jamais rendu dans le désert, il avait beaucoup d'histoires étonnantes à raconter à son passager sur le continent africain. Lorsque le Passager lui fit part de ses projets, le visage de Robertson exprima une sorte d'absence empreinte de tristesse. Bengler lui parla des insectes qu'il allait recenser, cataloguer, identifier, bref de tout cet ordre dont l'être humain a besoin pour mener une existence décente. Mais il ne lui donna pas la véritable raison de son voyage : la recherche du papillon mystérieux – ou bien de la mouche – auquel il donnerait son nom.

Leurs discussions sur le désert, sur ces grandes étendues de sable, démoralisaient Robertson.

– Il n'est même pas possible de se noyer dans le sable, fit-il remarquer.

– Mais on peut y succomber, rétorqua le Passager.

Robertson scruta longuement son interlocuteur avant de lancer :

– Personne n'a jamais vu Dieu apparaître dans un grain de sable. En revanche, il est arrivé, à certaines époques, que le diable crache du sable en fusion.

Le Passager n'aborda plus jamais le sujet. Il incita Robertson à lui parler des Noirs : de ceux de toute petite taille, des très grands, des femmes qui enduisaient leurs cheveux de fumier, des danses violentes qui n'étaient rien d'autre que la représentation de jeux érotiques. Le Passager écoutait avec attention ses récits et les notait consciencieusement tous les soirs, sauf lorsqu'une grosse tempête les secoua dans le golfe de Gascogne. Leur amitié s'était consolidée quand il avait aidé le capitaine à nettoyer une infection dans son oreille. Robertson lui avait ensuite fait une grande faveur, comparable à ses yeux à la célébration d'un sacrement, en lui expliquant l'utilisation du sextant.

Bengler éprouvait de plus en plus la sensation d'être habité par le navire plutôt que de se trouver à son bord. Chaque matin, il hissait ses voiles intérieures après avoir calculé la force du vent et sa direction. Le soir, ou à l'annonce d'une tempête, il suivait le travail de l'équipage pour prendre alors les mêmes mesures pour son propre bateau.

Le 22 juin, juste au moment où le soleil se couchait, la vigie cria enfin : « Terre ! » Robertson demanda que l'on passe la nuit à l'ancre flottante. Il régnait un calme étrange dans la cabine de l'équipage, comme si les hommes avaient du mal à réaliser qu'ils avaient réellement survécu à un voyage de plus vers ce lointain continent noir. A voix basse, sur le ton de la confidence, ils se mirent à faire des projets pour les jours qu'ils allaient passer à terre. Deux mots se détachaient de leurs murmures : *femmes* et *bière, femmes* et *bière*. Rien d'autre.

Au cours de cette dernière nuit, Bengler essaya de dresser un bilan de ce qu'il avait laissé derrière lui. Il fut incapable de se remémorer quoi que ce soit, pas même le visage de Matilda. Absolument rien.

A l'aube, il fit ses adieux à Robertson qui lui déclara :
– Nous ne nous reverrons jamais. Quand je me sépare de quelqu'un, je sais toujours si c'est pour la dernière fois.
Le Passager fut bouleversé par ces paroles. Elles eurent sur lui l'effet d'un arrêt de mort. Robertson était-il capable de

lire dans l'inconnu ? Non, il ne pouvait pas le croire. Il était pourtant l'un des êtres les plus énigmatiques qu'il eût rencontrés. Qui était-il réellement ? Un prêtre dément ou un capitaine fou ? Peut-être possédait-il en effet le don de prédire la mort d'autrui ?

– Bonne chance, dit Robertson en lui tendant la main. A chacun sa route. Nous n'y pouvons rien.

Il fut emmené à terre à la rame. Le Tafelberg se dressait tel un cou décapité au-dessus de la ville, enclavée dans la montagne. Un grand désordre régnait sur le quai où les gens criaient et se bousculaient. Quelques hommes noirs, des anneaux aux oreilles, se saisirent du coffre de Bengler qu'il se mit à défendre à coups de poing. Il parlait allemand, personne ne le comprenait, tous parlaient anglais. Robertson lui avait donné deux adresses : celle d'une auberge qui, d'après ses renseignements, n'était que rarement infestée de poux ; et celle d'un vieux pilote côtier anglais qui, pour une raison inexplicable, assurait la fonction de consul honoraire de Suède et de Norvège au Cap.

Après de nombreuses difficultés et trempé de sueur, il réussit à se rendre à l'auberge. La propriétaire, une femme blanche, ordonna en hurlant à une grosse mulâtresse de donner à boire au nouveau client. Tout en buvant, il savait que son estomac n'en sortirait pas indemne. On le conduisit ensuite à sa chambre. Les draps étaient repassés mais humides. D'ailleurs, tout était humide. Même le parquet poreux. Il s'étendit sur le lit et il eut le sentiment d'être arrivé à destination sans savoir où il se trouvait réellement.

Dès le lendemain, après un premier accès de diarrhée, il alla rendre visite au consul suédo-norvégien. Celui-ci habitait une maison blanche au bord d'une route qui grimpait en haut de la montagne. Un homme noir édenté le fit entrer et lui proposa de s'asseoir sur une chaise en bois en attendant que le consul Wackman ait fini de ronfler. Celui-ci apparut au bout de deux heures. Il était entièrement chauve. Il n'avait pas de sourcils et ses oreilles rappelaient, de par leur forme étrange, les ailes d'une hirondelle. Ses jambes étaient courtes et son ventre était soutenu par un morceau de tissu indien. Deux sangsues étaient accrochées à sa poitrine. Après avoir parcouru la lettre de Robertson, il la jeta en s'exclamant :

– Tous ces Suédois sont fous ! Je me demande bien ce qu'ils viennent foutre ici en Afrique. Nous avons besoin d'ingénieurs, de gens compétents, capables de résoudre des problèmes pratiques ou dotés d'une grande force physique. Ou bien de capitaux. Mais pas de tous ces imbéciles qui viennent prêcher la bonne parole ou ramasser de la merde d'éléphant. Et maintenant ça ! Des insectes ! Qui diable a besoin de mouches et de moustiques classés dans des catalogues ?

De ses gros doigts, il attrapa une petite cloche en argent et l'agita. Un serviteur noir, nu à l'exception d'un fin morceau de tissu noué autour du bas-ventre, entra et s'agenouilla.

– Tu veux quoi ? demanda Wackman. Gin ou pas gin ?

– Gin.

L'homme noir disparut. Par la fenêtre, Bengler vit quelqu'un frapper un vautour accroché par les pattes.

Ils burent.

– J'ai l'intention de gagner ma vie grâce aux autruches, dit le Passager qui sentait que son nom était en train de revenir.

Petit à petit, il redevenait Hans Bengler de Hovmantorp.

Wackman l'observa longuement avant de répondre.

– Encore un cinglé, conclut-il. Tu as l'intention de chasser les autruches et de vendre leurs plumes aux chapeliers ? Ça ne marchera pas. Les plumes seront pourries avant même que le navire ait quitté le port.

La conversation s'arrêta là. Wackman fit malgré tout preuve d'une gentillesse désabusée en promettant à Bengler de l'aider à acheter des bœufs, un char, et à engager quelques bouviers. Après quoi, il devrait se débrouiller seul. Wackman lui recommanda de préparer son testament, si toutefois il y avait quelque chose à hériter. Ou du moins de communiquer l'adresse d'un proche à qui l'on pourrait écrire que ses os reposaient dans un lieu inconnu, dans un désert infini.

Ils continuèrent à boire du gin. Bengler pensa au porto doux qu'il avait bu avec Matilda dans un monde qui n'était plus qu'un étrange mirage. Maintenant il était dans celui où le gin rude lui arrachait la gorge pendant que Wackman lui racontait son histoire en respirant péniblement comme s'il n'avait plus de souffle. Né à Glasgow, il avait par un curieux hasard atterri au Cap où il était devenu le propriétaire d'un bordel et le représentant de l'Union suédonorvégienne.

Il lui parla d'ours et d'une lithographie qu'il avait vue dans la vitrine d'une librairie à Glasgow quand il était jeune. *La Chasse aux ours dans le Wermland suédois.* Cette image ne l'avait jamais quitté. Aux alentours de ses vingt ans, il avait fait un pèlerinage. Il était arrivé à Karlstad. L'hiver était terrible et il avait cru mourir à plusieurs reprises, non pas à cause du froid mais à cause de la peur que le froid provoquait en lui. Il n'avait jamais réussi à voir un ours vivant bien qu'il ait passé plus de deux mois dans ce froid terrifiant. Par contre, il avait vu la peau d'un ours chez un capitaine d'artillerie à la retraite qui habitait près de la grande place à Karlstad. Ensuite, il avait quitté la Suède aussi vite que possible pour atteindre Le Cap par des chemins détournés. C'était par reconnaissance envers le pays et l'Union, qui lui avaient donné l'occasion de voir cette peau d'ours, qu'il s'était chargé du consulat.

En fin d'après-midi, ils étaient tous les deux dans un état d'ébriété avancé. Wackman demanda sa voiture. Ensemble, ils descendirent la route abrupte et s'arrêtèrent devant le bâtiment en ciment qui abritait son bordel. Dans les pièces, basses de plafond, où flottait une forte odeur d'épices inconnues, des femmes noires à demi dévêtues se fondaient dans l'obscurité. Wackman disparut. Brusquement, Bengler se rendit compte qu'il était enlacé par des serpents noirs : des bras de femmes, des jambes, des pieds, des ventres qui s'évanouissaient dans les brumes de gin. Il ne savait plus si c'était la goélette de Robertson qui était en perdition ou bien son navire intérieur.

Le lendemain, il se réveilla allongé par terre, un voile posé à côté de sa tête. En s'obligeant à se mettre debout, il découvrit une araignée bleue qui tissait sa toile ingénieuse dans l'angle que formaient deux murs. Il se souvint de sa mission et traversa le bordel où tout le monde semblait dormir. Wackman était à plat ventre, affalé sur une vieille chaise à bascule. Bien qu'il soit profondément endormi, il semblait l'attendre. Il sursauta lorsque Bengler arriva près de lui.

– Il me faut neuf jours, dit-il. Et l'argent aussi, à moins que ce ne soit du sable doré que tu portes dans la pochette sous ta chemise. Entre parenthèses, elle est sale et a besoin d'être lavée. Neuf jours. Pas plus. Alors, tu pourras t'en aller. Et je ne te reverrai plus. Mais j'ai un conseil à te donner. Un conseil pour l'avenir.

– Lequel ?

– Le pianoforte.

– Le pianoforte ?

– Très à la mode en Angleterre. Il va se répandre sur le continent. Les jeunes demoiselles jouent du piano. Il faut des touches pour ces pianos. Des touches noires et blanches. Il faut de l'ivoire pour les touches.

Bengler comprit. Selon Wackman, c'était à la chasse aux éléphants qu'il ferait mieux de s'adonner.

– Je suis ici pour les petits animaux, rappela-t-il. Pas pour les grands.

– Tant pis pour toi ! Alors crève, répondit Wackman. Personne ne te regrettera et personne ne se souviendra de toi.

Wackman, dont le prénom était Erasmus, tint sa promesse. Le neuvième jour, tout était prêt. Faute de mieux, Bengler lui donna l'adresse de la gouvernante à Hovmantorp. Si jamais il mourait, elle mettrait la lettre entre les mâchoires de son père qui feraient disparaître ainsi ses dernières traces.

Il sentait pourtant que les choses ne se passeraient pas ainsi. Sans pouvoir s'expliquer pourquoi, il avait la conviction profonde qu'il allait survivre.

Il ne se laisserait pas piéger par le sable.

Il quitta Le Cap au début de juillet.

Les bœufs placides avançaient lentement. Il s'était acheté un casque colonial et portait un fusil en bandoulière. Un nuage d'insectes, attirés par sa transpiration, susurrait autour de son visage. Dans son esprit, c'étaient eux qui lui indiqueraient le bon chemin. C'étaient eux ses compagnons de voyage les plus importants.

La boussole, fabriquée à Londres et sertie dans du laiton, indiquait qu'il se dirigeait vers le nord, avec une légère déviation d'une centaine de degrés vers l'ouest.

Le premier soir, il changea de vêtements avant de s'installer pour le dîner préparé et servi par Amos, son cuisinier. Ils avaient dressé leur camp au bord d'une rivière. Le ciel étoilé était clair et paraissait très proche. Soudain, il s'aperçut que la Grande Ourse était tournée à l'envers. Comme une dernière salutation à tout ce qu'il avait quitté, il étonna ses bouviers en faisant le poirier pour voir la Grande Ourse telle qu'il l'avait connue enfant.

Ils crurent qu'il rendait un culte à une divinité.

Il resta longtemps éveillé à attendre le rugissement d'une bête sauvage dans la nuit.

Mais il n'y avait pas le moindre bruit.

4

Le lendemain, au moment le plus chaud de la journée, alors que le soleil était au zénith, la peur l'envahit.

D'abord, ce ne fut qu'une vague angoisse. Un malaise général qu'il décida aussitôt de négliger en le mettant sur le compte d'un problème de digestion. Puis il se dit qu'il s'agissait peut-être d'un oubli, d'une pensée qui lui aurait furtivement traversé l'esprit sans qu'il lui ait accordé l'importance qu'elle méritait. Cette première inquiétude était légère. La véritable peur ne vint que plus tard. Elle était pesante et l'attira comme un puissant aimant.

Ils s'étaient arrêtés à la lisière d'une plaine où des petits buissons blanchissaient au soleil. Neka avait posé la chaise pliante de Bengler sur un tapis et installé un parasol. Ils avaient mangé du riz, des légumes et du pain fortement épicé qui, d'après Wackman, était le seul à ne pas moisir pendant les grandes expéditions. Amos, Neka et les deux autres bouviers, dont Bengler n'avait pas encore réussi à retenir le nom, dormaient sous le char. Les trois bœufs étaient debout, immobiles. Leur peau se contractait sous les attaques des insectes.

C'est à ce moment-là que la terre sèche se transforma en fer. L'aimant l'attira et il sentit la peur grandir. Il venait de sortir son journal intime pour noter ce qui s'était passé au cours de la matinée. Il avait décidé d'écrire trois fois par jour : au réveil, après la sieste et avant le coucher. Comme il trouvait absurde de n'avoir d'autre interlocuteur que lui-même, il avait pensé que la seule personne à qui il pouvait s'adresser était Matilda. La peur apparut juste après la rédaction du rapport du matin.

Ils avaient démonté la tente au lever du soleil. Vers neuf heures, ils avaient franchi le lit desséché d'un fleuve où il avait repéré le squelette d'un crocodile dont il avait estimé la longueur à trois mètres dix. Peu après dix heures, ils avaient traversé une région de ronces très denses, ce qui avait rendu les bœufs nerveux. Juste avant de s'arrêter pour la sieste, il avait découvert au-dessus de sa tête un grand oiseau totalement figé. On aurait dit qu'il reposait sur un pilier invisible. Il n'était pas parvenu à voir s'il s'agissait d'un aigle ou d'un vautour. A ce compte rendu factuel, il avait ajouté : *Ce que je ressens est très fort. J'ai parcouru tout ce chemin depuis Hovmantorp. Je réalise que la route est interminable et que la vie est très courte.*

C'est alors que la peur le saisit. Dans un premier temps, il n'en comprit pas la raison. Il n'avait plus de diarrhée, son pouls était normal, aucune infection. Il ne semblait pas y avoir de danger. Pas de rapaces, pas d'hommes hostiles. Des bœufs tranquilles, des hommes endormis sous une voiture.

Ça vient de moi, se dit-il en s'essuyant le front avec le revers de la manche. C'est parce que je me trouve au milieu d'une harmonie irréelle. Il eut soudain l'impression de voir le professeur Enander et de l'entendre : Nous allons procéder à l'autopsie d'un cadavre qui était déjà pourri de son vivant.

S'il s'était évanoui, ç'avait été une manière de fuir. Il avait pris la fuite pour ne pas voir le ventre s'ouvrir et les intestins en sortir. A présent, il se trouvait au centre d'un rêve étrange au sud de l'Afrique, en route pour une destination inconnue, à la recherche d'une mouche sans nom, non identifiée, non cataloguée, ou peut-être d'un papillon.

Tout à coup, il vit sa peur à visage découvert. Ce à quoi il avait décidé de consacrer sa vie, cette expédition dont il ne reviendrait peut-être pas vivant, était une fuite elle aussi. Exactement comme sa perte de connaissance dans l'Amphithéâtre d'anatomie. A présent, il se trouvait dans un autre théâtre, dont le paysage africain, les bœufs immobiles, les hommes endormis constituaient le décor. Le spectacle mettait en scène sa fuite. Il avait fui Hovmantorp, les mâchoires en mouvement de son père, ses études ratées à Lund, sa vie ratée. C'était ça la vérité. Rien d'autre.

Il regarda le revolver qu'il avait acheté à Copenhague et qui maintenant était posé devant ses pieds, chargé. Ce serait simple de me suicider, se dit-il. Quelques petites manipulations et un bruit que je ne percevrais même pas. Les bouviers m'enterreraient probablement sur place et se partageraient mes biens avant de se disperser. Pour les quatre hommes, les trois bœufs seraient sans doute un sujet de dispute. Ils m'auraient alors déjà oublié. Et je ne saurais jamais prononcer les deux noms qui semblent se composer exclusivement de consonnes.

Il se leva et quitta sa place sous le parasol. Un des bœufs l'observait. La chaleur était intense. Il s'installa sous un arbre noueux, le seul à l'endroit où ils s'étaient arrêtés. J'ai peur parce que je ne sais pas qui je suis, se dit-il. Même si tout ce voyage sert à fuir une vie d'étudiant qui n'avait pas de sens, il s'agit surtout de me fuir moi-même. J'ai passé des nuits à boire et à nier l'existence de Dieu, mais ce ne furent jamais que des propos d'ivrogne. En réalité je crois en Dieu, en un dieu omniprésent qui juge et qui punit. J'avais honte quand je me masturbais sur les talus en Scanie. Je me sentais toujours observé quand Matilda me chevauchait. J'ai fait semblant d'être libéral. J'ai fait vœu d'appartenir au nouveau monde que créeraient les ingénieurs et la vapeur. J'étais plein de mépris envers le pasteur Cavallius à Hovmantorp quand il prétendait que le chemin de fer était une invention du diable. J'ai fait semblant de croire au progrès, de refuser le passé, alors qu'en vérité je crains tout ce que je n'arrive pas à prévoir. Personne ne peut être moins à sa place que moi, ici sous cet arbre en Afrique. Je suis le moins qualifié pour diriger cette expédition, à la recherche d'un insecte inconnu. Wackman avait entièrement raison. C'est évident. Il m'a découvert, il a vu l'imbécile qui se cachait derrière le masque de la gravité.

Il reprit sa place sous le parasol, le ventre noué par la peur. Il joignit les mains et fit une prière. *Je cherche une vérité qui n'a pas besoin d'être grande. L'essentiel est qu'elle existe. Amen.*

Neka, qui était gras et difforme, se réveilla. Il se leva pour aller pisser contre l'arbre. Puis il retourna se coucher sous la charrette et se rendormit.

Bengler pensa au savant anglais et à ses théories qu'ils avaient discutées des nuits entières à la Maison des étudiants de Småland. Après avoir fait le tour du monde à bord d'un des navires de l'amirauté britannique, il était rentré en Angleterre en prétendant que l'homme était un singe. Bengler s'était rarement prononcé au cours de ces discussions animées. Les théologiens s'étaient tous rangés du côté de Dieu. Ils avaient tiré sur les troupes offensives des libres penseurs à l'aide d'extraits de la Bible. Les libres penseurs, quant à eux, s'étaient servis des outils de Darwin comme de petits couteaux bien aiguisés, pour disséquer les arguments des théologiens. Bengler était resté à l'écart. Il avait surtout écouté. Sans doute sa peur existait-elle déjà à ce moment-là. La peur que Dieu cesse d'exister. En revanche, l'idée que sa grand-mère puisse être un singe ne le dérangeait pas.

A présent, tout lui paraissait évident. Cette peur, c'était comme des jumelles pour regarder en arrière. Mais il ne voyait qu'un grand vide : un homme du Småland profond qui ne croyait en rien, qui n'avait aucune ambition, qui, dans un moment de grande prétention, avait décidé de partir à la recherche d'une mouche à laquelle il donnerait son nom.

En même temps, il se dit que ce voyage pouvait être une solution. Il pourrait utiliser cette expédition pour donner un sens à sa vie. Il tenterait de savoir s'il y avait un dieu ou si c'étaient les ingénieurs qui concevaient le monde. Dieu était-il dans le ciel ou dans les poutrelles métalliques qui soutenaient les nouvelles usines, le nouveau monde ? Le chemin qui conduisait vers le désert, puis le désert sans chemin tracé lui offriraient le temps nécessaire pour trouver la réponse.

La peur s'estompa peu à peu. Il ferma les yeux. Le soleil continuait à brûler derrière ses paupières.

Ils levèrent le camp dans l'après-midi. Il marchait tantôt en tête, à côté de la charrette, tantôt derrière les autres. L'aimant avait lâché son emprise. Il se sentit léger et euphorique.

Ils arrivèrent à un marécage qu'il fallait contourner pour atteindre les petites collines de l'autre côté. D'après la carte, elles constituaient la dernière limite avant le désert. Cette étendue de sable qui, par la suite, avancerait imperceptiblement vers eux.

L'une des roues cassa. Les bœufs s'arrêtèrent. La charrette glissa sur le côté, et il en fit le tour pour mesurer l'étendue des dégâts. Les bouviers étaient silencieux. Il essaya de voir si la roue était réparable. Mais plusieurs gros rayons s'étaient rompus. Il fallait donc utiliser la roue de secours que Wackman les avait forcés à emporter malgré le poids supplémentaire qu'elle représentait pour un véhicule déjà surchargé. Avec ses bras et ses mains, il expliqua à Amos, qui semblait avoir une position de chef, qu'il fallait remplacer la roue. Puis il demanda qu'on lui apporte sa chaise pliante et son parasol et il s'installa pour surveiller le travail des bouviers.

Sa peur avait été forte. Mais le mépris qui le saisissait à présent était d'une intensité inouïe. Il observait les efforts maladroits que déployaient les bouviers pour essayer de soutenir le véhicule, démonter l'ancienne roue et la remplacer. Bien qu'il n'ait jamais eu à utiliser ses mains pour effectuer ce genre de travaux, il savait parfaitement comment s'y prendre. Au bout d'une demi-heure, leur maladresse et leur lenteur l'énervèrent tant qu'il se leva et prit la direction des opérations. Une fois dans ma vie, j'aurai tout de même agi en militaire, pensa-t-il, indigné, à cause de quelques incapables qui n'arrivent pas à changer une roue. Il se rendit compte que son excitation était encore plus grande après qu'il eut pris le commandement des travaux. Il se mit à crier, à gesticuler, à bousculer les hommes qui faisaient des erreurs. Il s'étonna de ce qu'aucun d'entre eux ne manifeste le moindre signe de protestation. Quand la nouvelle roue fut en place, il exigea que tout le monde presse le pas pour rattraper le temps perdu. Mais comment évaluer le temps réellement perdu, se demanda-t-il un peu plus tard. Quel est le chemin que nous ne pouvons pas rattraper demain ? Quelle est la distance que nous devons parcourir aujourd'hui ? Puisque l'expédition n'a pas de but.

Pourtant, il les encouragea à avancer. La rage avait remplacé la peur. Pour la première fois de sa vie, c'était lui le plus fort. Ils établirent leur campement peu avant le rapide coucher de soleil. En chemin, il avait tué un animal qui ressemblait à un lièvre. Il s'étendit sur son lit de camp et huma l'odeur de viande et de feu. J'ai inspiré du respect à ces hommes, pensa-t-il. Désormais ce sera moi qui déciderai chaque fois que ce sera nécessaire. Il n'y a aucun doute à ce sujet. Je suis encore jeune, mais ces bouviers ont compris que je possède la force indispensable pour prendre les mesures décisives.

Il mangea la viande cuite pendant que les bouviers se tenaient à distance, près du feu. Au cours de l'hiver précédent, il avait découvert un livre présentant quelques théories nouvelles – françaises et allemandes – qui, par hasard, semblaient aller dans le même sens. Le bon sauvage n'existait pas. Il n'était qu'une représentation romantique d'une époque révolue, une époque sans ingénieurs, sans poutrelles métalliques et sans livres de comptes. Il s'était intéressé à ces théories qui proposaient une étude scientifique des cerveaux et de la couleur de la peau, de la forme des pieds et de l'arête nasale. Le livre parlait de sur-hommes et de sous-hommes. Au début, il refusa d'y croire, convaincu que tous avaient été créés semblables. Mais si Dieu n'existait pas, l'égalité n'avait plus besoin d'exister. Aujourd'hui, il avait eu l'occasion de le constater de ses propres yeux. Les bouviers étaient bien des hommes d'une autre espèce. Il fallait les guider comme eux-mêmes guidaient les bœufs. Lui, qui n'était que le descendant d'un homme aux mâchoires en perpétuel mouvement du fin fond du Småland pauvre et arriéré, avait cependant eu à prendre des décisions importantes devant ces hommes noirs.

Juste avant de s'endormir, après avoir rangé le revolver sous son oreiller et le fusil par terre à côté du lit, il écrivit les dernières remarques de la journée. Cette fois-ci encore, il s'adressa à Matilda. *On ne peut pas comparer ces gens, à la peau incroyablement sombre, avec nous. Ils font partie d'une autre espèce. Peut-être se rapprochent-ils davantage des animaux. Mais ils rappellent aussi les pauvres assistés de chez nous. Par leur soumission, leur silence, leur obséquiosité. Aujourd'hui j'ai compris le rôle que j'ai à jouer dans ce spectacle. Je suis en train d'affirmer ma propre liberté. Le désert est loin. Pour l'instant, peu avant dix heures du soir, il fait encore très chaud. J'ai remarqué que je me réveille plus facilement dans cette chaleur et que mes rêves sont différents.*
Il éteignit la bougie.
Il n'avait rien dit à propos de sa peur.

Il se réveilla au milieu de la nuit, expulsé de son rêve. Les mâchoires de son père l'avaient frôlé de près, comme la gueule d'une bête sauvage. Dans le lointain, il avait deviné Matilda. Toute nue. Elle hurlait parce qu'un groupe de soldats aux galons bleus collés à même leurs corps l'avait violée. Elle l'avait aperçu et l'avait imploré de venir à son secours. Mais il s'était caché et l'avait livrée à son sort.

Ce n'était pourtant pas le rêve qui l'avait réveillé. En ouvrant les yeux, il s'était rendu compte que quelque chose, à l'extérieur de lui, l'avait tiré de son sommeil. Il resta sans bouger, sans respirer, le corps moite de sueur. Ce sont les bœufs, se dit-il. Ils sont nerveux comme si un danger les menaçait. Il recouvrit immédiatement ses esprits. Il n'était plus à Lund, ni à Hovmantorp. L'Afrique était un continent où les serpents vous surprennent dans l'obscurité et où les félins se jettent à la gorge des animaux. Il tâtonna dans le noir pour attraper son fusil. La sensation du canon froid contre sa main le rassura. Il écouta différemment. Non, il ne s'était pas trompé. Les bœufs manifestaient bien de l'inquiétude. Il alluma la bougie, enfila son pantalon et saisit le fusil. Dehors, le feu flamboyait. Il entrevoyait les bœufs dans l'ombre, en dehors du cercle de lumière formé par les flammes. Les bouviers étaient couchés autour du foyer. Mais quand il compta les hommes, il s'aperçut qu'il en manquait un. Il vérifia que le fusil était armé, secoua ses bottes et les enfila. Puis il s'approcha prudemment.

Neka était là. Gros et difforme. Il tenait un fouet dans sa main. Lentement, comme s'il était en train de faire avancer les bœufs dans son sommeil, il leur cinglait le dos. Bengler s'immobilisa. La scène était incompréhensible : en pleine nuit, comme dans un état second, l'un des bouviers était en train de s'acharner sur les bœufs. Il était tout nu et son gros ventre bougeait au rythme de son bras. Il voulut intervenir, arracher le fouet des mains de Neka, peut-être même réveiller les hommes qui dormaient autour du feu, puis attacher Neka à un arbre et le faire fouetter à son tour. Wackman lui avait expliqué que dans ce continent étrange il y avait des gens, des bouviers et des porteurs en abondance. Alors que les bœufs étaient précieux et rares. Il fallait donc faire bonne mesure entre les bœufs et les gens. Il fallait protéger les bœufs alors que les gens pouvaient être abandonnés sans pitié. Mais il n'en fit rien. Neka semblait frapper en dormant. Il vacillait, comme si c'était lui qui était atteint par les coups. C'était sa peau flasque qui tremblait et non pas la peau épaisse des bœufs.

Soudain, tout s'arrêta. Neka lâcha le fouet et se retourna. Bengler recula rapidement à l'abri de l'obscurité. Si on le découvrait, il serait obligé d'agir. Il serait forcé de punir Neka. Or l'homme ne l'avait pas vu. Il rejoignit le feu en titubant, se mit en boule et se rendormit dès qu'il eut fermé les yeux.

Bengler avança jusqu'aux bœufs. Il passa sa main sur un des dos et sa paume fut couverte de sang. Il reprit la direction du feu. Je pourrais tirer sur ces hommes, pensa-t-il. Sur l'un après l'autre. Voilà à quoi ressemble la hiérarchie sur ce continent. Ces gens sales et recroquevillés ont le statut social le plus bas. Alors que moi, étudiant raté de Småland, j'ai le statut le plus élevé, celui qui me donne le pouvoir.

Il regagna sa tente. Près de la bougie, un lézard observait une fourmi qui s'approchait lentement. Un coup de langue et la fourmi disparut.

Avant de s'endormir, il s'adressa de nouveau à Matilda. *Cette nuit, j'aurais voulu avoir le courage de déchirer le dos d'un de mes bouviers avec le fouet. Mais je n'en suis pas encore là. Si je me mettais à frapper maintenant, c'est moi qui souffrirais. Ce n'est que lorsque je serai certain de ne ressentir aucune douleur moi-même que j'arracherai la peau du dos de quelqu'un.*

41

Il emballa le journal dans la peau de castor qui était censée le protéger de l'humidité et des insectes, souffla la bougie et se recoucha.

Je suis à la recherche d'une mouche inconnue, se dit-il. Comme d'autres sont à la recherche d'un dieu. Je crois pouvoir la trouver dans le désert. Mais Wackman, avec son bordel, ses putains et ses oreilles bizarres, a sans doute déjà écrit à la gouvernante de mon père pour lui annoncer que j'ai échoué et que je repose quelque part dans une tombe inconnue.

Malgré sa fatigue, il attendit l'aube sans fermer l'œil.

Le lendemain, ils poursuivirent leur route et dépassèrent les collines. Le soir, ils atteignirent le désert du Kalahari.

5

Un groupe de Bochimans passa au loin.

Ils ressemblaient à des points noirs sur le sable aveuglant. C'est le comportement des bœufs qui fit comprendre à Bengler et aux bouviers qu'il s'agissait d'hommes et non pas d'animaux. Leur instinct les avait prévenus qu'il n'y avait pas de danger.

Depuis deux mois et quatre jours qu'ils étaient dans le désert, c'était la première fois qu'ils rencontraient quelqu'un. Jusque-là, ils avaient juste aperçu un petit troupeau de zèbres et des traces de serpents qui ondulaient sur les dunes.

Bengler avait perdu neuf kilos. Il savait que c'était exactement neuf kilos même s'il ne disposait d'aucun moyen pour le vérifier avec précision. Son pantalon flottait autour de ses jambes, sa poitrine s'était enfoncée, ses joues, recouvertes de barbe, s'étaient creusées. La nuit, il rêvait que le sable l'engloutissait lentement. Il essayait de crier, mais aucun son ne sortait de sa bouche. Ses cordes vocales étaient desséchées.

Ils avaient dû se tromper de chemin à un moment donné. D'après les cartes fournies par Wackman, ils auraient dû atteindre le chef-lieu de Windhoek, dans le Sud-Ouest africain allemand, depuis déjà une semaine. Mais sur leur trajet ils n'avaient vu que des montagnes arides, du sable et des buissons épars. Par deux fois, ils étaient arrivés à des points d'eau. Deux fois parce qu'ils avaient remarqué le va-et-vient incessant de nuées d'oiseaux dans le ciel. Jusqu'à présent, les bouviers ne s'étaient pas plaints. Mais Bengler savait que ça n'allait pas tarder. L'écart qui les séparait augmentait chaque jour. A deux reprises, il avait été obligé de brandir le fouet pour les faire avancer. Si ça devait se reproduire une troisième fois, il serait obligé de frapper.

Neka était toujours aussi gras. Bengler s'en étonna. Les repas des bouviers étaient pourtant encore plus maigres que les siens. Il n'y avait aucune conversation possible, sauf avec Amos qui connaissait quelques mots d'anglais. Bengler se faisait comprendre en agitant les bras ou en pointant du doigt un détail qui clochait, et, dès qu'il s'approchait des hommes, on aurait dit qu'ils se préparaient à recevoir un ordre, ou peut-être une correction. Il avait pris l'habitude de vérifier les roues deux fois par jour, matin et soir. Ils ne pouvaient pas se permettre d'en perdre encore une. Il s'efforçait aussi d'évaluer l'état général des bœufs, de détecter les signes de maladie ou de fatigue. Il veillait également à ce que rien ne disparaisse du chargement. Celui-ci se composait notamment de récipients en métal contenant de l'alcool et de bocaux qui attendaient les insectes. Il y avait aussi les vivres et son matériel de dessin. Mais jusqu'à présent il n'avait pas découvert d'indice révélant que les bouviers avaient commencé à voler. Chaque fois qu'il faisait ces vérifications, il sentait une vague de honte l'envahir. De quel droit se permettait-il de soupçonner ces gens qui étaient la condition même de sa progression ? C'étaient eux qui plantaient la tente et qui préparaient les repas. A plusieurs occasions, en général le soir, il parlait de tout cela à Matilda dans son journal. Il employait presque toujours le terme *statut social*, comme si c'était une expression sacrée dans ce contexte. D'une part, le statut social qui permet de décider, et, de l'autre, celui qui n'autorise que l'obéissance.

Ces deux mois de traversée du désert avaient profondément changé sa conception de l'existence. Cependant il

44

parvenait encore à se rassurer grâce à la conviction qu'une mouche inconnue, ou bien un scarabée ou un papillon, finirait par justifier toute sa vie. Mais le sable, désespérément dépourvu de repères, l'avait obligé à faire un retour sur son passé. La charrette avançait lentement derrière les bœufs alors que lui-même reculait. Ou peut-être cheminait-il vers l'intérieur. Vers quelque chose qu'il n'arrivait pas à définir. Une clarté ? La compréhension de ce qu'est, ou devrait être, un individu. Chaque matin, quand ils levaient le camp, il choisissait une nouvelle pensée pour la journée. Peu versé en philosophie, il en était réduit à formuler de son mieux les grandes questions.

Un jour, du petit matin jusqu'au soir, jusqu'à ce qu'il s'endorme d'épuisement, il réfléchit sur l'amour. Comme ils avaient été obligés de rationner l'eau dès le départ, il souffrait de la soif en permanence. Il écrivit à Matilda qu'il *n'arrivait pas à comprendre la grâce de l'amour mais que le jeu érotique qu'elle lui avait appris éveillait toujours en lui un désir puissant.*

Ce jour-là, le désert le remplit de haine parce qu'il n'y avait aucun endroit où il pouvait se retirer pour se masturber. Et le soir, quand il se retrouva seul sous sa tente, son envie s'était envolée.

Une nuit, il fut tiré de son sommeil par un vide étrange qu'il ressentit soudain au plus profond de lui-même. D'abord, il n'en comprit pas l'origine. Puis il réalisa qu'il ne sentait plus bouger les mâchoires de son père. Il alluma la bougie, regarda sa montre et nota l'heure dans son journal. Sans qu'il puisse en être sûr, il fut convaincu que son père était mort cette nuit-là. Il devait être assis sous la tonnelle et, quand la gouvernante était allée le chercher le soir comme à l'accoutumée, elle s'était aperçue que ses mâchoires s'étaient immobilisées et que son cœur s'était arrêté. Il ne ressentit aucun chagrin, aucune douleur, aucun manque. En revanche, il fut saisi par une impatience incontrôlable. Combien de temps faudrait-il attendre pour avoir la confirmation que c'était bien cette nuit-là que les mâchoires de son père s'étaient arrêtées de moudre ?

Au bout de deux semaines, il avait capturé son premier insecte. C'était Amos qui l'avait repéré. Un tout petit scarabée à la carapace bleu-vert qui avançait tout doucement dans le sable. Il avait réussi à l'identifier grâce à l'un des dictionnaires entomologiques britanniques qu'il avait emportés. Il avait été surpris d'y lire que les Bochimans extrayaient un poison mortel de ses sécrétions. Il avait mis le scarabée dans un bocal qu'il avait ensuite rempli d'alcool et pourvu d'une étiquette. La transformation de son chariot en musée venait de commencer.

Pourtant, c'était encore le voyage qui était au centre de ses préoccupations. Il avait décidé que l'étape, située quelque part devant eux, serait le véritable point de départ de son expédition. À partir de cet endroit, il organiserait la chasse aux autruches. À partir de là, il pourrait aisément faire ses recherches sur des insectes inconnus. Il y trouverait des gens avec qui il pourrait discuter. Il supposait qu'il y aurait tout ce qui rendrait sa vie possible. Un livre de cantiques, un vieil orgue avec pédalier, des livres de comptes et des repas réguliers. Il espérait vaguement qu'il y aurait aussi une femme qui l'attendrait. Quelqu'un qui pourrait venir le voir une fois par semaine, comme Matilda. Qui pourrait le chevaucher et partager ensuite un verre de porto avec lui.

La dernière chose qu'il avait achetée au Cap avant de se séparer de Wackman, c'était du porto. Deux bouteilles de porto portugais.

Mais ces foutues cartes n'étaient pas correctes. A moins que ce sable en perpétuel mouvement ne soit impossible à inscrire sur une carte. Il scrutait désespérément l'horizon à la recherche d'une chaîne de montagnes qui, d'après les indications, aurait dû se trouver là. Mais il ne la voyait nulle part. Peut-être y avait-il dans le sable quelque chose qui perturbait secrètement sa boussole. Parfois, à l'aube, il perdait complètement ses repères en voyant le soleil se lever à un endroit qui ne pouvait assurément pas être l'est la veille au soir. L'absence d'interlocuteurs l'avait incité à mener avec lui-même une discussion à voix haute. Pour que les bouviers ne pensent pas qu'il était en train de perdre la raison, il s'arrangeait pour donner à ses monologues l'apparence de rites religieux. Il joignait ses mains et s'agenouillait tout en se demandant pourquoi diable ces chaînes de montagnes n'étaient pas au bon endroit. Pourquoi les paysages et les cartes ne concordaient pas. Pendant qu'il se consacrait à ces faux rituels, les bouviers gardaient toujours leurs distances. De temps en temps, quand il était à genoux et faisait semblant de prier, il en profitait pour s'en prendre à eux en les accusant de paresse et en leur reprochant leurs corps sales.

Les jours se succédaient sans qu'il se passe rien. Le soleil dardait ses rayons brûlants dans un ciel sans nuages. Les bœufs avançaient péniblement comme si le sable était un véritable marécage. Le claquement d'un fouet déchirait de temps à autre le silence. Il arrivait que subitement les bouviers entonnent des chansons incompréhensibles qui pouvaient durer des heures ou s'interrompre au bout de quelques minutes.

Il se demandait quelle opinion ils avaient de lui. Comment Wackman avait-il fait pour les persuader de quitter leurs familles pour l'accompagner dans le désert ? Quelle annonce ou quelle récompense attendaient-ils ? Leur salaire était maigre, leur nourriture insuffisante, l'eau sévèrement rationnée. Et pourtant, ils le suivaient vers une destination qu'il n'avait même pas pu indiquer sur la carte. *Ça s'arrêtera for-*

cément un jour, écrivit-il à Matilda. *Les êtres humains sont capables de tout supporter jusqu'à une certaine limite. Il se peut qu'ils se dressent contre moi quand ils réaliseront que ce voyage n'a pas de sens. Ils sont quatre et moi, je suis seul. S'ils deviennent menaçants, j'ai décidé de supprimer Amos en premier. Il semble être leur chef, ou du moins le plus fort. Pour lui, j'utiliserai le fusil. Après, il ne faudra pas que je rate les trois autres avec mon pistolet. Matin et soir j'examine mes armes pour vérifier que les parties mobiles ne sont pas obstruées par le sable.*

Parfois, il avait l'impression qu'ils lisaient dans ses pensées. De plus en plus souvent, il constatait que les bouviers retenaient les bœufs une seconde avant qu'il n'ait décidé de leur faire signe de s'arrêter pour la sieste ou l'installation du camp pour la nuit. Il avait parlé avec Matilda de ce langage silencieux qui s'était établi entre lui et les quatre hommes qui partageaient actuellement son existence.

Quelquefois, il jouait avec l'idée qu'elle pouvait lire ce qu'il écrivait. Le comprendrait-elle? Tout compte fait, le trouverait-elle intéressant? Il ressentait une vague crainte et un soupçon de jalousie quand il obtenait pour seule réponse à ses questions cette image : Matilda, les seins dénudés et la jupe retroussée, à califourchon sur un homme inconnu.

Le vingt-huitième jour, il se produisit un événement qui fut décisif pour l'homme de Hovmantorp. (C'est ainsi qu'il avait commencé à se nommer dans son discours intérieur. Il préférait une indication basée sur une donnée géographique plutôt qu'un nom dépourvu de sens. Il pensait que le nom de Bengler avait cessé d'exister. Il était Hans de Hovmantorp, ou tout simplement un homme qui un jour avait couru le long de la rivière qui traversait un petit village insignifiant du Småland.)

Ce jour-là, le vingt-huitième depuis leur départ du Cap, un vent violent soufflait en début de matinée. Il fut obligé de nouer un mouchoir autour de son visage et de se protéger les yeux du sable avec la main. Peu avant dix heures, le vent cessa et le calme revint. Il venait d'enlever son mouchoir quand les bœufs s'arrêtèrent brusquement. Amos, qui conduisait le bœuf de tête, fit claquer son fouet. Mais les bêtes refusèrent d'avancer. Il répéta le geste trois ou quatre fois sans obtenir le moindre résultat. C'était comme si les bœufs se trouvaient devant un mur ou un ravin invisibles. Bengler remarqua que le comportement inattendu des animaux rendait les bouviers inquiets. Il ne savait comment intervenir puisqu'il n'y avait aucune explication logique à la situation, rien qui empêchât les bœufs d'avancer. Et pourtant, ils restaient là sans bouger. Il saisit son fusil et s'approcha des bœufs. Il crut voir de l'inquiétude dans leurs grands yeux fatigués. Mais par terre, rien. Pas de serpent. Pas de trou. Le sable s'étendait devant eux, régulier et lisse, mises à part quelques pierres qui surgissaient çà et là. Rien d'autre. Il appela Amos et ouvrit les bras pour lui demander pourquoi les bœufs n'avançaient pas. Amos secoua la tête, il ne savait pas. Bengler se mit à transpirer abondamment. Ce n'était pas à cause du soleil brûlant, mais à cause de son manque d'assurance grandissant. C'était à lui qu'il incombait de faire avancer les bœufs. Pour gagner du temps, il fit le tour des animaux et du chariot encore une fois en faisant croire qu'il vérifiait les roues. Mais il lui était impossible de trouver une solution puisqu'il ignorait de quel problème il s'agissait. Les bœufs s'étaient arrêtés à cause de quelque chose qu'il ne pouvait identifier.

Tout à fait par hasard, il finit par trouver l'éclaircissement du mystère. Après avoir fait quelques pas, juste devant le bœuf de tête, il heurta une pierre. Il aperçut alors un bout de bois sombre. Il commença à dégager le sable à l'aide de son pied et fut surpris de découvrir un morceau d'arc. Il appela les bouviers pour leur montrer la pointe de l'arc. Ceux-ci entrèrent aussitôt dans une discussion animée. D'abord graves, puis plutôt soulagés, finalement, ils éclatèrent de rire. Amos et celui qu'il appelait « Consonnes » s'étaient mis à genoux pour creuser le sable. Bientôt ils sortirent l'arc, un carquois, quelques flèches, des lanières de cuir tressées et pour finir un squelette. Il comprit alors qu'ils se trouvaient en présence d'une tombe, celle d'un Bochiman. Un soir, au bordel, Wackman lui avait raconté que les Bochimans enterraient leurs morts n'importe où et qu'ils ne retournaient dans le secteur que lorsqu'ils étaient sûrs de ne plus pouvoir reconnaître l'endroit. Les bœufs s'étaient arrêtés parce qu'il y avait une tombe devant eux. Ils auraient pu rester là sans bouger, indéfiniment.

La tombe était celle d'une femme. Le squelette était incomplet, mais il connaissait la différence entre les os du bassin d'un homme et ceux d'une femme. Les dents étaient parfaitement saines. Les sutures du crâne indiquaient que la femme était morte jeune. Soudain, il eut envie d'expliquer tout cela aux bouviers mais il y renonça à cause de l'absence de langue commune. Ils creusèrent une autre tombe, cinquante mètres plus loin, y déposèrent le squelette et la comblèrent. L'obstacle supprimé, les bœufs pouvaient avancer.

Ce soir-là, il écrivit une longue lettre à Matilda. *J'ai compris que je suis quelqu'un de très seul. Là, devant la tombe ouverte, en regardant le squelette de cette femme qui était probablement morte très jeune, j'ai eu l'impression d'avoir enfin trouvé de la compagnie. Ce sentiment est difficilement explicable et je n'hésite pas à dire qu'il m'effraie un peu. Ça fait maintenant vingt-huit jours que je ne parle qu'avec moi-même. Si dans vingt-huit jours je n'ai pas rencontré quelqu'un avec qui je puisse mener une conversation civilisée, je crains que ce ne soit ni le désert ni la chaleur qui aient raison de moi, mais ma solitude.*

Dix-neuf jours plus tard, ils aperçurent de nouveau un groupe de Bochimans qui avançaient à l'horizon comme des points noirs. Le lendemain, le premier bœuf mourut. Ils le débitèrent et dressèrent le camp à l'endroit où il était mort. Au cours de la nuit, Bengler entendit le rire des hyènes pour la première fois.

Le matin suivant, au réveil, il constata que Neka et l'un des « Consonnes » avaient disparu en emportant de grandes quantités de viande et la moitié de la réserve d'eau. Il piqua sa première crise de rage et prit son revolver. Il visa le soleil et tira trois coups. Cela rendit les bœufs nerveux, mais Amos réussit à les calmer. De peur d'être abandonné au milieu du désert, il mit en œuvre le soir même des mesures dissuasives. Il attacha Amos et l'autre bouvier chacun à une roue, en prenant beaucoup de précautions, et il s'étonna de leur docilité. Il s'était réveillé à plusieurs reprises au cours de la nuit, craignant qu'ils n'aient réussi à se détacher. Mais les hommes dormaient profondément devant leurs roues.

Il se rendit compte que le désert l'avait déjà en partie vaincu. Au lieu de suivre les cartes, ils se laissaient maintenant diriger par les bœufs. Ils n'auraient bientôt ni eau ni nourriture. Après avoir fait l'inventaire, il adressa un calcul écrit à Matilda. *A présent, la vérité est extrêmement simple. Si nous n'atteignons pas l'étape d'ici dix jours, le voyage sera terminé. Ma visite dans le désert du Kalahari aura pris fin. La question qui se posera alors sera la suivante : aurai-je le courage de me tirer une balle dans la tête ou m'étendrai-je sur le sable pour me laisser brûler par le soleil ?*

A part le scarabée, il n'avait trouvé que deux insectes. Un mille-pattes long de presque vingt centimètres et un papillon de nuit qu'il avait découvert un matin mort à côté du feu de camp. Il les avait identifiés à l'aide de ses dictionnaires. Il se dit que son musée se composerait de ces trois bocaux. Si, dans l'avenir, quelqu'un retrouvait l'attelage ensablé, il se demanderait forcément qui était ce fou venu collecter des insectes dans cet enfer de sable pour les mettre dans un alcool depuis longtemps évaporé.

Il commença un compte à rebours. A trois jours de la fin de la réserve d'eau et de nourriture, une forte fièvre frappa Amos, ce qui les immobilisa pendant vingt-quatre heures. Il divaguait et gémissait comme un tout petit enfant. Bengler était convaincu qu'il n'allait pas tarder à enterrer le premier membre de l'expédition. Mais, au matin, la fièvre avait disparu aussi vite qu'elle était venue.

Ils reprirent la route. Peu avant l'heure de la sieste, le deuxième bouvier, tout excité, pointa le doigt vers un point situé à l'ouest de leur trajet. Bengler mit longtemps à comprendre ce que le bouvier cherchait à lui montrer. Dans un premier temps, il ne vit que du sable qui vibrait dans la chaleur mais, petit à petit, il discerna un bosquet d'arbres et quelques maisons. Il entendit le hennissement d'un cheval. Les bœufs répondirent par des meuglements las.

Il éclata aussitôt en sanglots. Pour cacher sa faiblesse à Amos et à l'autre homme, il se détourna.

Rapidement cependant, il retrouva son calme, essuya ses traces de larmes et fit avancer les bœufs. Ils changèrent de direction. Pour la première fois, ils avaient un but.

Bien plus tard, il allait en vain essayer de se rappeler ce qu'il avait pensé et ressenti au moment où il avait vu ces maisons et entendu le cheval hennir. Mais tout ce qu'il avait retenu, c'était le vide provoqué par le soulagement.

Vers trois heures de l'après-midi, ils arrivèrent à destination.

Un homme les attendait sur les marches de la plus grande maison. Il manquait deux doigts à sa main droite.

Dans un suédois impeccable, il se présenta. Il s'appelait Wilhelm Andersson.

Il ne semblait pas avoir la moindre hésitation quant à l'origine de Hans Bengler.

Seul un cordonnier suédois savait fabriquer des bottes comme celles qu'il portait.

6

Wilhelm Andersson souhaita la bienvenue à Bengler. Il le salua d'une poignée de main si vigoureuse que celui-ci eut peur de se faire broyer les doigts. Il ôta ensuite sa chemise et lui présenta son dos en lui demandant d'ouvrir un abcès qu'il avait entre les omoplates et qui était bien trop mal placé pour qu'il puisse l'atteindre lui-même. Bengler regarda l'énorme furoncle et se rappela le jour où il s'était évanoui dans l'Amphithéâtre d'anatomie. Il passa rapidement sa main sur la cicatrice au-dessus de son œil.

– Je crois qu'il serait préférable que je m'abstienne. Je ne supporte pas la vue du sang.

– Il n'y aura pas de sang. Il y aura juste un peu de pus verdâtre et peut-être quelques larves de mouches.

Andersson cracha sur un couteau muni d'un manche en ivoire et le tendit à Bengler. Son dos était couvert de crevasses et de boursouflures. On aurait dit que le paysage désertique s'était gravé dans la peau de l'homme.

– Je n'ai jamais ouvert d'abcès.

– Pose la pointe du couteau au milieu et appuie. Une fois l'abcès crevé, incise vers le bas. Tourne la tête pour que ça ne te gicle pas dans les yeux.

Bengler posa la pointe de la lame sur l'abcès violet, baissa les paupières et appuya. En plissant les yeux, il incisa vers le bas. Un liquide épais se mit à couler le long du dos d'Andersson.

– Prends ce torchon et essuie. Après on va pouvoir manger.

En gardant les yeux à demi fermés, Bengler essuya le pus sur le dos de l'homme, puis laissa le torchon tomber par terre. Il y avait maintenant du sang qui sortait de la plaie. Andersson lui tendit un morceau de tissu blanc.

– Pose-le sur la plaie. Pas la peine de l'attacher. La sueur le maintiendra collé.

Bengler n'arrêtait pas d'avaler sa salive pour ne pas vomir. Andersson enfila sa chemise, la boutonna de travers, s'en aperçut mais ne se donna pas la peine de recommencer.

Ce n'est qu'à ce moment-là que Bengler remarqua qu'Andersson dégageait une odeur épouvantable. Il fit un pas en arrière et entreprit de respirer par la bouche. Puis il se rappela que cela faisait presque deux mois qu'il ne s'était pas lavé lui-même. Il avait commencé le rationnement d'eau en supprimant sa toilette corporelle. Et ça, une semaine déjà après le départ du Cap.

Andersson le conduisit dans une pièce remplie d'animaux naturalisés. L'odeur de pourriture et de formol était très forte. Au milieu de la pièce était accroché un hamac identique à celui où Bengler avait passé ses nuits à bord de la goélette noire de Robertson. Il mit un certain temps à découvrir qu'un homme noir et trapu se tenait immobile dans un coin de la pièce. Il l'avait pris pour un animal naturalisé avant de réaliser que c'était un être humain, vivant.

– C'est la seule forme de nostalgie que je cultive, dit Andersson. A moins que ce ne soit un signe d'aversion. Je n'ai jamais vraiment su pourquoi j'ai emporté ce costume folklorique de Vänersborg et pourquoi je le fais porter à mon valet de chambre.

Bengler ne disposait pas des éléments lui permettant de décrypter cette scène. Au bout de près de trois mois passés dans le désert, il avait atteint une étape de ravitaillement où vivait un homme nommé Wilhelm Andersson, originaire de Vänersborg et dont le domestique était vêtu d'un costume folklorique.

– J'ai essayé de lui apprendre à danser la polka, poursuivit-il, mais ça n'a pas marché. Il préfère sautiller. J'ai eu beau

lui expliquer que Dieu n'aime pas les gens qui sautillent, rien
à faire. Dieu est un être supérieur, supérieur à moi, mais nous
sommes du même avis. Si on doit danser, ça doit se faire de
façon organisée. En mesure, à trois ou quatre temps. Mais les
gens d'ici persistent dans leur sautillement en tortillant les
parties les plus inattendues de leur corps.

Il offrit du whisky et de l'eau à Bengler qui pensait à
ses bouviers. Andersson comprit aussitôt ce qui le préoccupait.

– On s'en occupe, dit-il. On leur donne de l'eau, de la
nourriture, l'occasion de rire, et on leur fait la conversation.
Ils auront pour la nuit des femmes qui les réchaufferont et
qui s'offriront à eux. Quant aux bœufs, tu devrais les abattre.
Tu les as épuisés. Cela m'amène à te demander : Qu'es-tu
venu faire ici ?

Dès la première gorgée de whisky, Bengler sentit un étour-
dissement l'envahir. Comment expliquer quelque chose que
l'on n'arrive pas à comprendre soi-même ? eut-il le temps de
penser avant de s'évanouir : une manière de s'éclipser.

Il se réveilla dans le hamac. L'homme noir en costume
folklorique était en train de lui donner de l'air avec un objet
qui ressemblait à un éventail en peau de bœuf. Au loin, il
entendait la voix d'Andersson qui chantait un cantique, avec
rage, comme s'il haïssait la mélodie. En plus, il chantait
faux !

Bengler ferma les yeux en se disant que, d'une certaine
manière, il était arrivé à destination. Il ignorait où il se trouvait exactement, comme il ignorait l'identité de l'homme
étrange dont il avait incisé l'abcès. Et pourtant, il était arrivé.
Finalement il avait réussi à aborder un bout de terre au milieu
de cette mer de sable infinie. Je devrais faire une prière, se
dit-il, qui sonne plus juste que le cantique que j'entends.
Mais à qui l'adresser ? A Matilda ? Elle ne croit pas en Dieu.
Elle a peur de Dieu comme elle a peur du diable. Le ciel
l'effraie autant que l'enfer.

Il renonça. Il essaya de croiser le regard de l'homme noir qui était en train de l'éventer. Celui-ci avait les yeux perdus au loin, quelque part au-dessus de la tête de Bengler.

Il eut soudain le sentiment de se trouver au centre du monde. Au milieu d'un univers qui, pour la première fois de sa vie, appartenait à la réalité. Pour la première fois, il lui fallait adopter un comportement, avoir une opinion, faire un choix.

Il s'interrompit dans ses réflexions, réalisant brutalement qu'une nausée violente était la véritable raison de son réveil. Il se pencha au-dessus du hamac pour vomir. L'homme noir cessa de l'éventer, forma une coupe avec ses mains et l'approcha de la bouche de Bengler qui n'eut pas la force de détourner la tête. Il sentit tout l'amour qu'il y avait dans le geste de cet homme inconnu, vêtu d'un costume folklorique du Västergötland. Il savait qu'il n'était pas dans le vrai, qu'il aurait l'occasion de changer d'avis. Mais, à ce moment précis, il s'agissait bien d'un acte d'amour. Lui, Bengler, ressentait cela comme une grâce.

Épuisé, il reposa sa tête sur l'oreiller. L'homme noir lui essuya le visage. Andersson était toujours quelque part dans le voisinage à brailler son cantique au nombre interminable de strophes. Peut-être recommençait-il toujours la même ? Ou peut-être la chantait-il dans différentes langues ? La grande fatigue de Bengler l'entraînait vers un état de somnolence, malgré cela, il s'efforça d'écouter le texte. Il s'aperçut alors que les paroles n'avaient rien de sacré. Andersson avait mis ses propres mots sur la mélodie du cantique. Il tempêta au sujet de quelqu'un qui s'appelait Lukas et qui aurait dû réparer la barrière depuis longtemps. Puis ce fut le tour d'un radeau qu'il s'était construit sur le lac de Vänern, mais rapidement il dirigea à nouveau sa colère contre Lukas. Bengler en conclut qu'Andersson était fou ou complètement ivre.

Pourtant, il se sentait parfaitement en sécurité.

Il avait, malgré tout, survécu. Il avait fini par arriver quelque part. L'aimant avait lâché son emprise. Il était arrivé dans un endroit inconnu, mais où il y avait des gens. Un petit bout de Suède, un lieu qui lui offrait quelque chose de familier.

Dans la nuit, il fut réveillé par des ronflements.

Il ouvrit les yeux, mais les ronflements persistèrent. Andersson dormait recroquevillé sur une peau de zèbre à côté d'une lampe à huile allumée. Bengler réussit à s'extraire du hamac pour aller pisser. Il chercha une porte ou un rideau en tâtonnant dans l'obscurité. Brusquement, sans savoir comment, il se trouva dehors. Quelques feux brûlaient au loin. Il vit des ombres passer. Il entendit des gens parler à voix basse et un enfant pleurer doucement. La fraîcheur et le vent nocturnes le firent frissonner. Il se soulagea. Comme d'habitude, il dessina quelques chiffres avec son jet d'urine. Cette fois-ci, un quatre et un neuf. Il réussit à faire la moitié d'un huit avant d'avoir épuisé ses ressources.

A son retour, Andersson était réveillé. Il était occupé à essuyer la suie du verre de lampe.

– Pendant que tu dormais, j'ai essayé de savoir qui tu étais. J'ai examiné le chargement de ta charrette mais tout ce que j'ai trouvé, ce sont des livres, des planches illustrant des insectes et quelques bocaux. Rien d'autre. J'ai l'impression d'avoir reçu la visite d'un asile d'aliénés ambulant. Crois-moi, j'en ai vu des gens passer ici, mais jamais quelqu'un d'aussi fou que toi.

Il abandonna la lampe à l'huile et alluma une pipe.

– J'ai vu dans ton livre de catéchisme que tu viens de Hovmantorp. J'ai eu beau chercher cet endroit sur ma carte de Suède, je ne l'ai pas trouvé. De deux choses l'une, soit tu écris des mensonges dans tes livres, soit Hovmantorp est un lieu inconnu. Mais ça me surprendrait qu'il existe encore des taches blanches dans un pays comme la Suède.

– Ça fait combien de temps que tu es ici ? enchaîna Bengler.

– Ta question n'est pas claire. Que veux-tu dire par « ici » ? Dans le désert ? En Afrique ? Ou dans cette pièce ?

– En Afrique.

– Ça fait dix-neuf ans. Chaque jour, je m'étonne d'être encore en vie. Les Noirs qui m'entourent sont aussi étonnés que moi. Tout comme mes bœufs, les autruches et les chiens sauvages. Parfois je me dis que je suis peut-être déjà mort. Sans que je le sache.

Il attrapa un bidon d'alcool et en but une gorgée.

– Si tu n'avais pas ouvert cet abcès, il m'aurait vraisem- blablement tué. Si ça peut t'apporter quelque réconfort, je dirais que tu es venu du désert comme un sauveur et que je te dois la vie.

– Je me destinais à la médecine mais je n'étais pas à la hauteur.

– C'est courant, les Européens qui ne font pas le poids chez eux viennent en Afrique. Ici, ils peuvent revendiquer leur dieu et la couleur de leur peau. Pas besoin de vouloir ou de savoir faire quelque chose. Ici, on arrive à bien vivre en exploitant les gens. Des analphabètes d'Allemagne viennent ici et, au bout de peu de temps, ils dirigent des centaines d'Africains qu'ils estiment pouvoir traiter comme bon leur semble. Les Anglais agissent de la même façon à l'est de ce désert. Au nord, les Portugais chantent leurs airs nostalgiques, ce qui ne les empêche pas de frapper leurs travailleurs noirs jusqu'au sang. L'Europe exporte son savoir-faire en Amé- rique, des prédicateurs et des monstres paresseux en Afrique. Et moi, qui ne suis pourtant ni l'un ni l'autre, je suis tout de même arrivé là.

– Et tu fais quoi ?

– Je suis clairvoyant. Je fais des affaires.

– Au Cap, j'ai rencontré un homme nommé Wackman. Il a tenté de me convaincre que les pianofortes pourraient un jour générer ici de grandes fortunes.

– Exact. Pour une fois, l'homme a raison. Wackman est un abominable individu. Il taillade la plante des pieds de ses putains pour qu'elles ne l'oublient pas. Et il convoite les petits garçons à la peau brune. Il les enduit d'huile. La rumeur

58

dit qu'un jour il a allumé un de ces petits garçons comme une torche, par pur plaisir après en avoir abusé. L'huile l'a fait s'embraser à toute vitesse.

Andersson était-il aussi cynique qu'il en avait l'air ? Bengler tenta de se faire une opinion précise. Jusqu'où le froid de la nuit et la solitude l'avaient-ils pénétré ? N'y avait-il en lui que des espaces vides ? Rien d'autre que des sentiments figés dans des blocs de glace, comme ses propres scarabées dans l'alcool ? Ou y avait-il tout de même quelque chose d'autre ?

– J'ai cherché un centre d'intérêt dans ma vie, poursuivit Andersson. Mon père était pharmacien et il s'attendait à ce que j'éprouve la même passion que lui pour les onguents. Or je suis né avec une haine pour tout ce qui est pommade. J'ai donc fugué. Je suis monté en cachette à bord d'un navire chargé de porcelaine de Lidköping à destination de Göteborg. Départ pour le grand monde. J'ai fini par débarquer ici. Je suis retourné chez moi une seule fois. Pour enterrer mon père. En fait, je suis arrivé six mois après son décès. Mais on m'avait laissé un trou dans la tombe pour que je puisse verser de la terre sur le cercueil. J'y ai mis du sable du désert. C'est ce jour-là que j'ai remporté le costume folklorique pour Geijer[1].

– Il s'appelle Geijer ?

– J'ai oublié son vrai nom. Je l'ai baptisé Geijer. C'est un beau nom. Celui d'un poète plein de bon sens qui a écrit quelques poèmes dont je me souviens encore. Il est toujours en vie ?

– Erik Gustaf Geijer est mort.

– Pour moi, ils sont tous morts.

– Tu vis au milieu d'un désert.

– Je chasse. Je détiens l'unique magasin d'étape où les Noirs ont le droit de s'arrêter. Les Allemands ne viennent pas ici. Ils me haïssent autant que je les hais. Parce qu'ils savent

---

1. Poète suédois, 1783-1847. *[Toutes les notes sont des traductrices.]*

que je devine ce qui se cache en eux. Leur brutalité, leur peur.

– Tu chasses les éléphants ?

– Exclusivement. Et toi, que vas-tu mettre dans tes bocaux vides ?

– Je vais recenser des insectes. Leur donner un nom et les ordonner en système.

– Pourquoi ?

– Parce que ça n'a pas encore été fait.

Andersson le regarda longuement avant de répondre.

– Je ne pense pas que ce soit la bonne réponse. On ne fait pas une chose uniquement parce qu'elle n'a pas encore été faite.

– Je n'ai pas d'autre réponse.

Andersson s'allongea et se couvrit d'un morceau d'étoffe.

– Tu peux rester ici. J'ai besoin de compagnie, de quelqu'un avec qui je puisse partager mes repas, de quelqu'un qui sache crever mes abcès.

– Je n'ai pas de quoi payer.

– Ta compagnie me suffira.

Il s'installa donc à cet endroit qu'Andersson avait baptisé le Nouveau Vänersborg. Derrière la pièce où il avait passé sa première nuit, il y avait un local où Andersson stockait les défenses d'éléphant. On le vida, le nettoya et il put y emménager. Les bouviers furent débauchés et les animaux abattus. Andersson l'aida à se procurer d'autres bœufs et de nouveaux bouviers. Il avait en permanence la sensation qu'Andersson les utilisait pour l'espionner. Andersson était toujours au courant de ses pensées comme de ses projets. Il le soupçonnait également de lire son journal intime et de fouiller ses vêtements. Le soir, ils dînaient et discutaient. De temps en temps, quand Andersson recevait la visite d'une très belle femme, il se retirait avec ses bidons d'alcool. Bengler ressentait alors une envie brûlante de retrouver Matilda. Il reprit son habitude de se masturber deux ou trois fois par jour.

Il arrivait qu'Andersson disparaisse pendant plusieurs semaines. C'était alors Geijer, toujours vêtu de son costume folklorique dont il ne semblait jamais se défaire, qui était responsable du magasin. Le stock se composait de sel, de sucre, de quelques céréales, de tissus ordinaires et de munitions. Il n'y avait aucune transaction d'argent, tout étant basé sur le troc. Les hommes noirs, qui apparaissaient comme des navires solitaires dans l'environnement blanc, apportaient des défenses d'éléphant et des carapaces de tortue. Bengler ne voyait pas autre chose. Ils disparaissaient ensuite chargés de sacs et d'étoffes.

Il pouvait avoir une conversation simple en suédois avec Geijer à qui Andersson avait appris la langue. Pour une raison inexplicable, il parlait avec l'accent de Göteborg. Vu son vocabulaire limité et la grande tristesse qui l'envahissait chaque fois qu'il ne comprenait pas, Bengler évitait de se lancer dans des discussions compliquées.

Il fallait aussi qu'il s'occupe de ses insectes. Les bocaux se remplissaient progressivement. Mais, au bout de sept mois, il n'avait toujours pas trouvé d'insecte dont il était certain qu'il soit inconnu.

Il avait passé quatre mois chez Andersson. Un soir, il s'apprêtait à se coucher lorsqu'il s'aperçut qu'une femme était allongée par terre sous son hamac. Elle était nue sous le fin tissu qui la recouvrait. Il estima qu'elle pouvait avoir seize ans, au maximum. Il s'installa dans son hamac. Il l'entendait respirer en dessous. Cette nuit-là, son sommeil fut agité. A son réveil, elle était partie. Il s'informa auprès d'Andersson pour savoir qui elle était.

– Je te l'avais envoyée. Tu ne peux plus continuer à vivre sans femme. Tu commences à avoir un comportement bizarre.

– Je veux pouvoir choisir moi-même.

– Elle restera jusqu'à ce que tu aies fait ton choix. Et tant qu'elle le voudra.

La réponse d'Andersson l'agaça mais il ne le montra pas.

Il passa encore une nuit dans son hamac, la femme par terre en dessous. La troisième nuit, il s'allongea à côté d'elle et passa là toutes ses nuits. Elle lui donnait beaucoup de chaleur et lui témoignait une sorte d'affection tranquille qui le surprenait d'autant plus qu'il n'en avait jamais reçu de la part de Matilda. Elle ne quittait pas son air sérieux, gardait les yeux clos et n'effleurait que rarement son dos de ses mains. Elle semblait s'endormir dès qu'il avait atteint l'orgasme.

Elle s'appelait Benikkolua et il ne l'entendait jamais pleurer. Elle chantait en nettoyant sa chambre, en secouant ses vêtements et en rangeant prudemment ses papiers sur le bureau qu'Andersson lui avait donné.

Il lui demanda de lui apprendre sa langue. Il voulait surtout arriver à reproduire son « click » étonnant. Il désignait différents objets et elle lui disait les mots qui correspondaient. Il les notait et elle éclatait de rire quand il essayait de les prononcer.

Chaque nuit il la pénétrait en se demandant qui il était. A travers ses yeux à elle. Était-il en train d'abuser d'elle ou était-elle là de son plein gré ? Andersson la payait-il à son insu ?

A plusieurs reprises, il posa la question à Andersson qui répétait inlassablement que si elle était là, c'était parce qu'elle le voulait bien.

En revanche, la vie amoureuse d'Andersson paraissait très compliquée. Il avait une femme au Cap, qui lui avait donné trois enfants, et une famille dans le lointain Zanzibar, sans compter les différentes femmes qui traversaient le désert à intervalles irréguliers pour passer une ou deux nuits avec lui.

Toutes ces femmes étaient noires, bien entendu. Un soir, au moment du dîner, Andersson se mit à parler de la fille d'un pasteur de Vänersborg dont il avait été très amoureux quand il était jeune. Mais il se tut aussi vite qu'il avait commencé.

Le lendemain, il partit chasser les éléphants dans le désert.

Neuf mois passèrent. Bengler trouva enfin son insecte. C'était un scarabée insignifiant qu'il ne parvint pas à identifier. Compte tenu de la petite taille de ses antennes, peut-être sous-développées, il n'était même pas certain qu'il s'agissait réellement d'un scarabée. En revanche, en le mettant dans un bocal et en vissant le couvercle, il fut certain d'une chose : il avait réussi.

Il devait donc retourner en Suède pour inscrire cette découverte dans les classeurs scientifiques.

Cette idée le bouleversa. Comment allait-il avoir la force d'y retourner ? Et vers quoi irait-il ?

Il avait trouvé le scarabée lors d'une expédition qui l'avait éloigné du Nouveau Vänersborg pendant deux semaines.

A son retour, Andersson était dans le magasin et s'occupait d'une charretée de sel qu'il venait de recevoir.

Derrière la porte, il y avait par terre un box comme ceux dans lesquels on met les veaux. Bengler se pencha et découvrit un garçon. Il était couché là et le regardait fixement.

7

Face au garçon dans le box, Bengler eut l'impression de se voir lui-même. Il ne savait pas pourquoi. Pourtant, il était sûr que ce garçon, c'était lui. Il jeta un regard interrogateur à Andersson qui était en train d'expliquer à Geijer comment empiler les sacs de sel pour les préserver de l'humidité, étrangement présente même en cet endroit perdu du désert.

– C'est quoi ? demanda Bengler.

– Je l'ai échangé contre un sac de farine.

– Et qu'est-ce qu'il fait là ?

– Je n'en sais rien. Il faut bien qu'il soit quelque part.

Bengler était indigné de voir Andersson préoccupé par son fichu sel alors qu'un jeune garçon se trouvait là, dans ce box sale.

– Qui a bien pu échanger un être vivant contre un sac de farine ?

– Un de ses cousins. Ses parents sont morts. Il a dû y avoir une guerre entre ethnies. Une lutte quelconque. A moins que ce ne soient les Allemands qui aient organisé des chasses. Ça leur arrive. Le garçon n'a pas de famille. Si j'avais refusé, il aurait tout bonnement disparu dans le sable.

– Il a un nom ?

– Pas que je sache. Je ne sais pas non plus quoi faire de lui. Il est arrivé ici par hasard et il y restera. Comme toi.

A cet instant précis, le déroulement de l'histoire parut inévitable à Bengler. Il avait trouvé son scarabée. Il allait donc retourner en Suède. Il n'était plus porté par le rêve des insectes. Le garçon couché dans cette espèce d'enclos – ou de box pour animaux – appartenait à la réalité.

– Je l'adopte. Je l'emmène.

Pour la première fois depuis le début de la conversation, Andersson montra une lueur d'intérêt. Il reposa un sac de sel sur le plancher et regarda Bengler avec dégoût.

– Qu'est-ce que tu as dit ?

– Tu as très bien entendu. Je l'adopte.

– Et ?

– Il n'y a pas de « et ». Il n'y a qu'une suite. Je repars chez moi. Et je l'emmène.

– Pourquoi ?

– Pour lui donner une vie. Ici, il va dépérir. Comme tu viens de le dire.

Andersson cracha par terre et Geijer se précipita immédiatement avec un chiffon pour essuyer. Bengler se souvint honteusement qu'il s'était permis de vomir dans les mains de cet homme.

– Quel genre de vie penses-tu pouvoir lui donner ?

– Une vie qui sera bien meilleure qu'ici.

– Et tu crois qu'il survivra ? A un voyage en mer ? Au froid suédois ? A la neige et au vent et à tous ces gens muets ? Tu n'es pas seulement fou, tu es vaniteux. Et l'insecte, tu l'as trouvé ?

Bengler lui montra le bocal.

– Un scarabée. Aux antennes bizarres. Il n'a pas encore été répertorié.

– Tu vas le tuer, ce garçon.

– Bien au contraire. Dis-moi ce que tu veux à la place.

– Une promesse. Je veux que tu reviennes un jour pour me raconter ce qui lui est arrivé.

Bengler opina. Il fit la promesse, toujours sans réfléchir.

– Je garde la boîte, dit Andersson. Mais je te fais cadeau de la vermine.

Il fit signe à Geijer de sortir le garçon du box.

65

Malgré sa toute petite taille, Bengler lui donna huit ou neuf ans. Il s'accroupit devant lui et lui sourit. Le garçon ferma les yeux comme pour se rendre invisible. Il fallait lui donner un nom. C'était essentiel. Un être sans nom n'existait pas. Bengler en cherchait un qui pourrait aller avec son propre nom de famille.

– Appelle-le Lazare, suggéra Andersson qui, encore une fois, avait compris ce qui se passait dans la tête de Bengler. C'est bien Lazare qui est ressuscité d'entre les morts ? Ou pourquoi pas Barabbas ? Comme ça il pourra être crucifié à tes côtés sur la croix que tu lui auras préparée.

Si Bengler avait eu suffisamment de forces, il l'aurait tué. Mais inutile d'essayer, Andersson l'écraserait comme un insecte.

– Barabbas n'est donc pas une bonne idée ?

Bengler se mit à transpirer.

– Barabbas était un brigand. Je te rappelle qu'on est en train de chercher un nom pour un enfant abandonné.

– Qu'est-ce qu'il sait, lui, de ce qui est écrit dans la Bible ?

– Il le saura un jour. Comment lui expliquerai-je alors pourquoi je lui ai donné le nom d'un brigand ?

Andersson éclata de rire.

– Je commence à croire que tu es sincère quand tu dis que tu vas l'emmener sur la mer et que tu penses qu'il survivra au voyage. C'est pas croyable de devoir héberger un imbécile comme toi !

– Je vais bientôt m'en aller.

Andersson ouvrit ses bras comme pour lui proposer de faire la paix.

– Il pourrait peut-être s'appeler David, dit Bengler.

Andersson fronça les sourcils.

– Je ne me souviens pas de lui. Qu'est-ce qu'il a fait ?

– Il s'est battu contre Goliath.

Andersson approuva.

– Pas mal. Il aura à se battre contre un Goliath, c'est sûr.

Après un moment de réflexion, Andersson s'exclama :

– Joseph ! C'est lui qui a été rejeté. Joseph, c'est un beau nom.

Bengler s'opposa d'un signe de tête. C'était le deuxième nom de son père.

– Non, ça ne va pas.

– Pourquoi ?

– Ça m'évoque de mauvais souvenirs, répondit Bengler sur un ton évasif.

Andersson n'insista pas.

Pendant toute cette conversation, le garçon resta pétrifié. Sans doute s'attendait-il à ce que quelque chose d'épouvantable se produise. A être battu ? Ou peut-être tué ?

– A-t-il assisté à ce qui est arrivé à ses parents ?

Andersson haussa les épaules en retournant au stockage du sel. Geijer était resté en équilibre en haut d'une échelle.

– C'est possible. Je n'ai pas posé beaucoup de questions. Pourquoi chercher à savoir ce que l'on préfère ignorer ? J'ai vu les Allemands chasser ces gens comme on chasse les rats.

Bengler posa sa main sur la tête du garçon. Son corps était tendu. Il gardait toujours les yeux fermés.

Soudain, sa décision fut prise.

Le garçon s'appellerait Daniel. Daniel, dans la fosse aux lions.

C'était un nom qui lui convenait.

– Daniel, dit Bengler. Daniel Bengler. On dirait un nom juif. Mais toi, tu es noir et tu n'es pas juif. Voilà, tu as un nom.

– Il est plein de poux. En plus, il est sous-alimenté, fit remarquer Andersson. Lave-le et nourris-le. Sinon, il mourra avant que tu n'arrives au Cap. Avant qu'il n'ait eu un nom chrétien.

Le soir, Bengler brûla les vêtements du garçon. Il le frotta dans une baignoire en bois et lui mit une de ses chemises, qui lui descendait jusqu'aux pieds. Benikkolua se tenait en permanence à proximité. Elle s'était proposée pour laver le garçon, mais Bengler avait préféré s'en charger lui-même. Il espérait ainsi réussir à atténuer la peur muette du garçon qui n'avait toujours pas prononcé un seul mot. Il refusa de desserrer les lèvres, même lorsque Bengler voulut lui donner à manger. Il croit sans doute que sa vie s'échappera par sa bouche, pensa Bengler.

Il demanda à Benikkolua d'essayer de le nourrir à son tour, mais le garçon persista dans son refus.

Andersson se contenta d'observer la scène à distance.

– Tu n'as qu'à prendre une pince, dit-il. Il faut le forcer à ouvrir la bouche. Je ne comprends pas cette mollesse. Si on veut sauver des vies, il faut utiliser de grands moyens.

Bengler ne répondit pas. Il lui tardait de s'éloigner d'Andersson. Malgré toute l'aide qu'il avait reçue de sa part, il n'avait jamais eu une haute opinion de lui. Il lui avait fait mauvaise impression dès leur première rencontre, quand il avait été obligé de crever son abcès. Pour lui, Andersson avait exactement le même comportement que les Allemands, les Portugais et les Anglais. Comme tous ceux qui faisaient souffrir les Noirs et qui les chassaient comme des rats. Au mieux, Andersson exerçait la brutalité de façon plus discrète. Dans le fond, y avait-il réellement une différence entre enchaîner les gens et les vêtir d'un costume folklorique absurde ? Il aurait dû dire à Andersson ce qu'il pensait de lui. Lui montrer qu'il l'avait démasqué. Mais il savait qu'il n'en aurait pas le courage. Andersson était trop fort. Bengler, lui, appartenait à une espèce d'hommes qui ne saurait jamais maîtriser le désert.

Cette nuit-là, il demanda à Benikkolua de dormir devant la porte. Il laissa le garçon seul sur le matelas et posa une assiette de nourriture à côté. Ensuite il éteignit la lumière et se coucha dans le hamac. Contrairement à celle de Benikkolua, la respiration du garçon était silencieuse. Une brusque inquiétude poussa Bengler à se lever. Il alluma la lampe. Le garçon était réveillé. Il continuait à garder les lèvres bien serrées. Bengler verrouilla la porte avant de retourner dans le hamac.

Le matin, à son réveil, il s'aperçut que le garçon avait vidé son plat. A présent il dormait, la bouche légèrement ouverte.

Trois jours plus tard, Bengler fit ses derniers préparatifs en prévision du départ. Il chargea et amarra ses affaires dans la charrette. Le garçon, qui n'avait toujours pas prononcé un seul mot, était assis par terre à l'ombre, les yeux clos, enfermé dans son mutisme. De temps à autre, Bengler passait la main sur sa tête, il était toujours aussi tendu.

Bengler avait tenté d'expliquer à Benikkolua qu'il allait s'en aller mais il ne savait pas si elle l'avait compris ou non. Comment lui expliquer ce qu'était la mer ? Une vaste étendue non pas de sable mais d'eau de pluie ? Que signifiait la distance pour elle ? Où était située la Suède ? Il ignorait tout d'elle, mais il savait qu'elle allait lui manquer. Il connaissait son corps mais il ne savait pas qui elle était.

Il passa la dernière soirée en compagnie d'Andersson. Ils mangèrent de la viande d'autruche cuite dans un bouillon d'herbes. Andersson avait sorti un bidon de vin. Pour marquer le coup, il avait mis une chemise propre. Pendant tout ce temps que Bengler avait passé chez Andersson, il ne l'avait pas vu se laver une seule fois. Mais il avait fini par s'habituer à la puanteur. Il ne la sentait même plus. Andersson ne tarda pas à être ivre alors que Bengler, trop inquiet d'avoir mal au cœur pour son voyage dans le désert le lendemain, but avec modération.
   – Ta compagnie me manquera sans doute, dit Andersson. Mais je sais que, tôt ou tard, il y aura un autre Suédois fou qui fera son apparition ici. Chargé lui aussi d'une mission absurde.
   – Ma mission n'a pas été absurde. Et en plus, j'ai trouvé un fils.
   – Tu parles d'un fils ! Tu vas le tuer, oui ! Il survivra peut-être au voyage en bateau. Mais après ? Qu'est-ce que tu comptes faire ?

– Je vais lui offrir une vie décente.

– Mais comment ? En l'épinglant comme un insecte ? Ou en le collant sur une de tes planches ?

Bengler se dit qu'il devait répondre aux insultes, mais il ne savait pas comment s'y prendre. Andersson était toujours trop fort pour lui. C'était la dernière soirée et la dernière fois qu'il avait la possibilité de réagir aux accusations et aux insultes. Quand sa charrette se serait éloignée, ses reproches tomberaient par terre, vidés de leur sens. Malgré cela, il n'arriva pas à s'affirmer avec autant de fermeté qu'il l'aurait souhaité.

– Ta vie n'est pas seulement étrange, lança-t-il. Elle est surtout lamentable. Tu fais semblant de résister à ce qui se passe dans le désert. A la chasse à l'homme qui a toujours existé ici. Tu feins d'être indigné, d'aimer les gens, d'être bon. Mais d'après ce que j'ai vu, tu n'es pas meilleur que les autres Blancs ici.

– Je frappe très rarement mes nègres. Je ne les pince pas avec des tenailles, je ne les gifle pas, je ne leur fais pas le catéchisme. Je maintiens un certain ordre, c'est vrai, mais je ne les arrache pas à leurs racines pour les envoyer mourir dans la neige suédoise. Je vais te poser une question très simple : Qu'est-ce qui est le pire ?

– Je te prouverai que tu as tort.

– Tu m'as promis de revenir pour me raconter.

Ils poursuivirent le dîner en silence. Andersson fut bientôt tellement saoul que son regard ne parvint plus à fixer la flamme de la lampe à huile. Il avait l'air d'un insecte égaré dans la nuit découvrant un point de lumière qui n'aurait pas dû se trouver là.

La nuit, il ajouta sa toute dernière note aux nombreuses lettres qu'il avait adressées à Matilda : *Demain, départ. Andersson tournait autour de la lampe comme un papillon de nuit. J'ignore s'il est vraiment quelqu'un de mauvais, en tout cas il n'est pas raisonnable. Il refuse de considérer ses*

*propres actions avec lucidité. Après avoir bu deux verres de
vin, j'ai imaginé qu'il était réellement un insecte que j'épin-
glais sur une feuille blanche.*

Il n'avait toujours rien écrit sur Daniel. Il avait décidé
d'attendre qu'ils aient quitté les lieux. Une fois l'étape de
ravitaillement derrière eux, il s'y mettrait.

Daniel dormait sur le tapis, les lèvres toujours fermement
serrées. Bengler se demandait à quoi il rêvait.

Bien qu'il soit un peu éméché et qu'il fût obligé de traîner
Andersson jusque dans son lit, il réussit à faire l'amour une
dernière fois avec Benikkolua. D'un pas hésitant, il avait quitté
la pièce qui avait servi de réserve à l'ivoire et s'était affalé
sur elle. Comme d'habitude, elle dormait nue sous sa couverture légère. Elle ne semblait jamais craindre la nuit froide du
désert, ce qui ne cessait de l'étonner.

Il se réveilla très tôt le lendemain matin. Le jour n'était pas
encore levé. Daniel dormait. Bengler sortit sans faire de
bruit. Benikkolua était partie en emportant sa natte. La fine
couverture était restée accrochée au rebord du toit et flottait
maintenant au vent comme pour lui dire au revoir. Le fanion
de Benikkolua. Les larmes lui montèrent aux yeux et il se dit
que c'était aussi déraisonnable de s'en aller maintenant que
de s'être aventuré ici un jour.

Les questions étaient toujours aussi nombreuses et les
réponses aussi inexistantes.

Cependant, Bengler avait une certitude : il ne regretterait
jamais d'avoir spontanément endossé la responsabilité envers
le petit garçon qu'il avait trouvé dans le box d'Andersson.
Ce qu'il n'avait pas réussi à réaliser pour lui-même, il pourrait peut-être le faire pour lui.

Bengler attendit que Daniel se réveille. Il lui sourit, l'habilla
de sa plus belle chemise et le porta dehors. En apercevant le

71

char auquel étaient attelés les bœufs, Daniel se mit à crier en tapant des pieds et des mains. Il eut beau le serrer contre lui, il se comportait comme un chat sauvage. Bengler fut obligé de lâcher prise lorsque le garçon planta ses dents dans son nez. Daniel en profita pour foncer dans le désert. Bengler courut derrière lui, le visage inondé de sang.

Il envisagea d'abord de lui donner une bonne correction mais, en rattrapant le garçon, il n'y pensait déjà plus. Il le traîna jusqu'à la charrette sans tenir compte de ses hurlements et de ses tentatives pour s'échapper. Il l'attacha au chargement, comme il avait attaché Amos et Neka aux roues. Le garçon tira sur les cordes de toutes ses forces. Ses cris transperçaient Bengler comme des couteaux, mais il ne pouvait plus changer d'avis.

Andersson était sorti sur les marches de sa maison pour regarder le spectacle.

– Je vois que tu t'en vas, fit-il. Et que c'est un départ paisible. Mais je n'arrive pas à comprendre pourquoi tu fais souffrir ce garçon. Qu'est-ce qu'il t'a donc fait ?

Bengler se précipita sur Andersson. Cette fois-ci sans aucune crainte.

– Je veux le protéger contre toi.

Il se jeta sur Andersson qui perdit l'équilibre et ils roulèrent tous les deux dans le sable. Andersson riposta en poussant un rugissement. Les Noirs avaient formé un cercle silencieux autour des deux hommes blancs qui se battaient avec fureur.

La bagarre se termina par un violent coup de poing dans le ventre de Bengler qui mit quelques minutes à retrouver son souffle.

– Allez, va-t'en maintenant, dit Andersson. Mais n'oublie pas de revenir pour me raconter la mort du garçon.

Andersson regagna sa maison. Le garçon continuait de crier et de tirer sur les cordes. Bengler essuya le sang de son visage et ordonna aux bouviers d'avancer.

Les Noirs ne disaient toujours rien.

L'espace d'un instant, l'idée qu'il était en train de commettre une erreur traversa l'esprit de Bengler.

Il l'écarta aussitôt.

Les pleurs du garçon ne cessèrent que tard dans l'après-midi. Il se tut soudainement, ferma les yeux et serra les lèvres.

Je me demande si un jour je réussirai à savoir ce qu'il pense, se dit Bengler en marchant à côté du chariot. Il observa longuement l'enfant. Il décida de détacher les cordes. Le garçon ne bougea pas. Il doit comprendre que je lui veux du bien, se rassura Bengler. Ça demandera du temps, mais il a dû commencer à comprendre.

En arrivant au Cap quelques semaines plus tard, Bengler apprit la mort de Wackman. Il avait eu une attaque d'apoplexie dans son bordel qui avait été repris par un Belge.

Daniel ne criait plus. Il ne parlait pas, ne souriait jamais, mais il mangeait ce que Bengler lui proposait. Craignant qu'il ne refasse une tentative de fugue, Bengler continuait de l'attacher la nuit en enroulant le bout de la corde autour de son propre poignet.

Début juillet, ils embarquèrent sur un navire marchand français, un trois-mâts en partance pour Le Havre. Le capitaine, un dénommé Michaux, leur assura qu'il n'y aurait pas de difficultés pour trouver un navire à destination de la Suède. La vente de la charrette et des bœufs financerait le voyage.

Ils quittèrent Le Cap tard le soir du 7 juillet 1877. Tant qu'ils se tenaient au bastingage, Bengler gardait Daniel attaché pour éviter qu'il ne se jette à l'eau, comme le faisaient souvent les esclaves.

Daniel avait les yeux fermés.

Que se passait-il derrière ses paupières closes ?

8

Le navire, qui s'appelait *Chansonnette*, venait directement de Goa sur la presqu'île indienne. Des parfums mystérieux, que Bengler n'arrivait pas à identifier, émanaient de la soute. La première fois qu'il se promena sur le pont, il découvrit de curieuses attaches en fer vissées dans les planches. Quelques vagues réminiscences remontèrent en lui. Il se souvint qu'il en avait déjà vu de semblables dans un ouvrage illustré anglais qui reproduisait, de façon détaillée, des instruments et des outils servant à entraver les esclaves pendant la traversée aux Antilles. En se rendant compte qu'il se trouvait à bord d'un ancien vaisseau négrier, il fut pris d'un profond malaise et vit soudain une vague de sang inonder le pont bien briqué. L'odeur qui s'en dégagea était plus forte que celle provenant des sacs d'épices de la soute. Le regard de Bengler se dirigea vers Daniel. Pour éviter que le garçon ne réussisse l'une de ses nombreuses tentatives pour se libérer, il lui avait fabriqué un harnais. Dans une boucle solide, il avait glissé une corde qu'il tenait dans sa main. Pour plus de sûreté, il l'avait également attachée à sa propre ceinture. Il avait expliqué au capitaine que Daniel était son fils adoptif et qu'il l'emmenait en Europe. Michaux n'avait posé aucune question et n'avait pas manifesté le moindre signe de curiosité. Bengler lui avait demandé d'informer l'équipage que le caractère capricieux de Daniel rendait le harnais nécessaire. Par conséquent, il s'agissait d'une mesure de sécurité et non de cruauté. Michaux convoqua l'un de ses timoniers, un Hollandais nommé Jean, et lui demanda de transmettre l'information à l'équipage.

On avait mis à la disposition de Bengler une cabine à l'arrière, jouxtant celle du capitaine. Après une vaine tentative de plus pour se détacher, Daniel, apathique, était plongé dans un profond désespoir. Pour le rassurer, Bengler avait saupoudré le sol de la cabine d'une fine couche de sable. Il s'était ensuite efforcé de lui expliquer que le bateau était grand et sûr, que la mer n'avait rien de dangereux, que les légers mouvements de la coque étaient tout à fait comparables à ceux que Daniel avait dû ressentir enfant, attaché dans le dos de sa mère.

Michaux avait chargé un jeune mousse, d'à peine quinze ans, de s'occuper des cinq passagers qui se trouvaient à bord du navire. Parmi eux, il y avait un homme d'un certain âge au visage marqué par la petite vérole. Il voyageait seul. Il y avait aussi une femme très jeune qui devint immédiatement l'objet des convoitises de l'équipage. L'homme s'appelait Stephen Hartlefield mais, à part son nom, Bengler ignorait tout de lui et de sa vie. Le capitaine Michaux avait brièvement fait savoir qu'il était anglais, qu'il était rongé par un cancer de l'estomac et qu'il rentrait dans le Devonshire pour mourir.
– Il est arrivé en Afrique à l'âge de deux ans, expliqua Michaux. Malgré cela, il tient à mourir dans un pays dont il ne garde aucun souvenir. Les Anglais sont décidément des êtres étranges.
La jeune femme, qui s'appelait Sara Dubois, avait rendu visite à l'une de ses sœurs, qui vivait dans une grande propriété en dehors du Cap. Elle appartenait à une famille de commerçants fortunée de Rouen et voyageait avec sa femme de chambre.
Le mousse se nommait Raul. Son visage était criblé de taches de rousseur, il louchait et était constamment sur ses

gardes. Bengler s'était aperçu que Daniel, l'espace d'un instant, l'avait observé et avait croisé son regard.

Raul avait demandé pourquoi Daniel était attaché.

– Pour qu'il ne se jette pas à l'eau, avait expliqué Bengler, démoralisé par ce qu'il était obligé de dire.

Il avait honte de devoir garder un être humain ligoté. Un être qu'il considérait comme son fils.

– Il sera attaché tout le temps ? avait demandé Raul.

Au lieu de répondre, Bengler avait appelé un des timoniers pour se plaindre de la curiosité insolente du mousse. Le timonier lui avait administré deux taloches.

Malgré la force des gifles, Raul n'avait pas pleuré.

Ils quittèrent Le Cap dans la soirée. Des nuages lourds de pluie s'accumulèrent sur le Tafelberg. Bengler avait décidé d'enfermer Daniel dans la cabine au moment du départ pour ne le libérer que lorsqu'ils seraient au large. La mer était très calme. La houle éloignait lentement le navire du continent africain. Daniel dormait dans le hamac. Bengler avait attaché la corde à l'une des poutres du plafond, hors d'atteinte. Il avait également vérifié qu'il n'y avait aucun objet tranchant dans la cabine qui pourrait permettre à Daniel de couper la corde.

Quand Bengler posa une couverture sur Daniel, il s'aperçut que sa main était refermée avec force sur une poignée de sable qu'il avait ramassée par terre.

Ce premier soir, Bengler se mit à fabriquer un costume de marin pour Daniel. Il s'était procuré le tissu dans un magasin de fournitures marines indiqué par Michaux. Comme toutes ses économies avaient été utilisées pour payer le voyage, il avait troqué le revolver acheté à Copenhague contre le tissu. Il avait obtenu aussi des boutons, du fil et des aiguilles. Le fabricant de voiles qui était à bord du bateau lui avait prêté une paire de ciseaux.

Il étala le tissu sur la table de sa cabine et réfléchit sur la manière de s'y prendre pour confectionner un pantalon et une veste de marin. Il lui fallut un bon moment pour oser tailler. Jamais auparavant il n'avait entrepris ce genre de travail. La progression était lente. Il se piquait avec les ciseaux et avec l'aiguille qui lui servait à assembler les différentes parties des vêtements. Avant de monter se coucher dans le hamac à côté de Daniel, il prit soin de cacher les ciseaux entre deux poutres. La nuit était déjà bien avancée.

Il écouta la respiration de Daniel avant de s'endormir. Comme elle était agitée et irrégulière, il passa sa main sur le front du garçon, mais ne décela aucun signe de fièvre. Il rêve, se dit-il. Un jour, il me racontera ce qui lui est passé par la tête au moment de quitter Le Cap.

Les odeurs de la soute étaient très fortes. Soudain l'éclat de rire d'un marin déchira le silence, qui s'installa de nouveau, pour n'être interrompu que par des bruits de pas sur le pont et par le craquement du bateau porté par la houle.

La traversée en direction du Havre dura un mois. A deux reprises, il y eut des tempêtes, suivies chaque fois de six jours d'accalmie. De temps à autre, le continent africain réapparaissait à l'est comme un mirage insaisissable. La chaleur était constamment accablante. Le capitaine s'inquiétait du chargement d'épices et descendait souvent dans la soute pour vérifier que l'humidité n'y avait pas pénétré.

Dès le premier jour, Bengler avait compris qu'il fallait donner une vie structurée à Daniel. Après le petit déjeuner apporté par Raul, ils faisaient un tour sur le pont. L'homme du Devonshire ne se montrait que rarement. Selon Raul, ses douleurs étaient si aiguës qu'il ne pouvait rien avaler d'autre que des médicaments puissants qui le plongeaient dans un état de torpeur. Quand le temps le permettait, la fille du commerçant rouennais jouait au badminton avec sa femme de chambre. Bengler avait remarqué qu'à ces moments-là le navire respirait différemment. Les hommes de l'équipage espéraient secrètement qu'un coup de vent soulèverait les jupes des jeunes femmes, leur permettant ainsi de découvrir un bout le jambe et peut-être même de sous-vêtements. Au cours de leurs promenades, Bengler parlait sans interruption. Il faisait à Daniel des explications très démonstratives en passant de l'allemand au suédois. La tension de Daniel semblait progressivement se relâcher. Son esprit s'évade, se dit Bengler, peut-être est-il retourné auprès de ses parents à l'époque où ils étaient encore en vie, loin du box d'Andersson et loin du bateau qui monte et descend au gré des flots. Mais il s'approche, se rassura-t-il. Plus il s'éloigne de l'Afrique, plus il se rapproche de moi.

Il fallait montrer à Daniel que la corde n'était qu'une solution temporaire. Du moins, Bengler l'espérait. La seule possibilité d'arriver à la supprimer était de s'arranger pour que la confiance s'installe entre eux. Le deuxième jour, Bengler posa les ciseaux, empruntés au fabricant de voiles, sur la table en laissant Daniel seul dans la cabine. Il se posta lui-même derrière la porte fermée, prêt à intervenir au cas où Daniel trancherait sa corde et se précipiterait pour sortir, éventuellement dans l'intention de se jeter à la mer.

Au bout de trente minutes, rien ne s'était passé.

Bengler retourna alors dans la cabine où il découvrit Daniel assis par terre en train de dessiner dans le sable qui recouvrait le sol. Il décida aussitôt de lui enlever son harnais. L'impression désagréable d'avoir abusé de son pouvoir l'envahit de nouveau. Il éprouva aussi un sentiment qui n'était rien d'autre que de la vanité. Il ne voulait pas que Wilhelm Andersson ait raison. Il refusait d'admettre qu'il avait eu tort d'emmener le garçon. Il ne voulait pas que ses bonnes intentions soient mises en doute, même par un homme qu'il ne reverrait plus jamais. Un homme qui menait une vie parfaitement hypocrite au milieu du désert du Kalahari.

Bengler sortit sur le pont. Le vent était favorable. Les voiles de *Chansonnette* étaient gonflées. Bengler repensa à son arrivée en Afrique sur la goélette noire de Robertson lorsqu'il avait eu l'impression d'avoir, tout au fond de lui, ses propres mâts et ses propres voiles. Il avança jusqu'au bastingage pour regarder l'eau. Les voiles bougeaient au-dessus de sa tête comme des ailes d'oiseaux dans un jeu d'ombre et de soleil.

Pour la première fois, il se posa sérieusement la question de ce qu'il allait faire quand il serait de retour en Suède. Le scarabée aux antennes étranges était dans son bocal. Il avait Daniel avec lui. Deux grandes valises en cuir contenaient 340 insectes différents qu'il avait collectionnés, préparés et répertoriés selon le système de Linné. Or il n'y avait pas de réponse à sa question. Qu'allait-il faire ? Retourner à Lund ne lui était pas seulement désagréable, c'était tout simplement impossible. Retrouver Matilda le tentait mais l'effrayait également, persuadé qu'elle ne se souvenait déjà plus de lui. Elle avait sans doute oublié aussi bien leurs moments d'intimité, qui n'avaient d'ailleurs jamais été très passionnés, que les verres de porto qu'ils avaient pris l'habitude de partager après. Bengler ne savait même pas si elle était encore en vie. Peut-être s'était-elle retrouvée sous le scalpel du professeur Enander, elle aussi. Il l'ignorait et n'avait aucune envie de le savoir.

Mais une chose l'attendait fatalement : le voyage inévitable à Hovmantorp qui lui confirmerait que son père était réellement mort la nuit où il en avait eu le pressentiment. Mais que ferait-il après ?

Il chercha une réponse à ses questions dans l'écume qui bouillonnait autour de la quille de *Chansonnette*.

Sans qu'il l'ait remarqué, un matelot était venu le rejoindre. Celui-ci se mit à curer sa pipe, cracha et se tourna vers Bengler. Il avait la peau tannée, son nez était large et ses lèvres étaient gercées. Il regarda Bengler en plissant les yeux.

– Qu'est-ce que tu as l'intention de faire avec ce foutu gamin ? demanda-t-il.

Il s'exprimait avec l'accent norvégien. Dans le temps, Bengler avait connu un jeune homme de Röros qui étudiait la théologie à Lund. Amusé par la langue, il avait appris à l'imiter.

Pour l'instant, il préférait être indulgent et ne pas attacher d'importance à l'interrogation qui venait plus des yeux plissés du matelot que de sa bouche gercée.

– Tu vas le tuer ?

Bengler décida de s'adresser au capitaine. En tant que passager payant, c'était à lui de donner le ton lors d'un éventuel échange avec les hommes de l'équipage.

– Je ne vois pas en quoi cela te concerne.

Le matelot avait le regard fixe. Bengler avait l'impression de se trouver en face d'un reptile prêt à attaquer à tout moment. Comme Daniel le jour où il lui avait mordu le nez.

– Je ne peux pas supporter ça, poursuivit le matelot. L'Afrique est un satané continent. Nous y faisons siffler nos fouets, nous tranchons les oreilles et les mains des gens qui ne travaillent pas au rythme que nous leur imposons. Et voilà que nous nous mettons à ramener leurs enfants alors que l'esclavage est interdit.

Bengler s'indigna.

– Il n'a pas de parents. Je m'occupe de lui. Y a-t-il du mal à aider quelqu'un à survivre ?

– C'est pour ça que tu le tiens en laisse comme un chien ? Tu lui as appris à aboyer ?

Bengler se déplaça en suivant le bastingage. L'espace d'un éclair, il fut pris de vertige. Le soleil lui sembla soudain très fort. S'il avait eu son revolver, il aurait pu tirer sur ce putain de Norvégien. Le matelot était là, les yeux plissés. Il ne bougeait pas. Il était vêtu d'un chandail rayé, d'un pantalon coupé en dessous des genoux et de chaussures qui bâillaient derrière.

– Les temps vont changer, continua le matelot en s'approchant de Bengler.

– J'ai le droit d'être tranquille.

– J'imagine que tu l'as acheté. Pour le montrer dans des spectacles peut-être. Ou à la foire. C'est sûrement un Hottentot. Tu vas sans doute lui demander de se gonfler comme une grenouille ? Ça doit rapporter de l'argent.

Bengler ne savait pas quoi dire. Ce matelot était un rebelle. Un frondeur. Un insurgé. Peut-être appartenait-il à ce mouvement dont ils avaient tant parlé lors de leurs longues nuits passées à Lund ? Un anarchiste ? Quelqu'un qui, au lieu de lancer des bombes, lançait des mots avec la même ardeur ?

Le matelot ralluma sa pipe.

– Le jour viendra où quelqu'un comme toi ne pourra plus exister, dit-il. Les hommes doivent vivre en liberté. Et non pas être tenus en laisse comme des chiens de compagnie.

Bengler n'eut pas d'autres échanges verbaux avec le matelot au cours de la traversée. Il apprit qu'il se nommait Christiansen et qu'il était considéré comme un homme compétent et aimable. Il avait également la particularité de ne jamais toucher aux boissons alcoolisées. C'était Raul qui récoltait les renseignements et Bengler se rendit vite compte qu'il était un rapporteur honnête.

Bengler pensait que Daniel aurait une manifestation de joie, lorsqu'il lui enlèverait le harnais. Il pensait pouvoir déceler chez lui une expression de sentiment de liberté. Mais la seule réaction du garçon fut de remonter dans le hamac pour se rendormir. Comme toujours, il tenait quelques grains de sable dans sa main fermée. Bengler essaya de comprendre. Quelle conclusion fallait-il tirer du fait qu'il se rendorme ?

Il a été déchargé d'une grande douleur, se dit-il. On a sûrement besoin de se reposer après la souffrance, qu'il s'agisse de maux de dents, de colique ou d'encéphalite. Voilà, il dort, délivré de son mal.

Deux jours avant l'arrivée au Havre, l'homme qui se rendait dans le Devonshire et qui était atteint d'un cancer mourut. Le capitaine ne se préoccupait que de son chargement d'épices. La mer étant parfaitement calme ce jour-là, les funérailles furent rapidement organisées à bord du bateau. Bengler fut affligé à l'idée que l'Anglais ne retournerait jamais dans son pays. Pendant la cérémonie, il garda Daniel enfermé dans la cabine.

En plus des promenades quotidiennes, Bengler donnait des cours à Daniel. Il avait deux priorités. Il tenait d'une part à lui enseigner des rudiments de suédois, d'autre part à l'empêcher de marcher pieds nus. D'abord, Daniel trouva plutôt amusant d'enfiler des chaussures, mais il en eut vite assez. Un jour, il en lança une par-dessus le bastingage. Un simple sabot, c'est vrai. Bengler s'était fâché mais était parvenu à maîtriser sa colère. L'apprentissage avait cependant pu reprendre grâce à une paire de petits sabots usés offerte par l'un des charpentiers. Daniel s'en était totalement désintéressé, mais, au moins, il ne les lançait plus dans l'eau.

Les cours de langue ne marchaient pas du tout. Daniel refusait tout bonnement d'apprendre les mots et Bengler n'avait rien à opposer à son refus.

L'arrivée au Havre se fit début août par un jour de brume. Bengler sentait qu'une angoisse grandissante le rongeait. Pour quelle maudite raison avait-il obéi à ses impulsions en emmenant le garçon avec lui ?

Au début, il avait craint que Daniel ne se jette à l'eau. A présent, il craignait que ce ne soit lui-même qui le précipitât par-dessus bord.

La dernière chose qu'il vit en débarquant, ce furent les yeux plissés du matelot. Aussi froids que la brume.

Mi-août, Bengler et Daniel embarquèrent sur un charbonnier à destination de Simrishamn. Bengler avait obtenu l'au-

82

torisation de monter à bord en contrepartie d'une participation aux différentes tâches. Vu l'état de vétusté du cargo,
Bengler se demandait s'ils verraient un jour la fin du voyage.

Le 2 septembre, le navire arriva à Simrishamn. Cela faisait presque un an et demi que Bengler avait été absent de
Suède.

En mettant pied à terre, il sentit que Daniel partageait son
angoisse devant l'inconnu qui les attendait.

Ils s'étaient rapprochés l'un de l'autre.

9

Un événement étrange se produisit le jour de leur arrivée.
Bengler y vit un signe. Pour la première fois, il avait l'impression de réussir à décoder quelques-uns des nombreux
signaux confus et contradictoires que Daniel émettait.

En remontant du port, ils coupèrent à travers un terrain
boueux pour se rendre dans une petite auberge située au fond
d'une des venelles qui descendaient vers l'eau. L'aubergiste,
qui était ivre, regarda Daniel avec stupeur. Peut-être s'agissait-
il d'un petit monstre noir sorti tout droit de son cerveau délirant. L'homme qui l'accompagnait s'exprimait pourtant de
façon soignée. Et bien qu'il vienne du Cap, il ne semblait
pas être porteur de quelque maladie tropicale inquiétante.
L'aubergiste leur proposa une chambre donnant sur la cour.
Elle était exiguë, très sombre, et sentait le moisi. Cette odeur
rappela de vieux souvenirs à Bengler. Après avoir fouillé un
instant dans sa mémoire, une image lui revint : celle du manteau de fourrure d'un négociant ambulant juif qui était venu
vendre des onguents lors de sa dernière visite à Hovmantorp.
Bengler ouvrit la fenêtre pour faire entrer l'air frais. C'était
le début de l'automne, juste après une grosse averse. De
l'extérieur, des effluves de terre mouillée montaient jusqu'à
lui. Daniel, vêtu de son costume de marin, était immobile sur
une chaise. Il s'était débarrassé de ses sabots.

Bengler se versa un verre de porto pour se donner du
courage. Et aussi pour fêter l'arrivée à bon port du charbonnier. De la cour parvenaient des éclats de voix et des rires

d'enfants. Bengler était assis sur le lit grinçant, le verre à la main, lorsque Daniel se leva soudain et se dirigea vers la fenêtre. Craignant que le garçon ne se jette dans le vide, Bengler se précipita. Mais Daniel avançait très lentement, sans faire de bruit, comme s'il cherchait à surprendre un gibier. Bengler le vit s'arrêter devant la fenêtre, à moitié dissimulé derrière le rideau, pour observer ce qui se passait dehors. Il était totalement immobile. Bengler le rejoignit tout doucement.

Deux petites filles étaient en train de sauter à la corde dans la cour. Elles avaient à peu près l'âge de Daniel. L'une était boulotte, l'autre très mince. En guise de corde, elles utilisaient probablement l'écoute d'un petit voilier qu'elles avaient coupée à la bonne longueur. Elles sautaient à tour de rôle. Quand elles trébuchaient, elles éclataient de rire puis recommençaient. Daniel les regarda longuement, comme pétrifié. Bengler observa le garçon en essayant d'interpréter l'attention intense qu'il portait à ce jeu.

Au bout d'un moment, Daniel se retourna, regarda Bengler droit dans les yeux et fit un grand sourire.

Bengler voyait enfin son fils adoptif exprimer de la joie. C'était un vrai sourire, pas une grimace, ni un masque. Un sourire qui venait de l'intérieur. Un miracle venait de se produire. Daniel avait enfin coupé le cordon invisible qui le maintenait jusque-là attaché au box d'Andersson. Ce cordon qui le reliait à des souvenirs dont Bengler ignorait tout, sauf qu'ils étaient faits de sang, de terreur, de morts, de membres tranchés, de cris de désespoir et du silence qui régnait dans le désert, que seul le crissement du sable interrompait.

Ils descendirent dans la cour. En apercevant Daniel, les petites filles suspendirent leur jeu. Bengler réalisa que c'était sans doute la première fois qu'elles voyaient un Noir. Il existait une boîte de cirage dont le couvercle était décoré du visage d'un homme noir, souriant, aux lèvres épaisses. Les deux petites, qui connaissaient cette image, comprirent à cet instant qu'elle reflétait une réalité. Au milieu de cette cour sale, Bengler se sentit chargé d'une nouvelle mission : apprendre aux Suédois ignorants que les hommes pouvaient également être noirs. Des êtres en chair et en os. Pas seulement une représentation sur un couvercle.

Il entama tout de suite une conversation avec les filles. Elles étaient mal habillées et sentaient fort la sueur après leur jeu prolongé. Il leur demanda leurs noms mais il eut du mal à comprendre leur accent. La maigre s'appelait Anna et la grosse Elin, ou peut-être Elina. Bengler leur expliqua que le garçon se nommait Daniel et qu'il venait d'un désert lointain en Afrique.

– Qu'est-ce qu'il fait ici ? interrogea Anna.

Bengler ne sut quoi dire. Il n'avait pas de réponse à une question aussi simple.

– Il est de passage en Suède, finit-il par expliquer sans être sûr que les filles comprennent son accent du Småland.

– Pourquoi a-t-il les cheveux crépus ? Comment a-t-il fait pour les rendre comme ça ?

C'était de nouveau Anna qui posait la question.

– Ils sont comme ça naturellement.

– Je peux les toucher ?

Bengler acquiesça après avoir constaté que Daniel souriait toujours. Les filles s'approchèrent prudemment et passèrent leur main sur la tête du garçon. Bengler était sur le qui-vive comme s'il surveillait un chien imprévisible qui, à tout moment, risquait d'attaquer. Mais Daniel continuait de sourire. Au moment où Elin, la petite boulotte, toucha ses cheveux, il en fit autant et effleura de sa main les mèches ternes. Alors elle poussa un cri en s'esquivant. Daniel continuait de sourire.

– Il aimerait vous voir sauter à la corde, dit Bengler. Vous ne voulez pas lui montrer ?

Elles se remirent à sauter. La grosse fille trébucha et Daniel éclata de rire. C'était un rire qui venait des profondeurs de ses entrailles. Un volcan refoulé qui avait enfin une éruption.

– Il sait sauter, lui aussi ?

Bengler fit un signe de tête vers Daniel en lui tendant la corde. Celui-ci la saisit sans hésiter et se mit à la faire tourner à toute vitesse. Il sautait avec souplesse, en avant, er. arrière et en réalisant des figures impressionnantes d'agilité. Bengler était stupéfait. Il n'avait jamais imaginé que Daniel sache sauter à la corde. En même temps, il éprouvait un sentiment de honte. En fait, avait-il réellement cru Daniel capable d'autre chose que de silence et de renfermement ? Ne l'avait-il pas, lui aussi, considéré comme un animal plutôt que comme un être humain ?

– Il ne transpire même pas ! s'exclama la grosse fille.

Daniel continuait à sauter sans manifester le moindre signe de fatigue. C'était comme s'il avançait vers un but. Au lieu de sauter sur place, il semblait courir vers une destination.

Il se trouve dans le désert, pensa Bengler. C'est là qu'il est à présent et non pas ici, dans une arrière-cour sale à Simri-shamn.

Le jeu terminé, Daniel n'était même pas essoufflé. Il rendit la corde aux filles et prit la main de Bengler. Ça n'était jamais arrivé auparavant. Jusque-là, c'était toujours Bengler qui avait pris la sienne. Il s'est produit quelque chose, pensa-t-il. A partir de maintenant, tout sera différent entre nous. Mais j'ignore encore en quoi.

Ce soir-là, quand Daniel fut endormi, Bengler commença à écrire un nouveau journal intime. Il l'intitula *Le Livre de Daniel* et inscrivit soigneusement le titre sur la couverture. Un vacarme assourdissant de voix braillardes et de violons stridents lui parvint d'une auberge voisine. Daniel dormait. A travers la fine cloison, Bengler entendait les ébats amoureux de la chambre d'à côté. Il tenta en vain d'ignorer le bruit mais il se rendit compte que cela l'excitait. Il essaya d'imaginer les deux corps, l'homme grognant, la femme couinant. Il se revit avec Matilda ou avec Benikkolua. Après avoir écrit le titre du livre, il baissa son pantalon et se mit à se masturber. Il s'efforça de suivre le rythme des grincements du lit et eut son orgasme au moment même où les couinements et les grognements furent à leur comble.

Puis il commença à écrire. Il avait l'intention de faire une étude sur la rencontre entre Daniel et l'Europe. Le point de départ serait un désert lointain et une cour sale dans laquelle un garçon noir sautait à la corde avec deux petites filles.

Qu'est-ce qu'un être humain ? écrivit Bengler en haut de la première page. C'était une question sans réponse. Dieu était insaisissable. Il était un mystère. Les textes sacrés n'étaient que des labyrinthes et des énigmes qui en cachaient d'autres. On ne pouvait trouver de réponse qu'à ce qui pouvait être prouvé, à ce qui pouvait être déduit à partir d'observations.

L'exemple Daniel, poursuivit-il. Aujourd'hui, 2 septembre 1877, j'ai vu un garçon noir originaire du désert jouer avec deux petites filles dans une arrière-cour de la ville de Simrishamn. Un voyage – que nous pourrions peut-être nommer « expédition » et qui aura pour sujet Daniel et sa rencontre avec un pays d'Europe – prendra son départ de cet endroit.
Cette nuit-là, Bengler dormit d'un sommeil tranquille. Dans ses rêves, son lit bougeait comme s'il était toujours à bord d'un navire. Il se réveillait de temps en temps et ouvrait les yeux. Dans la nuit claire d'été, le visage de Daniel se détachait de façon très nette sur le drap blanc. Il dormait. Sa respiration était calme. Peu avant trois heures, Bengler se leva, s'assit à côté de lui et lui prit le pouls.
Il était régulier, 55 battements à la minute.

Deux jours plus tard, après un voyage compliqué et cahoteux, ils arrivèrent à Lund. A plusieurs reprises, Bengler avait été victime d'une diarrhée aiguë. Ses intestins étaient extrêmement sensibles et ils s'étaient toujours révoltés à la moindre contrariété. Il en gardait le souvenir depuis sa petite enfance : la peur de certains enseignants à l'école de Växjö pouvait déclencher une crise et cela se répéta plus tard à Lund. Sans qu'il comprenne pourquoi, il avait constaté que ces problèmes avaient pratiquement disparu dans le désert. A 'approche de Lund, ils se manifestèrent de nouveau. Daniel était assis sur le siège à côté du cocher qui lui permit plusieurs fois de tenir les rênes. Parfois il courait à côté de la voiture, parfois devant les chevaux. Décidément, il s'était passé quelque chose de décisif lorsque Daniel avait sauté à la corde dans l'arrière-cour de Simrishamn.

Cependant, il ne parlait toujours pas. Mais son visage était souriant, illuminé par un sourire qui venait de loin. Bengler était certain qu'il comprendrait un jour la nature du miracle qui s'était produit dans cette cour. L'explication la plus simple et parfaitement logique aurait été que Daniel avait tout simplement eu du plaisir à retrouver des enfants de son âge. Or Bengler était persuadé que sa réaction profonde venait d'ailleurs. D'un monde auquel il n'avait toujours pas accès.

Peu de temps avant leur arrivée à Lund, il se mit à pleuvoir et un orage violent les obligea à s'abriter dans une auberge délabrée. Comme d'habitude, Daniel éveilla la curiosité des gens, mais il ne semblait pas en être conscient, même pas quand un valet de ferme ivre se campa devant lui en s'exclamant :

– Qu'est-ce que c'est que ça, nom d'un chien ? C'est quoi, merde ?

Ses yeux étaient rouges et il empestait la crasse et l'alcool.

– Il s'appelle Daniel, répondit Bengler. C'est un étranger en visite dans notre pays.

Le valet ne lâcha pas le garçon des yeux.

– C'est quoi, merde ? répéta-t-il.

Daniel lui jeta un coup d'œil rapide avant de retourner à son verre d'eau posé devant lui.

– C'est une sorte d'animal ou quoi ?

– C'est un être humain qui vient d'un désert en Afrique qui s'appelle le Kalahari.

– Et qu'est-ce qu'il fait ici ?

– Il est en route pour Lund avec moi.

Le valet continuait à regarder Daniel, puis tout doucement, en faisant très attention, il posa sa grosse main sur sa tête.

– Je n'ai encore jamais vu ça, dit-il. Des nains, j'en ai vu dans les foires. Des géants et des siamois aussi. Mais ça, jamais.

– C'est justement pour ça qu'il est ici, pour que nous puissions le voir, répondit Bengler. Nous sommes faits dans des moules différents mais nous avons le même contenu.

Une heure plus tard, peu avant cinq heures de l'après-midi, l'orage s'était calmé et ils reprirent le chemin de la ville. Le fermier qui avait accepté de les transporter gracieusement les fit descendre près de la cathédrale. Bengler n'avait plus que quelques pièces de cuivre en poche. Il avait laissé leurs bagages en gage à Simrishamn, en attendant de pouvoir payer l'addition.

Le sol était mouillé après la pluie. Bengler étendit sa veste sous les arbres, près de la cathédrale, et s'y installa avec Daniel.

– Ce qu'il nous faut maintenant, c'est de l'argent, expliqua-t-il. C'est plus urgent que tout le reste.

Daniel l'écouta mais toujours de façon détachée. Bengler était pourtant certain qu'il avait commencé à repérer quelques mots et à en comprendre le sens.

– Avant de partir pour le désert, poursuivit-il, un professeur de botanique, Alfred Herrnander, m'a appris beaucoup de choses. C'était un vieux monsieur très bon. Je pense aller le trouver pour lui demander de m'accorder un prêt d'honneur, en espérant qu'il est encore en vie.

Bengler avait déjà eu l'occasion de rendre visite au professeur Herrnander à son domicile près de la cathédrale et il s'y dirigeait à présent avec Daniel. Tous ceux qu'ils croisaient s'arrêtèrent et se retournèrent sur leur passage.

– Les gens qui te voient se souviendront de toi, dit Bengler. Ce soir, quand ils seront en famille, ils raconteront qu'ils t'ont vu. Tu es déjà quelqu'un de célèbre. Il te suffit de te promener dans la rue pour être célèbre. Tu suscites de la curiosité, de la suspicion, mais malheureusement aussi de la malveillance. Les gens ont peur de ce qu'ils ne connaissent pas. Et toi, Daniel, tu es un inconnu pour eux.

Ils s'arrêtèrent devant la petite maison grise. Quand une servante boiteuse ouvrit la porte, Bengler avait eu le temps de prononcer une brève prière demandant que M. Herrnander soit toujours en vie.

Il l'était.

Mais, l'année précédente, il avait été victime d'une attaque d'apoplexie, d'après l'employée de maison.

– Il ne reçoit personne. Il passe ses journées à tapoter la couverture de ses doigts.

– Est-ce qu'il remue les mâchoires ? demanda Bengler.

La femme fit non de la tête.

– Pourquoi le ferait-il ?

– Je ne sais pas. C'était juste une question. Mais je vous demande quand même d'aller lui dire que Hans Bengler attend devant sa porte et qu'il est accompagné d'un garçon du peuple San, des nomades qui vivent dans le désert du Kalahari.

– Comment voulez-vous que je retienne tout ça ? Tous ces mots étranges ?

– Essayez.

– Attendez un instant.

Elle referma brutalement la porte. Daniel sursauta. Bengler se dit que le bruit d'une porte que l'on claque devant vous peut ressembler à un coup de fusil.

La servante revint munie d'un papier et d'un stylo qu'elle tendit à Bengler pour qu'il y inscrive ce qu'il venait de dire. Elle ne leur proposa pas d'entrer.

– Le garçon a une ouïe extrêmement sensible, dit Bengler. Je vous serais donc reconnaissant de bien vouloir refermer la porte un peu plus doucement.

Ils attendirent. Au moment où la porte s'ouvrait de nouveau, Bengler commençait déjà à se décourager.

– Il va vous recevoir. Mais il ne parle pas. Tout ce qu'il sait faire, c'est tracer un mot ou deux sur une ardoise.

– S'il peut m'écouter, ce sera suffisant.

Herrnander était couché sur un divan en velours rouge dans son bureau. Les rideaux étaient fermés et l'air dans cette petite pièce basse de plafond était confiné et difficilement respirable. Des étagères pleines de livres, d'illustrations et de manuscrits recouvraient entièrement les murs. Herrnander, recroquevillé sous sa couverture, ressemblait à un oiseau. Une carafe d'eau et un flacon de médicaments marron étaient posés sur une table à côté du divan. Le vieil homme mit un certain temps à s'apercevoir que les deux visiteurs étaient entrés dans le bureau. Il tourna lentement la tête, effleura Bengler du regard avant de fixer son attention sur le visage de Daniel. La servante, qui ne les avait pas quittés, montait la garde devant la porte. Bengler s'efforça de paraître déterminé et lui fit signe de les laisser seuls. Elle s'en alla, à regret visiblement, en laissant la porte entrouverte. Bengler la referma et fourra son mouchoir dans le trou de la serrure avant de regagner le divan. Pour ne pas fatiguer Herrnander inutilement, il lui fit, aussi brièvement que possible, un résumé de son voyage. Le vieux professeur gardait les yeux fixés sur Daniel.

Comment arriver à convaincre Herrnander de l'importance de ce prêt qui permettrait à Bengler de faire un rapport sur les insectes rares qu'il avait trouvés ? Il expliqua qu'il voulait rédiger un article scientifique sur le scarabée et le dédier ensuite à son maître. Or, pour pouvoir réaliser ce projet, il avait besoin d'une somme d'argent qui pourrait être considérée comme un investissement dans les progrès de la science. Le prêt serait bien évidemment remboursé. Il fallait coucher les conditions par écrit, les faire certifier. Tout serait fait selon les règles. Il avait besoin de cet argent ! Et il ne fallait pas oublier le garçon qu'il avait pris sous son aile. Son argument principal. Cette personne d'un pays lointain dont il était responsable. Une célébrité à présenter.

L'exposé de Bengler fut suivi d'un long silence. Herrnander avait-il réellement compris ce qu'il venait de dire ? Bengler répéta doucement les mots principaux : un prêt de courte durée. Une somme relativement modeste. Pour la science et pour le garçon.

L'une des mains d'Herrnander retomba par-dessus le bord du divan. Sans doute la manifestation d'une grande fatigue, se dit Bengler avant de s'apercevoir qu'un des doigts tressaillait. En réalité, Herrnander lui indiquait par terre une serviette en cuir. Bengler la ramassa et la lui tendit. Avec une lenteur extrême, Herrnander l'ouvrit et en sortit une liasse de billets. Bengler demanda si elle lui était destinée. Le vieil homme acquiesça. Lorsque Bengler mentionna de nouveau l'importance de rédiger un reçu et de le signer, Herrnander fit tomber la serviette d'un coup de coude. Son irritation était évidente. Il ne voulait pas de garanties, pas de signatures. Sur une ardoise posée à côté de son oreiller, il écrivit péniblement un seul mot. *Pourquoi*. Rien d'autre. Pas de point d'interrogation. Seulement ce mot, *pourquoi*. Bengler fut immédiatement convaincu que la question ne concernait pas l'argent. Il s'agissait plutôt de Daniel. Bengler raconta brièvement ce qui s'était passé avant qu'il ne trouve Daniel dans le box d'Andersson. Manifestement inquiet, Herrnander remuait sans cesse la tête. Il n'avait toujours pas obtenu de réponse à son *pourquoi*.

Il doit se demander pourquoi je l'ai fait venir, se dit Bengler. C'est la seule explication que je vois. Il se mit à défendre la nécessité de faire preuve de miséricorde. Ce message chrétien tout simple qui nous dit de ne pas repousser notre prochain quand celui-ci se trouve en difficulté. Mais ces paroles ne firent qu'augmenter l'agacement d'Herrnander. Bengler abandonna son argumentation chrétienne et passa à celle de la science. Il avait l'intention de faire une étude sur Daniel. En même temps, il voulait observer comment les Suédois réagiraient lors de leur rencontre avec cet être différent.

Herrnander soupira bruyamment. Il effaça lentement le mot *pourquoi* et le remplaça par un autre. Bengler déchiffra *fou* et se remit à parler. Herrnander ferma ostensiblement les yeux.

La conversation était terminée. Bengler se sentit offensé. Pour quelle raison ce vieil homme qui avait déjà un pied dans la tombe le jugeait-il ? Il mit l'argent dans sa poche, ôta son mouchoir du trou de la serrure et ouvrit la porte.

La servante vint à leur rencontre.

– Vous êtes restés beaucoup trop longtemps, fit-elle remarquer. Maintenant il va passer une mauvaise nuit.

– Je vous promets de ne pas revenir, assura Bengler avec politesse. Notre mission est accomplie.

Une fois dans la rue, Bengler inspira profondément avant de regarder Daniel.

– Nous disposons maintenant de ce que l'homme peut avoir de plus important, dit-il. D'un capital. Tu ne sais pas encore ce que c'est, mais un jour tu le comprendras.

Daniel remarqua que Bengler paraissait plus calme. Son regard ne vacillait plus comme avant quand il affirma :

– Nous allons passer une nuit digne de nous. Nous allons prendre un excellent repas. Et nous allons descendre au Grand Hôtel.

Il se posta ensuite devant Daniel en tendant le bras dans la direction qu'ils devaient prendre.

– Je le sais depuis toujours, dit-il en riant. Je sais que je suis un chef-né. Même si mon armée ne se compose que de toi seul.

Daniel ne comprenait pas les mots. Mais ce qui comptait le plus, c'était que l'homme qui marchait devant lui ne soit plus inquiet.

10

On leur donna une chambre d'angle au troisième étage. A la réception, l'homme regarda Daniel d'un air perplexe mais ne posa pas de questions. Daniel eut un mouvement de recul au moment de franchir le seuil de la chambre aux rideaux lourds d'où s'échappait une forte odeur de tabac. Bengler, quant à lui, eut l'impression d'entrer dans une crypte. Il éprouva une certaine honte à faire dormir Daniel dans un lieu où l'air était à ce point chargé de fumée de tabac. Il tira les rideaux et ouvrit la fenêtre. Daniel, qui vint le rejoindre, eut peur en voyant la distance qui le séparait de la terre. Il n'avait probablement pas fait le rapport entre les escaliers qu'ils avaient montés tout à l'heure et le niveau de la chambre. Pour lui, un escalier était sans doute comparable à une côte qui épousait le relief du sol.

– C'est ici que nous allons dormir cette nuit, expliqua Bengler.

Daniel s'allongea immédiatement sur le lit.

– Pas tout de suite. Je vais d'abord t'aider à te laver. Puis nous irons dîner dans la salle à manger.

Bengler indiqua à Daniel qu'il devait se déshabiller. Il quitta lui-même son costume usé qu'il accrocha à un cintre. Daniel était d'une maigreur extrême. Juste en dessous d'un des mamelons, il avait une cicatrice dont la blancheur se détachait sur sa peau sombre. Bengler regarda son membre qui n'était pas encore pleinement développé mais pourtant très long. Il eut le réflexe incontrôlable de le toucher. Aussitôt Daniel fit de même, ce qui fit tressaillir Bengler. Daniel lui jeta un regard inquiet. Bengler avait la sensation d'avoir un petit chiot à côté de lui. Il versa de l'eau dans la cuvette et demanda à Daniel de s'asseoir sur le lit pour apprendre à se laver. Il étala une serviette par terre et fit soigneusement sa toilette. Pour finir, il se brossa bien les fesses en repensant aux séances d'hygiène de son enfance. Daniel suivait attentivement chacun de ses mouvements. Là, tout nu devant la table de toilette, Bengler se sentit comme un animal difforme et lourd. Après s'être essuyé, il fit sonner une cloche et, au bout de quelques minutes, on frappa à la porte. Une jeune fille au tablier amidonné attendait derrière. Elle fit la révérence quand on la fit entrer. En voyant Daniel, elle sursauta et détourna la tête. Bengler lui demanda de l'eau chaude en lui tendant le broc vide. Il enveloppa Daniel dans le dessus-de-lit. La cuvette à nouveau remplie, il tendit la brosse à Daniel et s'installa à son tour sur le lit. Le garçon se mit à l'œuvre. Bengler constata avec étonnement qu'il avait parfaitement retenu la leçon. Il reproduisit fidèlement chaque geste : d'abord les jambes, puis les bras, les aisselles et le ventre.

– Tu apprends très vite, dit Bengler. Tu as déjà acquis l'art de rester propre.

Ils s'habillèrent et descendirent dans la salle à manger qui n'avait pas changé depuis la dernière visite de Bengler. Les lampes à pétrole étaient allumées et des bougeoirs étaient disposés sur les tables. Bengler ressentit une certaine excitation : y retrouverait-il de vieilles connaissances ? Le maître d'hôtel qui les accueillit à la porte ne put réprimer une expression d'étonnement en voyant Daniel. Il leur souhaita la bienvenue avec un petit accent danois. Bengler promena son regard autour de la salle. Les clients étaient rares en cette soirée d'automne. Quelques célibataires solitaires étaient accoudés devant leur bouteille de punch[1]. Il y avait également quelques petits groupes dispersés. Bengler demanda

1. Boisson alcoolisée suédoise à l'arak.

une table près de la fenêtre. Les conversations s'interrompirent sur leur passage. Bengler eut l'envie soudaine de prendre la parole en tapant sur son verre, pour faire un bref résumé de son voyage à travers le désert du Kalahari, mais il la réprima.

– Le garçon n'est pas très grand, fit remarquer Bengler quand ils s'installèrent à leur table. Apportez-lui un coussin.

Le maître d'hôtel s'inclina et fit signe à un serveur. Comme il ne les reconnaissait ni l'un ni l'autre, Bengler se demanda où avaient bien pu passer tous les serveurs qu'il avait connus. Après tout, il n'avait pas été absent plus d'une bonne année. On apporta un coussin de velours. Bengler étudia le menu et s'étonna de l'augmentation importante des prix. Il commanda des côtes de porc, du vin, de l'eau pour Daniel et une mousse à l'orange en dessert.

– Désirez-vous une entrée ?

Le serveur était vieux, perclus de rhumatismes, et avait l'haleine chargée.

– Un verre d'alcool et une bière, dit Bengler. Le garçon ne prend rien.

Bengler fit cul sec et commanda aussitôt un autre verre. Une chaleur agréable l'envahit. Il se serait bien pris une bonne cuite. Daniel, immobile en face de lui, l'observait. Bengler leva son verre et but à sa santé.

Au même moment, un homme quitta sa table près du mur et se dirigea vers eux. En le voyant s'approcher, Bengler s'aperçut qu'il s'agissait d'un étudiant qu'il avait connu à l'université de Lund. Un de ces éternels étudiants, à qui on avait donné le surnom de la Boucle. Un jour, vers la fin des années 1860, il avait tenté de se pendre devant la cathédrale. Mais la corde, à moins que ce ne soit la branche, avait cassé et la Boucle avait survécu. Cependant une de ses vertèbres avait été touchée et, depuis ce jour-là, sa tête penchait à gauche, comme si son âme donnait de la gîte et qu'il n'y avait pas moyen de la redresser. L'homme s'arrêta devant leur table. Il était sérieusement éméché.

La Boucle devait de l'argent à tout le monde. Quand il avait quitté Halmstad pour Lund vers la fin des années 1840, la rumeur courait qu'il avait fait un héritage qui lui permettait de vivre. Les premières années, il avait effectivement assisté à des conférences à la faculté de théologie, mais ensuite quelque chose s'était produit qui l'avait conduit vers l'arbre et la branche brisée. On disait alors que c'était à cause d'un amour malheureux, comme souvent. Personne ne pouvait cependant l'affirmer avec certitude. La Boucle en avait été réduit à vivoter dans une mansarde minable à l'extérieur de Lund. Il avait interrompu ses études. Il avait cessé de lire, même les journaux. Il empruntait pour subsister. Il lui arrivait encore de raconter une histoire drôle mais, la plupart du temps, il était assis devant ses verres et ses bouteilles en soliloquant, absorbé par ses pensées. Parfois, il frappait l'air de ses bras comme pour se débarrasser d'insectes incommodants, puis il pouvait rester en silence à sa table jusqu'à ce qu'on décide de le mettre à la porte. A présent il était donc là, debout devant eux.

– J'ai entendu parler d'une expédition vers un désert lointain, dit-il, et je ne m'attendais pas à vous revoir un jour. Et voilà que vous êtes ici, comme si de rien n'était, avec un être noir à vos côtés. Un garçon qui ressemble à une ombre.

– Il s'appelle Daniel, répondit Bengler. Nous sommes seulement de passage.

– Vous n'avez donc pas l'intention de reprendre vos études ?

– Non.

– Je ne voudrais pas vous déranger, poursuivit la Boucle. Mais peut-être pourriez-vous – j'ai malheureusement oublié votre nom – m'accorder un petit emprunt d'un billet ou deux de dix couronnes.

Bengler fouilla dans sa poche et en sortit deux billets de dix. C'était trop. Mais la Boucle l'avait reconnu. Les billets disparurent dans sa main sans qu'il se donne la peine de les regarder. Il ne se donna pas non plus la peine de remercier.

– Ici, rien n'a changé, dit-il. Les maîtres d'hôtel se succèdent, tout comme les serveurs. Les étudiants rajeunissent, le temps se dégrade et l'enseignement dispensé est de plus en plus médiocre.

Sans attendre de réponse, il se retourna et prit la direction de sa table.

Lorsqu'on apporta la mousse à l'orange, Bengler était ivre. Il appela le maître d'hôtel.

– Serait-il possible que l'hôtel me trouve une garde d'enfant pour quelques heures ?

Il fit un signe vers Daniel.

– J'aimerais passer un moment dans le fumoir qui n'est pas un endroit convenable pour un enfant.

Le maître d'hôtel promit de se renseigner à la réception.

Daniel avait mangé tout ce qu'il avait dans son assiette. Pendant la longue traversée du Cap, Bengler lui avait appris à se servir d'un couteau et d'une fourchette. Il avait encore des efforts à faire mais il arrivait à manger de façon tout à fait correcte sans rien renverser. Le maître d'hôtel réapparut.

– Une des lingères pourra sûrement le garder.

Bengler régla l'addition et se leva. Il trébucha. Daniel sourit. Il croit que je joue, se dit Bengler. Et il a raison, un homme ivre est bien quelqu'un qui joue. La Boucle était déjà parti. Quand ils repassèrent entre les tables pour quitter la salle à manger, les conversations s'arrêtèrent de nouveau. Bengler eut encore une fois le sentiment qu'il aurait dû donner une explication. Mais sur quoi ? Que pourrait-il leur expliquer ? Peut-être éprouvait-il tout simplement le besoin de s'excuser pour ne pas avoir respecté les règles de bonne conduite en introduisant un garçon noir dans une salle à manger publique ?

Il se trouva que la fille chargée de garder Daniel était celle qui leur avait apporté de l'eau chaude avant le dîner.

– Ta présence suffit, dit Bengler. Inutile de parler ou de jouer. Tu dois seulement rester là. Comment t'appelles-tu ?

– Charlotta.

– Veille à ce qu'il ne s'échappe pas par la porte et surtout à ce qu'il n'ouvre pas la fenêtre, poursuivit Bengler. Je serai en bas, dans le fumoir.

Assis sur le bord du lit, Daniel observait Bengler. Il semblait avoir compris ce qu'il venait de dire.

La pièce derrière la salle à manger était telle qu'il l'avait gardée dans ses souvenirs : la fumée de tabac y flottait comme une brume compacte, l'odeur douceâtre du punch et la pâle lumière des lampes à pétrole étaient toujours les mêmes. Immobilisé sur le seuil de la porte, il parcourut du regard le fumoir. Bien que tous les clients lui soient inconnus, il avait l'impression de reconnaître chaque visage. Une chaise près de la fenêtre était encore vide. Il s'y dirigea. N'ayant pas envie de punch, il commanda du cognac. Pour la première fois depuis bien longtemps, il se sentait libre. Daniel était une charge mais il l'avait librement choisie. Avait-il néanmoins réalisé l'importance de la responsabilité qu'il avait alors prise ? Le cognac embrouilla ses pensées. Il n'y avait qu'une chose dont il était sûr : il allait emmener Daniel à Hovmantorp. Puis il présenterait les trouvailles qu'il avait faites dans le désert et ce serait par ce biais-là qu'il essaierait d'assurer sa subsistance. Il ignorait encore précisément comment. Il pourrait commencer par faire une série de conférences dans le pays. Mais qui était censé s'intéresser aux insectes ? Il commanda un deuxième verre de cognac.

Dans le coin le plus sombre de la salle, il devina deux femmes qui buvaient avec quelques étudiants. Matilda lui revint à l'esprit. Un désir puissant s'empara de lui. Il était de retour. Matilda n'était pas loin. A condition qu'elle soit encore en vie. Et à condition qu'elle ne soit pas partie au Danemark ou à Hambourg. Une des femmes se leva du canapé. Elle n'était pas belle. Son visage était ravagé. Elle sortit de la pièce en écartant les rideaux. Bengler la suivit et la trouva en train d'arranger son chapeau devant une glace.

Elle lui sourit. A vendre, pensa-t-il. Elle n'était pas à Lund avant mon départ. Maintenant elle est là. Elle vient d'un petit village quelconque et elle est à vendre. De la même manière que Matilda est arrivée un jour de Landskrona à Lund après que son père avait abusé d'elle.

– Je cherche une femme, dit Bengler.

Elle sourit. Les lèvres serrées. Bengler savait ce que cela signifiait : elle avait de mauvaises dents. A moins qu'elle ne soit atteinte de syphilis, ce que sa langue trahirait.

– Je suis déjà avec quelqu'un, répondit-elle. Un autre soir, si tu veux. Les hommes sont si imprévisibles. Cet homme, celui qui est là-bas, veut m'épouser. Mais personne ne sait ce qu'il voudra demain.

– Elle s'appelle Matilda, ajouta Bengler. Matilda Andersson. Nous étions ensemble. Puis, j'ai fait un long voyage. Et maintenant je suis de retour.

La femme devant la glace continuait à arranger son chapeau. Bengler voyait pointer ses seins sous son chemisier tendu. Ce qui l'excita davantage.

– Matilda est un nom courant. Aussi courant que le mien, Carolina. Décris-la-moi.

Bengler ne savait pas quoi dire. Il aurait pu parler de son corps nu, de la forme de ses seins et de ses cuisses. Mais comment s'habillait-elle ? Il chercha à se le rappeler. En vain. Il la voyait nue.

– J'en suis incapable, dit-il. Elle avait les yeux bleus, les cheveux bruns. Peut-être naturellement bouclés ? Peut-être les faisait-elle friser ? L'odeur de son corps était aigre.

La femme, qui avait fini de fixer le chapeau sur sa tête, se colla contre lui.

– Et moi, qu'est-ce que je sens ?

– La racine de réglisse.

– Oublie-la. Demain je viendrai te tenir compagnie.

Elle passa rapidement sa main sur le visage de Bengler. Il ne résista pas à l'envie de toucher ses seins. Elle rit en s'écartant et retourna dans la salle. Bengler traversa la réception et sortit. Après la pluie, l'air était plus frais.

Un cheval hennissait au loin. Bengler jeta un regard rapide vers la fenêtre de la chambre où Daniel devait dormir à présent. Son excitation était toujours très forte. Il pensa à Benikkolua. Pourquoi n'avait-il pas choisi de l'emmener, elle, plutôt que Daniel ? L'image de la femme devant la glace lui donna soudain la nausée. Il détestait cette ville. Là, dans la fraîcheur de la soirée automnale, il prit conscience de l'ampleur de ce sentiment. S'il n'avait pas été question d'argent, il ne serait jamais revenu. Matilda n'était même pas un souvenir. Elle n'était plus qu'un mirage, comme ceux qu'il avait vus dans le désert. Ce qui avait été n'existait plus. Il ne restait que Daniel et lui. Et le cognac qui lui donnait la sensation de se trouver sur le pont d'un bateau qui tanguait.

Il regagna le fumoir et régla sa consommation. Les rires des femmes dans le noir l'accompagnèrent quand il écarta les rideaux pour s'en aller. A présent, je suis quelqu'un qui fait des choses pour la dernière fois. Je ne retournerai plus jamais dans cette pièce.

Quand il entra dans la chambre d'hôtel, il trouva la jeune lingère somnolant sur une chaise. Daniel dormait. La fille sursauta quand il effleura son épaule. De nouveau, il sentit le désir l'envahir. Quel âge pouvait-elle avoir ? Seize ou dix-sept ans, pas plus. Elle était très pâle.

– Je vais te régler, dit-il. Le garçon s'est-il approché de la fenêtre ?

– Il a joué avec ses mains, assis sur le bord du lit.

– Puis ?

– Il a joué avec ses pieds.

– Puis ?

– Il s'est couché. Il ne m'a jamais regardée.

– Il regarde rarement les gens, expliqua Bengler. En revanche, il arrive à voir au fond d'eux.

Bengler avait sorti une rixdale[1]. C'était déjà trop. Malgré lui, il attrapa un billet de banque dans sa poche.

1. Monnaie d'argent ancienne.

– Il y a plus d'argent à gagner, dit-il, si tu es bien gentille avec moi.

Elle comprit le sens de son propos et se leva brusquement. Elle devrait me gifler, pensa-t-il. Mais elle ne fait que rougir.

– Il faut que je m'en aille, dit-elle. Ce n'est pas la peine de payer. Je n'ai rien fait. Je suis juste restée là.

Bengler la saisit par le bras. Elle était tendue.

– Je ferai très attention, promit-il.

La voyant fondre en larmes, il fut submergé par un violent sentiment de dégoût. Qu'est-ce que je suis en train de faire, merde ! J'essaie d'acheter cette jeune fille qui ignore ce qu'est l'amour. Tout ce qu'elle connaît de la vie, c'est servir, faire la révérence, être à la disposition des autres.

– Je ne te voulais pas de mal, murmura-t-il. Tiens, prends cette pièce.

La fille quitta la chambre en le plantant là, la pièce dans sa main tendue. La honte cognait au fond de lui. Il avança vers la fenêtre et regarda les étudiants partir avec leurs compagnes dans la rue. En apercevant la jeune femme au chapeau, il se dit qu'il fallait qu'il quitte cet endroit. Il ne restait plus rien de son ancienne vie. Il l'avait abandonnée dans le désert. A présent ne comptaient que les insectes et Daniel.

Il se déshabilla et s'assit sur la chaise qu'avait occupée tout à l'heure la jeune lingère. Malgré lui, son excitation revint. Matilda n'existait plus, pas plus que Benikkolua. Il n'y avait plus que la femme aux lèvres serrées. Daniel dormait. Bengler s'installa devant le bureau faiblement éclairé par une lampe à pétrole. Il en augmenta l'intensité et sortit *Le Livre de Daniel*. Comme il ne trouvait pas les mots, il se mit à dessiner, un peu au hasard. Petit à petit, il se rendit compte qu'il essayait de reproduire la charrette et les bœufs le jour où la roue s'était cassée et où il avait dû se charger de la décision à prendre. Il dessinait mal. La roue n'était pas ronde, la charrette était affaissée, les bœufs ressemblaient à des vaches efflanquées et les bouviers n'étaient que des traits de crayon maladroits. Il referma le livre, éteignit la lampe et se glissa dans le lit à côté de Daniel. Demain, il faudra partir, pensa-t-il. J'ai suffisamment d'argent pour aller à Hovmantorp, puis à Stockholm. Mais je suis incapable de me projeter plus loin dans le temps.

Il regarda Daniel qui lui tournait le dos. Sa respiration était calme. Bengler tâta prudemment l'artère de son cou et compta en silence.

51. Daniel avait le pouls régulier bien que son sommeil n'ait pas encore atteint le stade le plus profond. Son pouls oscillerait alors entre 45 et 50.

Bengler ferma les yeux. La femme qu'il voyait serrait les lèvres. Il retourna lentement dans le désert. Dans ses rêves, le soleil était brûlant.

En fait, Daniel était réveillé. Certain que Bengler s'était enfin endormi, il se leva et ouvrit doucement le cahier posé sur la table de chevet.

Le dessin n'avait pas de sens. On aurait dit l'ébauche d'une gravure rupestre.

DEUXIÈME PARTIE

L'antilope

11

Be lui avait parlé des rêves, de ces sentiers qui parcourent les hommes. De ces pistes qui ne sont pas tracées par leurs pieds à travers le désert. Elles existent déjà en eux, là où seuls les dieux ont accès. Be, c'était sa mère. Son sourire illuminait encore l'image qu'il gardait d'elle, même si son dernier souvenir était le sang qui coulait de ses yeux et son cri qui s'était soudain arrêté.

Molo était allongé à côté de l'homme au regard fuyant. Il n'avait plus peur de lui. Il ne craignait plus qu'il ne cache une lance derrière son dos, comme ceux qui avaient tué Be et Kiko. Ce soir, il l'avait même fait rire. Ils avaient passé la soirée dans la grande pièce, à manger et à boire une boisson qui avait rendu ses pieds instables. La sensation avait été la même que lorsqu'il était sur le navire. Il était étrange ce pays où le soleil ne descendait jamais et où les vagues étaient mises en bouteille. Il ne savait pas ce qu'il avait bu mais il avait observé l'étiquette qui resterait gravée dans sa mémoire jusqu'au jour où il traverserait la mer pour retourner dans le désert.

L'homme à côté de lui n'avait pas encore commencé à ronfler. Il fallait pour cela qu'il soit sur le dos. Molo resta dans le noir sans bouger. Il tendit l'oreille. De la rue lui venaient un éclat de rire et le claquement de pas contre les pavés. Tant de nouvelles impressions sonores bourdonnaient dans sa tête. Les pas des hommes ne faisaient pas de bruit dans le désert. Le vent sifflait parfois, mais les pas étaient silencieux. On pouvait entendre au loin des éclats de voix et le brame des antilopes en rut. Be lui avait expliqué que les mâles cherchaient des femelles pour s'accoupler. Molo pensait à ces lourdes chaussures en bois qu'on l'obligeait à porter. Ses pieds emprisonnés avaient pleuré et s'étaient recroquevillés comme des animaux qui savent qu'ils vont mourir. Molo ne comprenait pas pourquoi il ne pouvait pas marcher pieds nus comme il l'avait toujours fait. Ses pieds ne voulaient pas des chaussures et les chaussures ne voulaient pas de ses pieds. Et lui ne voulait pas qu'on le prive de l'envie de bouger. Pour consoler ses pieds et pour montrer qu'il n'avait besoin de rien pour marcher, il avait jeté une chaussure pardessus bord. Pour la première fois, l'homme au regard fuyant s'était mis en colère. Une ride s'était creusée sur son front, juste au-dessus de ses sourcils. Ses yeux s'étaient rétrécis et Molo avait cru qu'il allait le frapper, peut-être même le précipiter à la mer. Mais il s'était contenté de lui donner de nouvelles chaussures. Dès le lendemain. Encore plus lourdes que les précédentes. Un souvenir lui était alors revenu. Kiko lui avait parlé des caravanes d'esclaves qu'il avait aperçues dans sa jeunesse au nord du désert. Un jour, caché derrière un rocher, il avait vu des hommes blancs battre des hommes enchaînés, tous noirs, et les obliger à marcher vers la côte. A son retour, il avait raconté ce qu'il avait vu à Be. Et plus tard, à Molo. Les chaussures qui emprisonnaient son plaisir de bouger lui rappelèrent cette histoire.

Molo sortit du lit et se dirigea doucement vers la porte. Il avait besoin de faire pipi. Dans le désert, ce n'était pas compliqué, il n'y avait que trois endroits à éviter : le feu, l'emplacement où Kiko dépouillait les animaux et le foyer où Be préparait à manger. A bord du navire, il suffisait de s'appuyer au bastingage. Chaque fois, l'homme au regard fuyant l'avait tenu d'une main ferme, comme s'il craignait que Molo ne soit assez stupide pour se jeter à l'eau. Mais depuis qu'ils avaient débarqué, c'était devenu un vrai problème. Il existait des petites pièces spéciales équipées de boîtes en bois sur

110

lesquelles il fallait s'asseoir. Mais ici, dans cette maison, il n'en avait pas vu. On lui avait fait comprendre qu'il fallait se cacher et ne laisser aucune trace derrière soi. Des yeux il chercha un endroit approprié dans la chambre. Il y avait bien un pot avec un palmier sur la table. Molo enfonça le doigt dans la terre et constata qu'elle était humide et sentait la pluie.

Mais le pot risquait de déborder et l'homme se mettrait en colère. Il y avait aussi le broc à eau qui, lui, était vide. Ça ne résoudrait pas pour autant le problème des traces à effacer. S'il ouvrait la fenêtre, l'homme serait capable de croire qu'il se prenait pour un oiseau. Le mieux était de sortir dans le couloir. Il ouvrit la porte et la referma derrière lui sans faire de bruit. Quand on ouvre une porte, ça doit s'entendre, mais pas quand on la ferme. Voilà encore une chose qu'il avait apprise.

Le couloir, éclairé par une lampe à pétrole, était totalement vide. Toutes les portes étaient fermées. Molo avança tout nu sur le tapis moelleux dont la douceur lui rappela le sable. Les pleurs d'une femme derrière l'une des portes lui firent penser à la détresse de Be quand elle avait mis un enfant mort au monde. La dernière fois qu'elle avait accouché avant que les hommes ne viennent la tuer. Au moment où Molo se mit à faire pipi, pensant que l'urine serait absorbée par le tapis comme par le sable, une porte s'ouvrit et un homme apparut, une bouteille à la main. Son ventre était si gros qu'il cachait son sexe. En voyant Molo, il sursauta et se mit à hurler. Les portes s'ouvrirent les unes après les autres. Un homme accourut de l'étage inférieur. Molo continuait à vider sa vessie malgré tous les regards posés sur lui. Qu'y avait-il de si bizarre ? Les enfants ne faisaient donc pas pipi dans ce pays ? Soudain, il entendit la porte derrière lui.

– Qu'est-ce que tu fais, merde ? Tu pisses sur le tapis de l'hôtel ?

L'homme au regard fuyant laissa éclater sa colère.

Même si ses paroles n'avaient pas de sens pour Molo, il comprit qu'il n'avait pas choisi le bon endroit. L'homme l'attrapa brutalement par le bras et le tira dans la chambre. Il le fit asseoir sur le lit et alla aussitôt donner de l'argent à la personne qui avait monté l'escalier. Comprenant qu'il ne devait pas bouger de là, Molo se glissa entre les draps et fit semblant de dormir.

L'homme revint dans la chambre. Molo savait qu'il était en colère. Il sentait sa respiration sur son visage. Son haleine, d'abord douceâtre, devint de plus en plus aigre, plus dangereuse aussi. Molo n'avait pas besoin de le regarder pour savoir que l'homme avait envie de le frapper. Il se prépara à recevoir des coups, mais il ne se passa rien.

– Sale gosse, murmura l'homme.

Aux oreilles de Molo, la langue que parlait cet homme sonnait comme un crépitement de bois sec que l'on coupe à la hache. Ou encore comme le bruit de la branche contre le rocher quand Kiko vérifiait qu'il n'y avait pas de cavités où auraient pu se cacher les serpents.

A son tour, l'homme se mit au lit. Il n'allait pas tarder à ronfler. Molo attendit que sa respiration soit bien régulière avant d'ouvrir les yeux. Il était fatigué. Il ignorait ce que le lendemain allait lui apporter. Heureusement Be lui avait parlé des rêves. Elle lui avait expliqué qu'ils constituaient de précieuses cachettes mais qu'ils contenaient aussi des renseignements sur l'avenir. Molo laissa défiler des images dans sa tête jusqu'à ce que celle de Kiko apparaisse.

C'est la dernière fois que Kiko l'autorise à l'accompagner dans les montagnes. Quelques rochers émergent du sable et ont la forme d'un lion couché. Il sait que ces montagnes sont sacrées. Il y a très longtemps, c'était là que les dieux avaient leur demeure. Et c'était là, autour d'un feu après un bon repas joyeux, qu'ils avaient décidé de créer une nouvelle espèce animale qu'ils avaient appelée « l'homme ». Kiko raconte l'histoire avec beaucoup de détails. A plusieurs reprises, il s'assure que Molo comprend ce qu'il dit. Il reprend même certaines explications en les éclairant de manières différentes. Tantôt il décrit les dieux vus d'en haut, comme s'il était un oiseau, tantôt d'en bas, comme s'il était un serpent à leurs pieds.

C'est là, parmi ces rochers, que tout a commencé. Les dieux, las des hommes, ont fini par les abandonner à leur sort et se sont retirés dans d'autres contrées montagneuses. Quant aux hommes, qui craignaient que les dieux ne les privent de nourriture et de pluie, ils se sont mis à graver des dessins dans les parois rocheuses pour les amadouer.

Le jour où Kiko emmène son fils pour la dernière fois, il veut terminer une antilope commencée par Anamet. Anamet est mort l'année précédente mais, sentant sa fin approcher, il s'est retiré de la vie bien avant que sa respiration ne cesse. Kiko a été choisi pour achever son œuvre. Il n'est pas aussi adroit qu'Anamet, et ne le sera jamais. Les animaux d'Anamet sont si réalistes qu'on s'attend à ce qu'ils se détachent de la paroi pour aller rejoindre les dunes. Kiko procède à la coloration de l'antilope qui est représentée en plein mouvement. L'œil qu'Anamet a dessiné est très grand. Kiko se demande s'il doit le peindre en rouge en utilisant la substance colorante de la carapace d'un scarabée, ou en jaune en se servant de la sève d'un arbuste qui pousse près du rocher. Kiko travaille en silence. Il est le moins loquace du groupe, composé de sept familles qui vivent et se déplacent ensemble. Be est d'un tempérament ouvert et joyeux, mais Kiko peut garder le silence pendant des jours. Les autres se demandent parfois s'il n'est pas malade. Molo sait qu'il faut choisir le bon moment pour poser des questions à Kiko. Il se peut qu'il réponde, mais il peut tout aussi bien se mettre en colère. Ce jour-là, ils vont dans les montagnes pour la dernière fois et Kiko est d'excellente humeur. C'est bon signe. Molo pourra poser toutes les questions qu'il veut.

Ils partent à l'aube. Ils atteignent la montagne juste au moment où les premiers rayons du soleil se faufilent à l'intérieur de la cavité et éclairent l'antilope. On dirait qu'elle est en feu.

– Anamet était extrêmement habile, dit Kiko. Non seulement il savait donner la forme à l'animal, mais il savait aussi choisir l'endroit où le dessiner.

– Être habile, c'est quoi ? demande Molo.

Kiko ne dit rien. Molo sait que si son père ne répond pas, c'est qu'il n'a pas d'explication à donner.

Kiko décide de colorer l'œil de l'antilope en rouge. Dans une pochette en cuir, il a apporté des scarabées qui essaient de se sauver quand il les libère. Mais il les rattrape vite et les écrase avec une pierre pour récupérer le colorant de leurs carapaces. A l'aide d'un bâton en bois, il comble ensuite les lignes creusées dans le roc par Anamet. Molo suit le travail de son père. Le soleil est en train de descendre et ses rayons obliques donnent un éclat suggestif à l'œil de l'antilope.

– Où sont les dieux ?

Kiko rit.

– A l'intérieur du rocher, répond-il. Ce sont leurs voix qui font battre le cœur de l'antilope.

– J'essaie de dessiner des antilopes et des zèbres dans le sable. Mais je n'y arrive pas, dit Molo.

– Tu es trop impatient. Tu n'es encore qu'un enfant. Le jour viendra où ton regard ne se dispersera plus. Alors tu sauras dessiner une antilope.

Kiko travaille toute la journée. Ce n'est qu'à la tombée de la nuit qu'il pose son bâton rougi.

– J'ai presque fini, annonce-t-il. Plus tard, quand tu seras plus âgé, la couleur aura disparu. Ce sera à toi de donner vie à l'antilope. Ce sera à toi de rajouter de la peinture.

Ils rentrent au camp. Au loin, ils aperçoivent les feux et sentent l'odeur de viande cuite. La veille, les chasseurs ont réussi à tuer un zèbre et ils ont maintenant de quoi manger pour plusieurs jours. C'est pourquoi Kiko a pu consacrer une journée entière à l'antilope.

– On y retournera demain, dit Kiko. Et après-demain, mais après, il faudra reprendre la chasse.

Étaient-ils retournés à la montagne ? Impossible de se le rappeler. Molo dormait quand les hommes aux lances et aux fusils étaient arrivés. Ils étaient venus à cheval et ils portaient des casques blancs. Ils n'avaient pas tous la peau blanche. Il y avait aussi des hommes noirs parmi eux. Ils avaient tourné autour du camp tout au long de la nuit. Le matin, quand les femmes s'étaient réveillées, la fusillade avait commencé. Molo était couvert de sang si bien qu'on l'avait cru mort. Les yeux mi-clos, il avait vu Be se faire transpercer par une lance et Kiko recevoir une balle en pleine tête. Son cœur avait cogné terriblement fort comme si sa poitrine allait éclater. Pendant toute la durée de l'attaque, les hommes avaient ri. Ils s'étaient comportés comme s'ils étaient à la chasse. Une fois tous les membres du groupe tués, à part Molo, le silence était revenu. Ils étaient repartis après avoir vidé leurs bouteilles et sectionné quelques oreilles. Puis le soleil et le sable les avaient engloutis.

Molo ne se souvenait plus de ce qui s'était passé ensuite. Quand il avait repris ses esprits, il était couché sur les planches d'une charrette bringuebalante. Un homme s'était penché au-dessus de lui. C'était Andersson. Le prenant pour le diable, Molo en avait déduit qu'il était mort.

Il sombra dans un état de somnolence à la lisière du rêve et de la réalité. Les ronflements de l'homme à côté de lui le firent sursauter. Il se tourna sur le côté. Il était fatigué. Sa rencontre avec Kiko et l'antilope l'avait épuisé. Il se pelotonna en boule, fit le vide dans sa tête qui ne fut plus qu'un désert blanc, et s'endormit.

Le matin, Bengler se réveilla avec une soif et des maux de tête terribles. Il se souvenait des événements de la nuit, mais décida de ne pas en parler avec Daniel. En revanche, il y avait un sujet qu'il devait absolument aborder avec lui. Daniel était déjà debout et habillé. Il attendait sur une chaise. Immobile. Bengler but une gorgée d'eau, adossé à ses oreillers. Il fit signe à Daniel de venir s'asseoir à côté de lui.

– Tu es mon fils, dit-il. Tu t'appelles Daniel et je suis ton père. C'est ainsi que tu m'appelleras désormais. Père.

Daniel le regardait.

– Père. C'est comme ça que tu m'appelleras. Père.

– Pèère.

– Ne traîne pas la voix comme ça. Le *è* doit être court. Père.

– Pèère.

– C'est encore trop long. Essaie encore une fois. Père.

– Père.

– Voilà qui est bien. Je suis ton père. C'est donc ainsi que tu dois m'appeler. Nous sommes Père et Daniel.

– Pèère et Daniel.

– Le son *è* te pose un problème. Mais ça va s'arranger. Tu peux retourner à ta chaise.

Molo ne bougea pas. Bengler lui indiqua la chaise de la main. Molo se leva et reprit sa place. Il savait qu'il s'appelait Daniel à présent.

Dans le lit l'homme, qu'il devait désormais appeler Père, l'observait en gardant un œil fermé.

– Cette satanée ville, dit-il.

Daniel acquiesça. Sans comprendre les mots, il savait que Père était mécontent. Quand les mots ressemblaient à des coups de hache sur du bois sec, il préférait se tenir sur ses gardes. Parlait-il de lui ou à lui ? Il ne savait pas.

Ce matin-là, Père eut du mal à se lever. Daniel attendait sur sa chaise. Après le déjeuner, Père l'emmena en ville. Il faisait chaud et Daniel portait ses chaussures à la main pour faciliter ses mouvements. Ils s'arrêtèrent devant un bâtiment, tout près de l'hôtel. Il y avait des images de gens derrière l'une des vitres. Ils avaient tous le regard tourné vers Daniel. Père ouvrit la porte. Une sonnerie retentit. La pénombre régnait à l'intérieur, comme chez Andersson ou à bord du

116

navire. Les hommes blancs vivent dans des pièces mal éclai-rées, se dit Daniel. Il y a partout des portes à ouvrir ou à fermer, des murs qui les empêchent de voir, des plafonds suspendus comme des rochers au-dessus de leurs têtes.

Ils pénétrèrent dans une pièce où étaient disposées une chaise et une table, devant un mur gris aux fleurs peintes. Père s'assit sur la chaise et installa Daniel à côté de lui. L'homme qui les avait accueillis disparut derrière un mor-ceau d'étoffe noire fixé à un appareil qui ressemblait à un canon. Daniel en avait déjà vu avant la mort de Kiko, de Be et des autres villageois. Des soldats blancs avaient transporté des armes comme celle-là derrière des bœufs à travers le désert. Daniel jeta un regard effrayé à Père. Allaient-ils mou-rir ? Père comprit son inquiétude.

– On va se faire photographier, expliqua-t-il.

Père sourit et dit quelque chose à l'homme derrière le tissu noir qui se mit à rire. On ne va pas mourir, pensa Daniel. Il va falloir que je supporte tout ça en attendant de rentrer chez moi. Je vais penser à l'antilope qui semblait prête à se déta-cher de la paroi rocheuse. J'attendrai de pouvoir prendre mon élan comme elle. Ou de sentir des ailes pousser dans mon dos.

Il y eut un éclair. Daniel s'accroupit. Père sourit. Daniel craignit un instant que Père ne réussisse à lire dans ses pensées, mais celui-ci s'était déjà levé pour discuter avec l'homme qui avait tiré sans atteindre son but.

Tard dans l'après-midi, ils retournèrent au magasin. Ils s'arrêtèrent devant la vitrine. Daniel aperçut son propre visage qui regardait fixement devant lui.

Je ne me reconnais pas, pensa-t-il. Ces yeux sont ceux de quelqu'un d'autre. L'homme qui a tiré sur moi ressemble à celui qui a fait éclater la tête de Kiko.

Moi aussi, je suis mort.

Seulement, je ne m'en étais pas encore aperçu.

12

Daniel mit du temps à comprendre que cet horrible bout
du monde était le pays où Père avait vu le jour. Ils quittèrent
la ville et l'homme qui l'avait visé avec son canon. Pendant
plus de trois semaines, ils traversèrent des forêts interminables. Père se procura un cheval et une voiture, mais
Daniel se rendit vite compte qu'il n'avait aucune autorité sur
l'animal qui, la plupart du temps, n'en faisait qu'à sa tête.
Ils avançaient sous une pluie battante. La voiture n'étant
pas fermée, Daniel s'était abrité sous une bâche, parmi les
caisses où Père avait rangé ses insectes, ses livres et ses
outils. La pluie incessante finit par avoir raison de Père. Une
forte fièvre et une méchante toux l'obligèrent à interrompre
le voyage. Ils firent une escale de dix jours dans une ville
nommée Växjö où Père put se reposer dans une maison que
l'on appelait *auberge*. Daniel lui essuyait le front et lui donnait à boire. A plusieurs reprises, il eut la certitude que Père
allait mourir. Un médecin en manteau sombre qui venait
l'examiner apporta une bouteille contenant un liquide que
Père devait boire quand la toux devenait trop pénible. Il
observa Daniel avec beaucoup de curiosité. A chaque visite,
il lui demandait de se déshabiller puis il l'auscultait, lui
ouvrait la bouche et comptait ses dents. Une fois, il emporta
même une petite touffe de ses cheveux.
 Durant la journée, Daniel s'occupait beaucoup du cheval.
Il en fit son ami. Si Père venait à mourir, il n'en aurait pas
d'autres.

Il se produisit quelque chose d'étrange pendant la maladie de Père. Dans un accès de fièvre, il se mit à délirer. Pour la première fois, Daniel comprit des phrases entières de cette langue dont, jusque-là, il n'avait réussi à repérer que de rares mots. Les divagations de Père lui permirent d'accéder à ses rêves tourmentés et ce n'est qu'à ce moment-là que ses paroles eurent enfin une signification pour lui.

Cependant son nouveau nom, *Daniel*, continuait à lui paraître aussi obscur. En réalité, il s'appelait Molo. Mais personne, ni Andersson ni Père, ne s'était donné la peine de l'interroger. On lui avait tout simplement attribué un nom qui n'avait pas de sens pour lui et qui, en plus, était difficile à prononcer.

Satan était un mot qu'il entendait souvent.

Il pouvait se prononcer à voix basse ou en hurlant. Il pouvait être sifflé entre les dents ou dit avec colère. Daniel avait compris que, pour Père, il s'agissait d'un mot sacré, d'un mot qui indiquait qu'il s'adressait à l'un de ses dieux. Daniel donna secrètement le nom de *Satan* au cheval, vu l'importance que celui-ci avait prise pour lui. Il lui caressait le bout du nez en lui chuchotant *Satan* à l'oreille.

Mais Père ne mourut pas. Le huitième jour, sa fièvre baissa et ses délires cessèrent. Il sombra dans un sommeil profond. Daniel quittait parfois son chevet pour nourrir le cheval en attendant la suite des événements. La propriétaire de l'auberge lui apportait de la soupe. D'autres personnes, parfois sérieusement éméchées, venaient le regarder lorsqu'il veillait le malade. Elles s'arrêtaient généralement sur le seuil de la chambre et respiraient bruyamment, comme si son apparence les excitait, puis s'en allaient.

Au bout de onze jours, ils purent reprendre leur voyage. La pluie avait enfin cessé. Les paroles de Père redevinrent incompréhensibles. Le lien qui s'était créé lorsque Père délirait s'était rompu.

Le cheval les emmena dans une forêt qui, de prime abord, sembla impénétrable. Le chemin était très étroit et ils ne croisèrent personne. Daniel se retournait sans cesse, craignant que la route ne se referme après leur passage. Quand il n'était pas installé à côté de Père sur le siège du cocher, il marchait à côté de la voiture. Il s'était fabriqué une corde à sauter avec un bout de ficelle ramassé dans l'écurie de l'auberge. De temps à autre, Père entamait une chanson, mais sa toux l'empêchait rapidement de continuer. A plusieurs reprises, Daniel s'aventura à quelques mètres du chemin parmi les arbres imposants. Il scrutait le sol avant de poser ses pieds, persuadé que les serpents de ce pays étaient extrêmement venimeux.

Ils passaient la nuit dans des granges délabrées, se nourrissaient de pain rassis et de viande séchée. Les ruisseaux, qui bordaient le chemin, leur fournissaient l'eau dont ils avaient besoin. Daniel était en permanence à la recherche de traces qui auraient pu témoigner de la présence de sable. Vu l'ampleur du voyage, ils finiraient obligatoirement par se retrouver dans le désert. Kiko lui avait appris qu'un grand voyage se termine toujours à l'endroit où il a commencé. Mais il n'y avait pas de sable. Il n'y avait que de la terre marron, pleine de cailloux gris.

Un jour, tard dans l'après-midi, arriva enfin ce que Daniel attendait. La forêt s'ouvrit. Le paysage s'éclaircit. Père raccourcit les rênes. Daniel observa son visage. Père donnait l'impression de humer l'air, il tendit l'oreille, il scruta le paysage, puis il se tourna vers Daniel.

– Ici, c'est mon désert à moi, dit-il. C'est ici que je suis né.

Pensant que Daniel ne l'avait pas compris, il lui confia les rênes, arrondit ses bras comme pour bercer un enfant, en se désignant lui-même.

Daniel regarda tout autour de lui. Devant eux s'étendait une prairie verte entourée d'une clôture. La barrière tenait à peine debout.

Puis il découvrit la maison. Un mur blanchi à la chaux se devinait derrière un bosquet d'arbres. A la demande de Père, Daniel sauta de la voiture et ouvrit la barrière pour lui permettre le passage. Quand il voulut la refermer, les charnières se détachèrent du poteau vermoulu mais Père ne sembla pas y prêter attention. Ils pénétrèrent dans la propriété et Père arrêta le cheval au milieu de la cour. Toutefois, il ne quitta pas son siège. Daniel s'aperçut qu'il retenait sa respiration. La porte de la maison s'ouvrit et une femme apparut. Ses vêtements étaient déchirés et son dos voûté. Dans ses bras elle tenait un petit cochon. Elle s'avança vers la voiture.

– Il n'y a personne ici, s'écria-t-elle. Ils sont tous morts.

– Je suis revenu, dit Père.

La femme ne semblait pas l'entendre.

– Morts, hurla-t-elle. Et je ne vais rien acheter.

Père secoua la tête.

– Je le savais, murmura-t-il en pensant à la nuit où il s'était réveillé parce que les mâchoires de son père avaient soudain arrêté de bouger.

Il descendit de la voiture.

– C'est moi, cria-t-il dans l'oreille de la femme. Hans.

Le cochon prit peur et se sauva dans les broussailles en poussant des cris. La femme se mit à frapper Père, comme si c'était sa faute si le cochon était parti. Elle martela sa poitrine de ses poings serrés.

Daniel tenait les rênes. Le cheval ne bougeait pas. Père retint les mains de la femme.

– Hans, hurla-t-il dans l'une de ses oreilles.

Puis il lui tourna la tête et continua à hurler dans l'autre.

Après s'être calmée un instant, elle se remit à le frapper.

– Pourquoi es-tu revenu ? s'exclama-t-elle. Il n'y a aucune raison de revenir ici.

– Mon père ?

– Mort.

Elle vit alors Daniel et hurla de nouveau comme si elle avait perdu un deuxième cochon.

– Seigneur, qu'est-ce que tu nous as encore amené ?

– Son nom est Daniel. Je l'ai adopté. C'est mon fils.

La femme se mit à tourner en rond dans la cour tout en poussant des cris stridents, assez proches de ceux du cochon. Daniel éclata de rire. Enfin une personne au comportement compréhensible. Elle jouait, comme Be, comme Anima sa sœur et comme toutes les autres femmes, à part celles qui étaient trop vieilles et qui n'allaient pas tarder à mourir.

– Leonora, dit Père en l'indiquant de la main.

Leonora, se dit Daniel. C'est son nom. Aussi difficile à prononcer que le mien.

La femme s'enfonça dans les broussailles tout en continuant de crier. Père fit signe à Daniel de descendre de la voiture et ils franchirent ensemble la porte vétuste. Les rideaux de la maison étaient en lambeaux. Des poules étaient perchées sur les tableaux et des chats ébouriffés couchés sur les canapés. Le sol était recouvert de fumier. La puanteur fit grimacer Père et Daniel. Un veau s'était caché dans un coin. Daniel éclata de nouveau de rire. Enfin une maison où il y avait de la vie !

– Il n'y a pas de quoi rire, se fâcha Père. On devrait plutôt pleurer en voyant cette satanée misère.

Satané, Satan. Encore ce mot. Daniel recula pour éviter d'éventuels coups de Père. Mais celui-ci s'empara d'une pelle appuyée contre un canapé qui avait dû être rouge mais qui maintenant était recouvert d'une couche de fiente grise. Il se mit à chasser les chats et les poules. Affolés, ils partirent dans tous les sens en crachant et en caquetant. Le veau glissa dans la gadoue en voulant se sauver. Père fit éclater la porte d'un coup de pied et réussit à faire sortir tous les animaux, à part une poule qui s'était réfugiée en haut d'un lustre. Père eut une violente quinte de toux et sortit dans la cour d'un pas chancelant pour vomir. Daniel le suivit. La crise terminée, Père s'effondra sur les marches de l'escalier.

– Je n'aurais pas dû revenir, dit-il. Cette satanée bonne femme a perdu la raison.

Il s'étendit sur le dos et se couvrit le visage avec son bras. La femme avait disparu. Daniel dételâ le cheval, qui le regardait de ses yeux fatigués, pour le conduire à l'herbe. Père gémissait comme un enfant.

Mais, brusquement, il se releva en rugissant. Ses vêtements, qui étaient déjà sales auparavant, étaient maintenant maculés d'excréments de bêtes. Il se mit à ramper dans l'herbe. Daniel le suivit à distance avec le cheval. Ils arrivèrent près de quelques buissons serrés. Père se faufila par un trou et disparut. Il cherchait peut-être la solitude, mais l'expérience de Daniel lui disait que les gens qui pleuraient avaient rarement envie de rester seuls. Il se glissa donc à son tour dans le trou. Il découvrit au milieu des buissons une pièce sans toit. Même dans ce pays, il existait donc des pièces sans portes où le ciel pouvait s'étendre librement au-dessus de la tête des gens. Il y avait une table et une chaise bancales. Par terre, à côté de la chaise, était posée une pipe blanche en écume du même genre que celle que fumait Geijer chez Andersson. Père se hissa en haut de la chaise, des larmes coulaient le long de ses joues. Il s'agissait sans doute d'un rite religieux, pensa Daniel, d'une sorte de sacrifice aux dieux. La femme qui hurlait et les animaux à l'intérieur du temple en faisaient probablement partie. La chaise de Père devait être le trône et un des dieux avait dû oublier sa pipe.

C'est un pays où les dieux sont en fuite, se dit Daniel. Ici, ils ne se cachent pas dans les montagnes et leur cœur ne bat pas derrière ces buissons.

Père eut de nouveau un accès de toux grasse qui parut lui arracher les poumons. Il s'essuya le visage avec un pan de sa chemise sale.

– C'est sur cette chaise que s'asseyait mon père, s'écria-t-il. Mon père. Tu comprends ? Mon père, le vieux Bengler, qui n'était bon à rien. Il était ici avec sa vie ratée et son corps rongé par la syphilis. La syphilis. Et c'est ce lieu perdu, ce trou damné qui m'a tant manqué quand j'errais dans le désert. C'est ici que je revenais dans mes rêves

123

quand les moustiques m'assaillaient. Tu peux comprendre ça, Daniel ?

Le débit de ses paroles était si rapide que Daniel conclut que Père faisait une sorte de prière.

Père passa le restant de la journée assis sur la chaise et il finit par s'endormir. Daniel attendit.

Ils restèrent à Hovmantorp jusqu'à la mi-octobre. Avec une énergie proche de la rage, Père et la femme au dos voûté nettoyèrent le rez-de-chaussée. Daniel était logé à l'étage. Père avait grillagé les deux fenêtres de sa chambre et, tous les soirs, il verrouillait la porte. Avant de s'attaquer au nettoyage de la maison, Père avait emmené Daniel au cimetière. Ils s'étaient arrêtés devant une croix sous laquelle étaient enterrés ses parents. Ce cimetière où les morts étaient disposés en rangs sous des pierres surmontées d'une croix portant leur nom intriguait beaucoup Daniel. Il savait que les morts ne voulaient pas être dérangés et qu'ils ne voulaient pas laisser de traces. C'est Kiko qui le lui avait appris. Dans le désert, on ne retournait pas à l'emplacement d'une tombe tant qu'on en gardait le souvenir. Ici, c'était le contraire. Père s'était comporté bizarrement devant la tombe. Il avait pleuré. Daniel n'avait pas compris pourquoi. Pour lui, on pleurait les malades et les blessés qui souffraient, mais pas les morts. Pourquoi pleurer ceux qui étaient tout simplement partis ?

La femme au dos voûté qui s'appelait Leonora avait changé d'attitude depuis le jour de leur arrivée. Elle ne s'approchait jamais de Daniel, ne le touchait pas. Mais elle lui donnait à manger et elle lui avait confectionné un costume de marin. Elle ne criait pas quand elle le voyait marcher pieds nus. Elle l'autorisait à rester avec les poules, les chats, le veau, le cheval et les cochons. Une fois la maison propre et la puanteur éliminée, Père se mit à défaire ses caisses. Daniel n'en revint pas de la quantité d'insectes qu'il avait ramenée. A quoi allaient lui servir toutes ces bêtes mortes ? Père était peut-être un magicien. Il avait peut-être des relations privilégiées avec les forces qui guidaient la vie des hommes. Savait-il parler avec les morts ? Daniel l'observa pendant qu'il répertoriait les insectes, les épinglait et construisait des boîtes qu'il recouvrait de plaques de verre.

Père enseigna sa langue à Daniel. Deux fois par jour, le matin et l'après-midi, ils passaient un moment ensemble sous la tonnelle ou, par temps de pluie, dans une pièce à l'étage. Père était doté d'une grande patience et Daniel se prêtait au jeu, estimant qu'il n'avait rien à perdre en apprenant cette langue bizarre. Il s'efforçait de reproduire le son des haches sur du bois sec, apprenait les mots et finit par se rendre compte que leur sens lui était accessible, à lui aussi. Père ne se mettait jamais en colère. De temps en temps il caressait la joue de Daniel en lui disant qu'il apprenait vite.

En plus de la langue, Daniel devait apprendre à ouvrir et à fermer les portes. La mise en pratique eut lieu dans le bureau de Père. A ce moment-là, Daniel maîtrisait relativement bien la langue.

– Les portes, c'est aussi important que les chaussures, expliqua Père. Les chaussures servent à protéger les pieds contre le froid et l'humidité. Mais leur rôle est aussi de donner de la dignité à l'homme. Comme les portes. Il faut frapper avant de franchir une porte. On ne la pousse pas sans y être invité. On peut frapper une deuxième fois. Un peu plus fort mais sans se montrer impatient. On peut éventuellement frapper une troisième fois, en veillant à garder son calme. Voilà, à toi d'essayer. Frappe, attends la réponse, ouvre, incline-toi, referme la porte derrière toi.

Daniel quitta le bureau et ferma la porte. Puis il frappa et l'ouvrit.

– Non, dit Père. Tu as oublié une chose.

– Oui, que monsieur doit m'inviter à entrer.

– Tu ne dois pas m'appeler « monsieur ». Je suis ton père, tu dois donc m'appeler Père.

– Père.

– Voilà. Et maintenant, recommence.

Daniel ressortit et referma la porte. L'image de Kiko et de l'antilope lui traversa l'esprit. Il frappa. Pas de réponse. Il frappa de nouveau. Mais trop fort.

– Il faut tambouriner avec la main, de façon décidée mais pas en donnant des coups de bec n'importe comment, comme un oiseau, expliqua Père.

L'antilope ressurgit dans la mémoire de Daniel. Il frappa de nouveau. Père répondit. Daniel ouvrit, entra et referma la porte derrière lui.

– Cette fois, tu as oublié de saluer.

Tous les jours, après les exercices devant la porte, Père s'occupait de ses insectes et Daniel des animaux. La femme au dos voûté évitait toujours de lui adresser la parole, mais elle lui faisait confiance pour nourrir les bêtes, brosser le cheval et enfermer les poules le soir.

Daniel s'étonnait de ne jamais voir d'autres personnes autour d'eux. Il en conclut que les familles de ce pays étaient toutes petites. Le désert boisé, en revanche, était immense. Daniel allait parfois écouter le vent en haut d'une colline qui se trouvait derrière la maison. Il était chaque fois aussi impressionné par la taille de la forêt. Il était à la recherche de bruits familiers, mais ici le bruissement du vent dans les arbres n'avait rien à voir avec celui de son désert. Un seul arbre avait des feuilles dont le murmure ressemblait à celui du sable contre le rocher. Père lui apprit que c'était un *tremble*. Cet arbre devint l'objet de sa vénération et il s'y rendait chaque jour pour faire pipi sur son tronc. Les autres bruits lui étaient parfaitement inconnus. Même celui de la pluie, si fréquente dans ce pays, ne lui rappelait en rien celle de chez lui. Pas plus que le chant des oiseaux. Ses oreilles étaient probablement encore trop petites pour percevoir tous les sons. Il finirait sans doute par distinguer ceux des tambours, des femmes qui riaient, des hommes qui racontaient des histoires et, plus rare, le rugissement d'un lion. Il avait parfois l'impression d'entendre au loin le tam-tam d'une percussion, mais il n'arrivait pas à le localiser. Il faut dire aussi que le vacarme des oiseaux que Père nommait *corneilles* couvrait les sons les plus subtils.

Presque chaque nuit il rêvait de Be. Quelquefois, Kiko était là lui aussi, mais, la plupart du temps, Be était seule. Dans ses rêves, elle était si près qu'il pouvait sentir sa respiration, toucher ses cheveux, voir ses dents, s'allonger à côté d'elle sur la natte en raphia. Elle lui disait qu'il leur manquait.

Daniel se réveillait toujours très tôt le matin. Bien avant l'aube. La femme voûtée et Père dormaient encore. Comme la porte était verrouillée, il restait dans son lit à revoir son rêve. Be avait dit qu'il lui manquait. Je suis un petit garçon, se disait-il. Je suis parti beaucoup trop loin de chez moi. Tous ceux qui me sont chers sont morts, mes parents, les gens de mon groupe. Et pourtant ils sont plus vivants que l'homme qui veut que je l'appelle Père et que la femme qui n'ose pas m'approcher. Mon voyage a été trop long. Je ne comprends pas ce désert boisé et les bruits qui m'entourent me sont inconnus.

Au cours de ses réflexions matinales, Daniel se disait souvent qu'il aurait préféré mourir, lui aussi, pour pouvoir partir à la recherche de Kiko, de Be et des autres. Dans ses rêves, il sentait le sable doux sous ses pieds. Ici, il n'y avait que les quelques grains de sable qu'il avait réussi à récupérer dans les caisses des insectes.

Il pleurait souvent au réveil. Il aurait voulu dire à Père qu'il fallait qu'il retourne chez lui, mais pour cela il avait besoin de savoir tailler les bons mots avec la bonne hache. Il fallait que Père comprenne. Il ne voulait pas devenir comme ces insectes bizarres épinglés derrière une plaque en verre dans une boîte. La différence entre la porte verrouillée et les plaques de verre était minime.

Au moment où l'on déverrouillait la porte, il faisait toujours semblant de dormir et il attendait toujours d'être seul avant de quitter la chambre pour aller retrouver les animaux.

Une chatte sans queue était devenue son amie. Elle le suivait partout, aussi bien quand il arrosait son arbre que lorsqu'il donnait du foin au cheval.

A la mi-octobre, sa maîtrise de la langue lui aurait permis d'expliquer à Père qu'il fallait qu'il rentre.

La nuit tombait de bonne heure et il dormait davantage. Ses rêves s'allongeaient et devenaient plus nets. Il entretenait de longues conversations avec Be qui commençait à s'impatienter, trouvant que son absence avait assez duré. Kiko l'emmenait de temps en temps à l'endroit où l'antilope s'était figée dans son saut.

Un matin, Père déclara qu'il avait terminé son travail avec les insectes. Ils allaient donc quitter Hovmantorp.
– On rentre ? demanda Daniel.
Son cœur se mit à battre plus vite.
– Où ça ?
– Dans le désert.
– Tu ne retourneras jamais dans le désert. Ta vie est ici maintenant. Tu as appris à parler, à frapper à la porte, à saluer. Nous allons partir pour une ville où je dois présenter mes insectes. Et je vais te présenter, toi aussi.
Daniel ne répondit pas.

La nuit suivante, la veille de leur départ, il décida de ne raconter à personne son intention d'aller retrouver Be et Kiko. Il allait garder ses pensées pour lui.
Il lui restait à faire un apprentissage indispensable.
Pour rentrer chez lui, il fallait qu'il apprenne à marcher sur l'eau.

13

A Stockholm, Daniel apprit que la vie d'un homme ne se résume pas au fait de savoir ouvrir et fermer une porte. Il existe également des usages liés aux mouvements de l'ombre et de la lumière, qu'il faut respecter scrupuleusement.

Un mois s'était écoulé depuis qu'ils avaient quitté la femme voûtée et la chatte sans queue. Ils s'étaient dirigés vers l'est et petit à petit, comme à contrecœur, la forêt avait fini par s'ouvrir et laisser la place à une ville appelée Kalmar. Pour le plus grand bonheur de Daniel, ils revirent la mer. Père lui avait montré sur une carte qu'ils avaient fait un trajet en forme de fer à cheval depuis leur arrivée en Suède pour se retrouver de nouveau face à la mer.

La ville était petite, avec des maisons basses. Ils avancèrent péniblement dans la boue qui recouvrait les rues étroites après la longue pluie. Ils louèrent une chambre dans une maison en pierre près de l'eau.

Père demanda à Daniel d'ajouter de l'avoine au foin de leur cheval efflanqué et de le brosser consciencieusement pour qu'ils puissent ensuite le vendre un bon prix. Avec un peu de chance, ils tireraient également quelques sous de la voiture. L'argent permettrait de payer leur traversée jusqu'à Stockholm. Le bateau allait quitter le port de Kalmar dans six jours, cela ne laissait que quatre jours pour remettre le cheval en état.

Le premier soir, ils visitèrent le château fort mais Daniel était bien plus attiré par la mer qui, ce jour-là, était parfaitement calme. Marcher sur une surface aussi lisse ne devait pas poser tant de problèmes que ça ! Il n'en parla toujours pas à Père et il ne le ferait probablement jamais, convaincu que celui-ci ne pouvait pas comprendre. Il recommencerait peut-être à l'attacher.

Le deuxième soir, Père vida de nouveau une de ces bouteilles qui rendaient le sol instable comme le pont d'un navire. Il s'endormit ensuite tout habillé sur le lit en oubliant de fermer la porte et de mettre la clé dans sa poche.

La nuit tombée, Daniel descendit l'escalier grinçant à pas de loup. Il pleuvait encore. Bien que la terre soit froide, il était sorti sans chaussures. Les rues étaient noires mais en bas du château brûlait un feu. D'une maison lui parvenait une voix d'homme qui alternait chants et hurlements. Elle ressemblait à celle d'Andersson. Peut-être était-ce un de ses amis ?

Après avoir longuement observé la surface de l'eau, Daniel y posa doucement un pied. Elle semblait solide mais quand il tenta d'y aventurer le second, elle céda sous son poids. Sa détermination n'était donc pas assez forte pour qu'il puisse marcher sur l'eau. C'était encore trop tôt.

S'inquiétant que Père ne se réveille et ne s'aperçoive de son absence, il regagna vite la chambre. Père ronflait. Daniel se déshabilla, se nettoya les pieds et se glissa entre les draps humides.

Deux jours plus tard, le cheval fut vendu à un homme obèse auquel il manquait trois doigts à une main. D'après ce que Père avait entendu dire, il s'était fait mordre par un cheval nerveux. Depuis, il se vengeait en faisant souffrir tous les chevaux qui avaient la malchance de croiser son chemin. Comme le prix proposé était particulièrement intéressant, Père accepta la vente.

– Faire souffrir ? Ça signifie quoi ? demanda Daniel.

Il n'avait jamais entendu cette expression auparavant.

– Ça veut dire se comporter comme Andersson, répondit Père. Tu te souviens de lui ? C'est lui qui t'avait enfermé dans un box.

En vain, Daniel essaya d'établir un lien entre l'homme qui avait acheté leur cheval et celui qui l'avait mis dans un box. Il avait très envie de demander des explications à Père mais il y renonça, certain qu'il n'obtiendrait pas de réponse.

Le cheval allait lui manquer. Il aurait voulu l'emmener avec lui le jour où il s'en irait sur l'eau. Les hommes avaient bien réussi à apprivoiser des animaux, peut-être saurait-il apprendre au cheval à marcher sur la surface de la mer.

Le lendemain, ils embarquèrent sur un petit navire protégé par une couche de goudron. Faute d'acheteur, la voiture fut abandonnée sur le quai. La cale du bateau était remplie de poisson séché. Il y avait aussi un vivier plein d'anguilles.

Père avait surveillé de près le chargement de ses caisses en recommandant aux hommes d'équipage d'en prendre bien soin. Les pantalons déchirés de ces hommes rappelèrent à Daniel les bouviers du désert. Ceux qui peinaient tant pour transporter le matériel dont les Blancs avaient besoin pour leurs expéditions.

Justement, l'un de ses souvenirs les plus éloignés datait du jour où Kiko, Be et leur groupe avaient croisé une expédition d'hommes blancs. Ils avaient dressé leur camp près de la Montagne des Zèbres. Daniel était encore tout petit. Quand il n'avait pas la force de marcher, Be l'attachait dans son dos. Il se souvenait très précisément de ces Blancs. Entre leurs tentes, ils avaient installé des tables recouvertes de nappes blanches. Kiko, qui ce jour-là était le responsable, avait décidé de s'éloigner du campement. Il n'était pas rare que les hommes blancs en voyage dans le désert se mettent à tirer sans faire de différence entre un troupeau d'animaux et un groupe d'hommes.

Les porteurs, qui avaient leurs propres feux, accouraient au moindre signe des Blancs. Ils n'étaient qu'empressement et soumission. Chacun de leurs mouvements exprimait la peur. Malgré son jeune âge, Daniel en avait eu conscience. En observant les matelots et en écoutant les ordres de Père, il éprouvait le même sentiment et il en fut profondément troublé. Ici aussi, il y avait donc des gens habités par la peur.

Le capitaine du navire ne portait pas d'uniforme. Il avait la tête emmitouflée dans une écharpe à cause d'une rage de dents et il avait sans arrêt une bouteille à la main ou pendue à son cou. Il se montra réticent pour accepter Daniel à bord. Père fut obligé de payer deux fois le prix du voyage pour amadouer ce capitaine superstitieux qui croyait que le bateau allait couler s'il embarquait quelqu'un qui ressemblait à un chat noir. Il finit par leur attribuer une cabine, imprégnée de l'odeur de poisson pourri, à l'arrière du bateau. Père commença par jeter les matelas et les couvertures qui grouillaient de poux.

– Mieux vaut dormir tout habillés, dit-il, si nous ne voulons pas arriver à destination couverts de piqûres et complètement exsangues.

Un faible vent du sud soufflait au moment d'appareiller, tard dans l'après-midi. A l'est du chenal s'étendait une île. Debout sur le pont, Daniel regardait les matelots s'affairer au milieu des cordages et des écoutes. Bien que leur dialecte lui fût incompréhensible, il sentait qu'ils parlaient de lui et que ce n'était pas en termes très gentils. A l'avant du bateau, il ramassa un bout d'écoute qu'il transforma rapidement en corde à sauter. Les matelots et le capitaine le regardèrent avec méfiance, mais sans rien dire.

Le lendemain à l'aube, quand Daniel sortit sur le pont, il s'aperçut que l'île avait disparu. A l'ouest, on voyait encore la côte. Le vent avait fraîchi. Daniel grelotta en traversant le pont mouillé. Le bateau tanguait lentement, comme s'il avait été accroché dans le dos de la mer tel un nourrisson. Daniel ferma les yeux en songeant à Be. Il retourna dans le désert.

Avant les événements qui lui avaient enlevé Be et Kiko et qui les avaient laissés dans le sable, recouverts de sang.

Une odeur fétide le fit sursauter et le ramena brutalement à la réalité. Devant lui se trouvait le capitaine. Ses yeux étaient rouges et sa joue sous l'écharpe était terriblement enflée.

– T'as vu cette merde ? dit-il en ouvrant la bouche.

Daniel se mit sur la pointe des pieds pour regarder. Les rares dents qu'il vit n'étaient plus que des chicots noirs.

– J'ai l'impression d'avoir un serpent dans la gueule, continua le capitaine. Tu crois que l'homme qui t'accompagne saurait m'arracher la plus gâtée ? Si j'ai bien compris, c'est un scientifique.

Daniel regagna la cabine. Père bâillait, allongé sur la couchette.

– Le capitaine demande si Père sait arracher une dent, dit-il.

– Oui, à condition qu'il te fasse voyager gratuitement.

Père se leva, fouilla parmi ses outils et attrapa une pince qui lui avait servi pour fabriquer des boîtes destinées aux insectes. Le capitaine attendait, assis sur la trappe de la cale. Il se balançait en avant, en arrière, sous l'emprise de la douleur.

– Je peux t'arracher la dent, dit Père. Si tu veux, je peux aussi t'arracher la langue.

– La dent, ça suffira.

– Le prix, ce sera le voyage de Daniel.

– C'est d'accord.

Le capitaine ouvrit la bouche. Père regarda.

– La molaire, déclara Père. Il faut que quelqu'un te tienne pendant que je tire.

Le capitaine fit venir un homme bien musclé qui mesurait près de deux mètres.

– Tu vas me tenir, lui expliqua-t-il. Et même si je me mets à hurler, tu ne dois pas me lâcher.

L'homme murmura quelque chose, puis il immobilisa les bras et le dos du capitaine. Père saisit la dent malade avec la pince et commença à tirer. La dent céda. Le matelot desserra son étreinte, le capitaine cracha du sang en grognant et Père demanda à Daniel d'aller rincer la pince.

– J'ai regardé ses dents, dit le capitaine en désignant Daniel. Je n'en ai jamais vu d'aussi blanches. Et elles paraissent aussi solides que celles d'un prédateur.

– C'est tout simplement parce qu'il ne consomme pas de sucre, fit Père.

– Je croyais que les nègres raffolaient des sucreries comme les enfants.

– Tu avais tort.

Le capitaine continua à cracher du sang. Le matelot chargé de la cuisine vint prévenir que le déjeuner était prêt et Daniel rendit à Père la pince nettoyée.

Père passa la soirée à boire avec le capitaine. Le grand matelot était à la barre. Un autre, petit et maigrichon, tout son opposé, alluma les feux et s'installa à l'avant pour faire le guet. Le rire bruyant du capitaine leur parvenait de la cabine à l'arrière du bateau. Daniel, qui était resté sur le pont malgré le vent glacial, discernait de temps à autre des lumières dans l'obscurité. Il se dit que forcément Père l'aimait bien. Ça n'avait sûrement pas été facile de l'emmener faire ce grand voyage. Il avait commandé des vêtements pour lui, il lui avait appris la langue et lui avait enseigné comment ouvrir et fermer une porte. Be et Kiko venaient le voir la nuit mais c'était Père qui s'occupait de lui. Il l'avait même attaché pour éviter qu'il ne se jette à la mer. Ce ne serait pas juste de la part de Daniel de lui cacher son envie de marcher sur l'eau et son intention d'aller retrouver la chaleur pour sentir de nouveau le sable sous ses pieds. Mais il lui ferait la promesse de ne jamais oublier la manière dont on ouvre et ferme les portes, même si cela lui paraissait peu utile dans le désert.

Le ciel était étoilé et sans nuages.

Le matelot qui avait allumé les feux vint le rejoindre au bastingage.

134

Il s'appelait Tobias. Tobias Näver. Il avait été soldat, raconta-t-il, mais on l'avait rayé des cadres quand il avait eu la cuisse transpercée par une baïonnette lors d'un exercice. Il avait perdu beaucoup de sang et avait frôlé la mort. Ensuite il était devenu marin. Il était allé jusqu'en Australie sur un trois-mâts anglais, le *Black Swan*. Il avait failli rester là-bas, mais il avait changé d'avis au dernier moment. Puis il avait travaillé sur des petits bateaux qui faisaient de la navigation côtière sur la Baltique.

Daniel écoutait attentivement. Comme Tobias Näver ne parlait pas vite, il comprenait pratiquement tout ce qu'il disait.

– Tu es loin de chez toi, dit-il. Si j'ai bien compris, tu as été adopté par celui qui picole avec le capitaine. Qu'est-ce que tu fais là?

C'était la première fois que quelqu'un s'intéressait à Daniel. Il s'inclina et remercia.

– Pas la peine de remercier.

– Je vais apprendre à marcher sur l'eau, expliqua Daniel, pour rentrer chez moi.

– Personne ne peut marcher sur l'eau, répliqua Tobias, surpris. Les fous qui ont essayé ont coulé. Un seul homme a réussi. Mais je ne sais pas si c'est vrai.

Daniel tendit l'oreille.

– C'était qui?

– Jésus.

Daniel savait qui était Jésus. Be et Kiko lui avaient parlé de ces coutumes étranges qu'avaient les Blancs d'accrocher leurs dieux sur des planches. On pouvait éventuellement agir de la sorte avec des ennemis, mais, avec un dieu, c'était à la fois étrange et effrayant. D'autant plus que les Blancs considéraient ce dieu comme leur seule et unique divinité. Daniel avait vu des images représentant cet homme décharné avec une couronne d'épines sur la tête. Mais on ne lui avait pas précisé qu'il avait marché sur l'eau.

– Personne ne peut garantir que c'est vrai, bien entendu.

135

On appelle ça un miracle. L'impossible peut toujours se produire. Un jour, nous avons fait naufrage sur un récif avec le *Black Swan*. La tempête était terrible et nous savions que nous n'allions pas nous en sortir. Mais soudain, le calme est revenu et on a réussi à remettre le bateau à flot.

Tobias envoya un bout de chique par-dessus bord.

Daniel sentit une boule d'inquiétude se former juste en dessous de son cœur. Était-il concevable qu'un homme parvienne à marcher sur l'eau, si seul un dieu savait le faire ?

Tobias alla rallumer un des feux qui s'était éteint. Des cris venaient de la cabine à l'arrière. Père était ivre. Il riait sans joie d'une voix stridente.

– Tu pourras toujours t'exhiber dans des foires, dit Tobias en revenant. Les gens paient pour ça.

– C'est quoi, une foire ?

– Un endroit où on expose des gens difformes, de grosses dames, des hommes recouverts de poils, des hommes qui arrivent à porter un cheval, des enfants soudés par une partie de leurs corps, des veaux à deux têtes.

Daniel ne voyait toujours pas bien ce qu'était une foire mais il décida d'attendre pour demander des précisions.

Il faisait plus frais et le vent avait forci. Daniel rejoignit sa couchette. Il allait raconter à Be que l'homme accroché aux deux planches en forme de croix savait marcher sur l'eau.

Mais Be ne revint pas dans ses rêves, ni cette nuit-là ni la suivante. A son réveil, Daniel ne se souvint que de l'obscurité. Une chaîne de montagnes semblait s'être dressée dans sa tête, le séparant de Be et de Kiko. Il savait qu'ils étaient de l'autre côté, mais il n'arrivait pas à les voir.

Le cinquième jour, le navire pénétra dans un archipel où les îles alternaient avec de grandes étendues d'eau. Père montra des signes d'inquiétude. Daniel se demanda si c'était sa faute. Pour lui prouver son affection, il chaussa les lourds sabots, mais Père ne sembla même pas s'en apercevoir. A

136

plusieurs reprises, Daniel l'avait vu compter la somme qui lui restait de la vente du cheval. Il l'avait aussi entendu se disputer avec le capitaine à cause de l'argent qu'il voulait récupérer pour avoir extrait sa dent.

Le bateau s'engagea dans un détroit et Daniel aperçut au loin une grande tour.

– Qu'est-ce que c'est ? demanda-t-il à Père qui était venu le rejoindre sur le pont.

– Un clocher. C'est la capitale. Stockholm.

Père paraissait nerveux. Daniel ne lui posa pas d'autres questions.

Le bateau accosta dans une véritable forêt de mâts. Derrière les voiles, Daniel devina de grands immeubles et compta jusqu'à quinze clochers. La nuit était tombée, Père décida de dormir sur le navire. Daniel n'osa pas s'informer de ses projets. En attendant le sommeil, il espérait avoir la visite de Be. Mais, au petit matin, son rêve n'était toujours qu'obscurité.

Tard dans l'après-midi, ils quittèrent le bateau.

Père avait trouvé deux hommes qui avaient déjà commencé à charger ses caisses sur deux chariots. Quand tout fut prêt, Daniel eut l'autorisation de débarquer, lui aussi. Comme d'habitude, il fut la cible de tous les regards. Les gens n'hésitaient pas à le dévisager de très près, à le toucher, à lui pincer le bras et à faire des réflexions sur ses cheveux et sur sa peau. Gêné et effrayé, Daniel prit la main de Père et cacha son visage en se blottissant contre lui. Père fut surpris par sa réaction et il lui caressa la tête.

– C'est de la racaille, dit-il. Ces gens qui travaillent dans le port ne savent pas se comporter correctement.

– C'est quoi, la racaille ? murmura Daniel.

– Des débardeurs des bas-fonds. Des gens sans instruction. Il faut que tu t'attendes à ce qu'on te regarde, mais ce ne sera plus de façon aussi éhontée, comme ici.

Père ordonna aux curieux de s'écarter et aida Daniel à grimper sur le chariot que les deux hommes tirèrent hors de la zone portuaire. Le chemin était en mauvais état et Daniel s'agrippait pour ne pas tomber. Ils entrèrent dans la ville par une rue étroite coincée entre de grands immeubles. Une odeur nauséabonde obligea Daniel à respirer par la bouche.

Saturé par toutes ces nouvelles impressions, il ferma brutalement les yeux pour échapper aux cris des gens et aux aboiements des chiens. En vain. Il se forma dans sa tête un vrai tintamarre qu'il fut incapable d'interpréter. Au loin, il entendit les voix de Kiko et de Be.

C'était le 3 novembre 1877.

Daniel venait d'arriver à Stockholm. Il avait toujours les paupières baissées quand les chariots avec les insectes pénétrèrent dans les venelles de Gamla Stan[1].

1. La vieille ville de Stockholm.

14

Le chariot s'arrêta. Père effleura l'épaule de Daniel qui ouvrit les yeux. Ils se trouvaient dans une venelle très étroite. Au bout de la rue se dressait une église. L'après-midi était déjà avancé et la lumière commençait à décliner. Ils obtinrent une petite chambre mansardée au bout d'un escalier raide. Elle donnait sur la rue. Derrière la fenêtre d'en face, Daniel put distinguer une bougie allumée et des gens attablés en train de manger goulûment dans un grand plat en bois. Un garçon de son âge leva la tête, l'aperçut et se mit à hurler en pointant son doigt vers lui. Daniel s'effaça vivement.

Après s'être disputé avec les deux porteurs au sujet du prix, Père entra dans la chambre. Il jeta un regard mécontent sur les caisses empilées qui leur laissaient peu de place dans la pièce exiguë.

– Si jamais il y a le feu, tout ce travail aura été vain, dit-il.

Il posa une petite boîte en bois près de la porte.

– En cas d'incendie, il faudra la sauver en premier. Elle contient un scarabée que personne n'a encore jamais vu.

Il se mit ensuite à inspecter le lit. Il secoua les couvertures et examina les lattes du lit à l'aide d'une bougie.

– C'est plein de poux, constata-t-il. Mais il va falloir supporter ça pendant quelques jours. On trouvera mieux après.

Il posa la bougie sur la table et s'assit sur une des chaises bancales.

– Être pauvre dans cette ville, c'est s'exposer à toutes

sortes de menaces. Une consolation au moins, c'est que nous sommes arrivés au bon moment. Ici, l'année dernière, une épidémie de variole sévissait mais elle semble enrayée.

Il vida le contenu de la pochette sur la table et compta l'argent qui lui restait. Il n'y avait plus qu'un seul billet et quelques pièces.

– Je vais chercher à manger, dit-il. Je n'en ai pas pour longtemps. Tu vas surveiller nos affaires pendant ce temps-là. Si jamais il y a le feu, n'oublie pas de mettre la petite boîte en sécurité.

Daniel écouta les pas de Père s'évanouir dans l'escalier en se demandant s'il était fâché ou inquiet.

Daniel était seul. Père était parti sans verrouiller la porte. Quelqu'un chantait à l'étage en dessous, quelqu'un pleurait. Une odeur rance de cuisine traversait le plancher. Il regarda de nouveau par la fenêtre et vit, dans la pièce d'en face, une femme en train de transformer la table en lit pour deux enfants. Jamais auparavant il n'avait vu une table avoir deux fonctions aussi différentes. Quel drôle de pays où les gens vivent soit entassés les uns sur les autres, soit dans la solitude !

Il ouvrit prudemment la petite boîte et découvrit un scarabée épinglé sur un morceau de carton blanc. De nombreuses fois déjà, il avait vu des insectes comme celui-ci. Surtout quand il partait avec Be, les autres femmes et les enfants à la recherche de racines, de serpents et de petits animaux. Ils l'appelaient « le gambadeur » parce que, en cas de danger, il cessait soudain de ramper pour faire un bond de côté. A force d'observation, Be avait appris à l'attraper. Après avoir prévu l'endroit exact où il allait atterrir, elle l'accueillait dans sa main. C'était devenu une sorte de jeu. Daniel ne comprenait pas pourquoi Père voulait à tout prix sauver ce gambadeur. Une petite bête morte épinglée sur une feuille de papier. Elle n'était même pas comestible. Elle ne contenait pas non plus de poison utilisable pour imprégner les flèches. Père était un être étrange. Il avait entrepris un grand voyage et Daniel savait que les gens qui se déplaçaient étaient constamment préoccupés par la nourriture. Comme Père en ce moment. Mais quelle pouvait bien être la destination de leur voyage ?

Daniel se sentait enfermé dans cette chambre si basse de plafond. Il y avait des gens en dessous mais il ne pouvait pas les voir. Pour dissiper son inquiétude, il attrapa sa corde et se mit à sauter, d'abord lentement, puis de plus en plus vite. La corde frappait le sol en un rythme régulier. Il ferma les yeux. La chaleur l'envahit. Il entendait la voix et les rires de Kiko et le joyeux bavardage de Be.

Quelqu'un frappa à la porte. Il décida de ne pas répondre pour que la personne s'en aille. Mais la porte s'ouvrit et un homme costaud apparut torse nu sur le seuil. Il le regardait avec insistance.

– Je ne vous ai pas invité à entrer.

Il y avait certains mots que Daniel connaissait bien.

– Je ne vous ai pas invité à entrer, répéta-t-il.

Une forte odeur de transpiration émanait du corps et des vêtements de l'homme. Daniel s'obligea à respirer par la bouche pour ne pas avoir la nausée. Il avait peur. L'homme était entré sans qu'il l'y autorise. Daniel avait pourtant cru que la règle que Père lui avait appris à respecter devant une porte fermée était incontournable.

– Il y a quelque chose qui cogne au-dessus de chez moi, dit l'homme. Ça vient d'ici. C'est toi qui donnes des coups de pied ?

Daniel regarda sa corde.

L'homme suivit son regard.

– Tu sautes à la corde ? T'es cinglé ! Un petit noiraud qui s'amuse à sauter à la corde au-dessus de ma tête !

Il avança d'un pas et lui arracha la corde des mains. Daniel essaya de la retenir mais l'homme était trop fort. Il allait la perdre. Il se pencha rapidement en avant et planta ses dents dans la main de l'homme qui hurla de douleur. Daniel avait une crampe. Il n'arrivait plus à desserrer ses mâchoires. L'homme essaya de se dégager en poussant des cris. Sa main

141

saignait abondamment. Daniel finit par ouvrir la bouche. L'homme avait déjà lâché la corde.

Il va me tuer, pensa Daniel. Il va me sauter à la gorge et me tuer.

L'homme respirait bruyamment. Il regardait sa main sans comprendre ce qui s'était passé. Encore sous le choc, il se retourna et quitta la chambre d'un pas mal assuré. Daniel ferma la porte et s'essuya la bouche. Il ne voyait pas pour quelle raison cet homme avait pu entrer dans sa chambre sans y avoir été invité.

Pétrifié au milieu de la pièce, il constata qu'il n'y avait plus aucun bruit à l'étage d'en dessous. Le ..ennissement d'un cheval, mêlé à l'aboiement d'un chien et au cri d'une fille, montait de la rue.

Puis il reconnut le bruit des pas lents et prudents de Père dans l'escalier. Arrivé devant la porte, il s'arrêta et frappa.

– Entrez.

Père apparut. Il souriait.

– Tu as bien appris la leçon, dit-il.

Daniel s'apprêtait à répondre quand un grand fracas vint l'interrompre. L'homme qu'il avait mordu arriva, un chiffon autour de la main.

– C'est vous qui avez fait venir ce petit monstre ? cria-t-il. Il a failli m'arracher la main.

Père était déconcerté. Il n'avait pas encore eu le temps de se débarrasser du paquet enveloppé d'un papier graisseux.

– J'avoue ne pas comprendre, dit-il.

L'homme, fou de colère, montra Daniel du doigt.

– Ce singe noir a failli m'arracher la main. Regardez vous-même.

Il ôta le chiffon plein de sang et lui montra la plaie.

Père se tourna vers Daniel.

– C'est toi qui as fait ça ?

Daniel confirma d'un signe de tête. Il avait la langue enflée et ne réussit pas à former ses mots.

– Je suis livreur de charbon, dit l'homme. Je travaille

142

douze heures par jour. Les sacs pèsent parfois deux cents kilos. C'est fatigant et j'ai besoin de dormir. Je n'ai pas pu supporter son vacarme.

Il arracha la corde des mains de Daniel.

– Il saute à la corde, expliqua-t-il. C'est comme s'il sautait sur ma tête. J'ai besoin de silence pour dormir.

Père ne comprenait toujours pas.

– Il n'a pas encore l'habitude des sols, des murs et des plafonds, dit Père. Ça ne se reproduira pas, je vous le promets.

Peu à peu, l'homme recouvrit son calme.

– Il ressemble à un être humain, mais il a des crocs comme un animal de proie. J'ai déjà rencontré des femmes qui mordaient, mais je n'ai jamais vu ça !

– *C'est* un être humain. Il vient d'une autre partie du monde. Il est de passage ici.

– Il mange de la chair humaine ? demanda l'homme en regardant Daniel du coin de l'œil.

– Pourquoi me demandez-vous ça ?

– On aurait dit qu'il essayait de manger un morceau de ma main.

– Il se nourrit comme vous et moi.

– La vie devient de plus en plus bizarre, fit l'homme en secouant la tête. On travaille et on peine et puis, un soir, on découvre un garçon noir qui saute à la corde sur votre crâne. Je me demande jusqu'où tout ça va aller !

– Quoi donc ?

L'homme hésita, haussa les épaules en fouillant l'air de sa main blessée comme pour chercher à attraper un insecte.

– La vie, finit-il par dire. Et pourtant, elle était déjà bien assez compliquée.

Soudain, il lui vint une idée.

– Il n'est pas malade, au moins ?

– Pourquoi me demandez-vous ça ?

– Qui sait de quelles maladies il peut être porteur ? L'année dernière, c'était la variole qui faisait des ravages, au printemps les gosses ont eu une diarrhée d'enfer.

– Il n'a rien qui puisse être contagieux. Vous ne serez même pas taché si vous touchez sa peau.

L'homme repartit en hochant la tête.

Père referma la porte.

– Je comprends que tu aies eu peur, dit-il. Mais tu n'as pas le droit de mordre.

– Il est entré sans que je l'y invite.

Père hocha lentement la tête.

– Tu as encore beaucoup à apprendre. Mais je vais faire tout ce que je peux pour te défendre.

Il ouvrit le paquet qui contenait du poisson fortement salé. Daniel faillit vomir en y goûtant.

– Il faut que tu manges, dit Père. Je n'ai rien d'autre à te proposer.

Daniel prit une deuxième bouchée mais il profita d'un moment d'inattention de Père pour la recracher dans sa main qu'il garda ensuite fermée sous la table.

Après le repas, Père s'allongea sur le lit, les yeux rivés sur le plafond. Daniel aurait voulu pénétrer dans sa tête pour savoir ce qui s'y passait. Be lui avait dit qu'on pouvait deviner les pensées de quelqu'un qu'on connaissait bien.

Mais Père était parti loin. Daniel le revit soudain étendu sur le matelas dans la chambre à l'odeur âpre d'ivoire chez Andersson.

La lueur vacillante de la bougie sur le visage de Père souligna l'expression fermée et grave que Daniel lisait souvent sur les traits des gens de ce pays. Même s'il avait vu rire les deux petites filles qui sautaient à la corde, il avait remarqué que les adultes étaient très différents de Be et de Kiko. Ici la rudesse de la vie devait empêcher les sourires de s'épanouir. A moins que ce ne soient les pensées des gens qui rendaient la joie impossible.

Les rires, qu'il entendait fréquemment dans la rue, donnaient cependant une image plus complexe de la réalité. Mais il fallait qu'il cesse de se poser des questions. Il avait la chance d'être en vie. Il aurait tout aussi bien pu avoir les bras et les jambes tranchés comme ceux de sa communauté qu'il avait vus ensanglantés sur le sable. Un jour, ce serait à lui de terminer l'antilope de Kiko. Les dieux l'attendaient à l'intérieur de la montagne. Les abandonner, ce serait abandonner Be et Kiko.

La bougie était presque consumée. Père dormait. Daniel souffla sur la flamme et attendit que la mèche soit toute noire pour se déshabiller et se mettre au lit. Quelqu'un ronflait en dessous. Il ne regrettait pas d'avoir mordu l'homme. Il y avait été obligé pour défendre sa corde.

Le lendemain, Père le conduisit à travers les ruelles étroites et puantes sur une place où trônait un homme à cheval.

– C'est une statue, expliqua-t-il. Cet homme ne bougera jamais. Il sera là dans la même position jusqu'au jour où quelqu'un viendra le renverser.

Ils franchirent un grand portail au bout de la place et montèrent un escalier monumental. Père s'arrêta sur une marche et posa ses mains sur les épaules de Daniel.

– A présent, notre priorité, c'est de trouver de l'argent, dit-il. Dans cette maison vit un homme qui va prendre tes mesures et faire ton portrait. Il paie pour ça. Il nous attend. Je lui ai écrit de Hovmantorp.

Daniel ne connaissait pas la signification de *mesures*, ni de *portrait*. Mais il comprit qu'il allait faire quelque chose de bien. Père lui sourit. Ses yeux étaient clairs, libérés de leur expression d'absence habituelle.

Ils pénétrèrent dans un appartement immense. Une femme en tablier blanc leur demanda d'attendre. Bien que Daniel s'inclinât poliment, elle lui jeta un regard inquiet.

Au bout d'un moment, un homme vêtu d'un grand manteau rouge, une pipe à la bouche, surgit de derrière une tenture. A sa grande surprise, Daniel remarqua qu'il était pieds

145

nus. Il avait la tête chauve et cachait son visage derrière une barbe. Il souriait.

– Hans Bengler ! s'exclama-t-il. Il y a six ans, nous étions assis sur un banc devant la cathédrale de Lund.

– Je me souviens.

– Tu te souviens aussi de ce que je t'ai dit ?

– Oui.

– Que tu ne ferais jamais rien de bien.

Père rit.

– Tu n'avais aucun rêve. Tu ne t'intéressais à rien. Mais quelque chose a dû se produire.

– J'ai commencé à étudier les insectes.

– J'ai lu ta lettre. Ton horrible père est donc mort ?

– Il est parti.

– T'a-t-il laissé quelque chose ?

– Pratiquement rien.

– C'est dommage. Les parents qui ne lèguent rien à leurs enfants ne sont pas de vrais parents. Mon père était un homme insignifiant mais il avait eu la sagesse de placer son argent – de façon judicieuse – dans des actions du chemin de fer anglais. C'est pourquoi je lui ai pardonné sa vie minable.

L'homme chauve cura sa pipe dans un bol en argent.

– Je t'avais donc dit que tu ne ferais rien de bien.

– Et tu avais raison. Mais j'ai trouvé un insecte, inconnu jusqu'à ce jour, dans le désert du Kalahari.

– Et tu as ramené un garçon noir. Tu dors entre ses jambes ?

Père était choqué. Daniel ne comprenait pas pourquoi.

– Que veux-tu dire par là ?

– Ce que j'ai dit. Certains hommes ont une préférence pour des partenaires du même sexe, surtout si s'ajoute un petit côté exotique. J'avais un professeur de géologie qui a été obligé de se trancher la gorge. Il avait l'habitude de faire venir des garçons d'écurie dans son appartement. On a étouffé l'histoire mais tout le monde était déjà au courant.

– Il est orphelin. Je l'ai adopté. Il n'y a rien d'indécent à cela.

– J'ai la réputation de poser des questions insolentes. Tu n'as tout de même pas oublié ça ?

Père haussa les épaules puis entoura Daniel de son bras en signe de protection.

– Je te le laisse.

Il s'accroupit devant Daniel.

– Cet homme s'appelle Alfred Boman et il est peintre, expliqua-t-il. Il dessine des portraits. Mais il s'intéresse également aux gens pour des raisons scientifiques. Il mesure la tête, les pieds, la distance entre la bouche et les yeux. Je te laisse ici et tu dois faire ce qu'il te dit. Je reviendrai te chercher ce soir.

Daniel se retrouva seul avec l'homme nommé Alfred qui tourna autour de lui en souriant. La fumée de la pipe se mêlait à une odeur de parfum. Ce qui était surtout frappant, c'étaient ses pieds nus. Daniel avait eu de nouvelles chaussures avant de quitter la maison dans la forêt. Elles lui écorchaient les pieds.

– Suis-moi, dit l'homme.

Ils traversèrent des pièces aux murs chargés d'images. Des petits personnages, raides et pâles, étaient posés sur des tables. On aurait dit que leur squelette avait percé leur peau. Ils arrivèrent dans une pièce au plafond vitré. Sur les murs, toujours autant d'images. Et sur une table, des tubes et des pots.

Un des tableaux représentait un animal assez proche de l'antilope de Kiko. Il avait la tête tournée vers Daniel et le regardait droit dans les yeux. Il était reproduit avec beaucoup d'adresse.

– Un cerf, dit l'homme. Je l'ai réalisé un jour de désœuvrement. Je peins des animaux quand les hommes me découragent.

Daniel n'arrivait pas à détacher son regard du tableau.

– Visiblement, il te dit quelque chose, constata l'homme à la pipe. J'aimerais bien savoir quoi.

Daniel ne répondit pas. Il passa doucement ses doigts sur

147

la toile. Les yeux de l'animal étaient sombres, pas rouges comme ceux de l'antilope.

Kiko surgit à côté de lui. Daniel l'entendait respirer mais il fut vite chassé par une bouffée de fumée.

– Installe-toi sur la nappe bleue, dit l'homme. Mets tes vêtements sur la chaise.

Daniel se déshabilla. Un poêle en fonte était allumé près de l'endroit où il devait poser. L'homme avait enfilé des gants et tenait un pinceau à la main. Il fit encore une fois le tour de Daniel, lui toucha le bras et demanda qu'il se campe solidement sur ses deux pieds.

– L'homme est un drôle d'animal, dit-il. Je crois que je vais appeler ce tableau *Le Sauveur noir.*

Il saisit ensuite une feuille de papier, la tendit sur une structure en bois, hésita entre ses fusains et ses pinceaux et se mit au travail. Daniel avait de temps en temps la permission de se reposer. La femme au tablier blanc lui apporta à manger en évitant de regarder son corps nu. Daniel avait faim et il vida le plat à toute vitesse. L'homme l'observait en souriant.

– Si je pouvais, je t'aiderais à retourner chez toi, dit-il en reprenant son travail. Ic , tu ne seras jamais considéré comme un homme. Tu resteras un être étrange que les autres paieront pour regarder.

Daniel cherchait à comprendre ce que l'homme lui disait mais il fallait qu'il garde son énergie pour ne pas bouger.

Tard dans l'après-midi, l'homme posa enfin ses pinceaux et alla chercher quelques instruments de mesure qu'il attacha sur la tête de Daniel. Tout en prenant des notes dans un livre, il lui demanda d'ouvrir la bouche, enfonça ses doigts sous ses aisselles, lui chatouilla la plante des pieds, écarta ses fesses et tira sur son pénis.

Daniel put ensuite se rhabiller mais il décida de ne pas remettre ses chaussures. L'homme lui fit signe de s'approcher du chevalet pour lui montrer le résultat de son travail.

Daniel y découvrit son visage et son corps. C'était bien lui sur la feuille. Il y avait la même nappe bleue sous ses pieds et il reconnut ses cheveux, ses yeux et sa bouche.

Je suis comme l'antilope sur la paroi rocheuse, se dit-il.

Je suis figé.

Les dieux sont là et ils attendent mon retour.

15

La deuxième nuit, Daniel quitta la chambre, se glissa comme une ombre dans l'escalier et descendit dans la rue pour chercher un plan d'eau à l'abri de l'obscurité. Père était rentré tard dans la nuit, les yeux brillants et la démarche incertaine. Il avait oublié de verrouiller la porte. Il avait regardé Daniel sans rien dire, l'air coupable, et s'était ensuite écroulé sur le lit, épuisé et découragé comme s'il revenait bredouille d'une longue chasse.

Il faut que je parte d'ici avant que je ne me fasse engloutir, se dit Daniel. Il faut vite que j'apprenne à marcher sur l'eau.

L'antilope l'implorait de revenir. Chaque fois que Daniel était sorti avec Père, il s'était efforcé de mémoriser le nom des nombreuses rues et des différents endroits qui permettaient d'accéder à la mer. Il leva les yeux vers l'étrange chaîne de montagnes qui l'entourait. Les hommes l'avaient construite et ils y vivaient comme des troglodytes. Ces montagnes-là n'étaient pas sorties des entrailles des dieux comme celles qu'il connaissait. Il fallait qu'il s'en aille d'ici. Il fallait qu'il trouve une étendue d'eau pour s'exercer sur sa surface fragile.

Il eut un mouvement de recul à cause du froid. Chez lui, les nuits étaient parfois fraîches, mais rien à voir avec celles d'ici. Dans le désert, on sentait toujours la présence du soleil qui laissait derrière lui sa douceur en attendant de se hisser à nouveau au-dessus de l'horizon pour répandre sa chaleur. Ici il n'y en avait pas la moindre trace. Le froid venait d'en dessous, par la plante des pieds. Un instant, Daniel faillit changer d'avis. Et s'il se perdait dans la nuit froide ! S'il ne retrouvait pas le chemin du retour. La rue était éclairée par endroits. Un rat passa devant lui, se faufila dans un trou et disparut. Daniel avança en évitant les cercles de lumière formés par les réverbères chuintants, de peur que les gens ne le prennent pour un animal nocturne.

Il s'arrêta pour se repérer. Père l'avait emmené manger dans une cave non loin de là et il avait vu la mer en bas de la rue. Depuis le jour de leur arrivée, il ne s'en était pas autant approché.

Il s'accroupit pour laisser passer un attelage. Le cocher dormait. Le cheval marchait lentement, tête baissée. Juste derrière eux, suivaient deux hommes ivres. Ils se cognaient contre les murs en gémissant, comme s'ils étaient malades ou blessés.

Leurs corps exhalaient une odeur douceâtre, qui rappelait celle des cadavres d'animaux en décomposition.

Puis, plus rien. Daniel poursuivit son chemin en vérifiant qu'il n'y avait pas de serpents dans la rue, ni de lézards venimeux, ni de scorpions. C'est vrai qu'il n'en avait jamais vu ici, mais dans le désert certains animaux ne sortaient que la nuit.

Son pied s'enfonça dans une substance visqueuse qui n'était pas les excréments d'un animal mais ceux d'un humain. Quelle drôle d'idée de paver la chaussée ! Il n'y avait pas moyen de recouvrir la saleté de sable ou de terre comme dans le désert. Il nettoya son pied dans une flaque d'eau.

Derrière un mur, quelqu'un toussa. Daniel perçut de nouveau la présence de Kiko. Il entendait sa respiration. Mais il n'y avait pas d'antilope dans ce pan de mur qui cachait un dieu pris d'une quinte de toux.

Daniel continua à marcher.

Une femme faisait les cent pas sous un bec de gaz, comme

si elle attendait quelqu'un. Son chapeau était surmonté d'une plume, ses vêtements étaient sales. On devinait cependant qu'ils avaient dû un jour être beaux et colorés. Elle ressemblait à l'un des oiseaux que Daniel avait vus en cage chez Andersson et qui étaient destinés à être tués. Malgré ses efforts pour se vieillir, son visage trahissait sa jeunesse. Daniel profita d'un moment où elle avait le dos tourné pour passer. Il frissonna à l'idée qu'il pouvait avoir été suivi par un chasseur sans qu'il s'en soit rendu compte ! Il pressa le pas et arriva devant la cave où il avait dîné avec Père. Elle était éclairée et des effluves de viande grillée s'échappaient par la porte entrouverte. Il savait qu'il fallait maintenant tourner à gauche et suivre une rue encastrée entre les immeubles pour atteindre la mer.

Enfin il sentit l'odeur de l'eau et découvrit des navires étroitement amarrés le long du quai. Certains d'entre eux étaient maintenus en mouvement par des hommes qui tiraient sur des cordes. Père lui avait expliqué qu'ils contenaient des poissons qui ressemblaient à des serpents et qui risquaient de mourir s'ils n'étaient pas en permanence plongés dans l'eau fraîche. Ce balancement était nécessaire pour que l'eau circule dans la coque. Des lanternes, accrochées aux mâts, diffusaient une lumière vacillante. Daniel faillit trébucher sur quelqu'un qui était allongé à côté de quelques tonneaux. Sur le quai, des hommes profitaient de la lueur des feux pour jouer aux cartes. Daniel les évita consciencieusement. Il finit par repérer une échelle à proximité de petites barques. Une vieille femme dormait dans l'une d'elles. Prudemment, pour ne pas la réveiller, il descendit jusqu'à l'eau. Elle était glaciale. Il posa sa main dessus et écarta les doigts pour éviter qu'elle ne s'enfonce. Il fit ensuite la même chose avec son pied.

L'eau est comme un animal, se dit-il. Il faut que j'arrive à la caresser sans la faire tressaillir. Il faut que je l'apprivoise.

Pour l'instant, ce n'était pas le cas. L'eau se contractait et sa surface s'ouvrait comme si elle se faisait piquer par un insecte. Il allait falloir du temps pour que la mer s'habitue à ses mains et à ses pieds.

Dans la barque, la femme bougea. Daniel retint son souffle. Elle murmura quelque chose et se rendormit. L'eau continuait à frissonner. Daniel chuchota avec douceur pour la calmer comme il avait entendu Be le faire avec les chiens qui avaient peur des animaux sauvages. L'espace d'un instant, elle sembla l'écouter, sa main resta immobile, très vite les contractions reprirent cependant. Pourtant Daniel était satisfait. Ça demanderait du temps mais il était certain de réussir. Il reviendrait là toutes les nuits et l'eau finirait par s'habituer à lui.

Lorsqu'il se leva pour reprendre le chemin de la chambre, il fut attiré par le ronflement de la femme. Son bateau était amarré avec une corde usée, enroulée négligemment autour d'une pierre. Il se demandait ce qui arriverait s'il la détachait, mais Be vint immédiatement le mettre en garde. Il aimait bien jouer des tours. Il aimait bien tendre des cordes pour que les gens s'y prennent les pieds, glisser des épices inattendues dans la nourriture, se peindre une tête de mort sur le visage pour faire peur, etc. Be commençait toujours par se fâcher et lui donner une correction pour, aussitôt après, éclater de rire. Elle rira aussi cette fois-ci, se dit-il en détachant la barque qui s'éloigna lentement du quai. Comme il n'y avait personne alentour, il donna libre cours à son rire qui retentit dans la nuit. Depuis la mort de Be et de Kiko, il n'avait jamais ri autant.

Il emprunta le même itinéraire pour le retour. La fille qui ressemblait à un oiseau n'était plus sous le réverbère. Mû par une pulsion subite, il traversa la rue et entendit quelqu'un haleter dans l'obscurité, derrière des tonneaux. C'était quelqu'un qui avait du mal à respirer. Il s'approcha. A la faible lueur d'une fenêtre, il découvrit la fille penchée contre le mur, la jupe retroussée. Un homme était lourdement appuyé contre elle. C'était lui qui avait tant de mal à respirer. Daniel crut d'abord qu'il était en train de la tuer, qu'elle était réelle-

153

ment un oiseau. Puis il comprit qu'ils faisaient comme Be et Kiko. A la différence près qu'eux ne haletaient pas, ils riaient, bavardaient puis se taisaient.

Au même instant, la fille leva la tête. Elle écarquilla les yeux et poussa un cri. Comme l'homme refusait de la lâcher, elle lui griffa le visage, pointa son doigt vers Daniel en hurlant à nouveau.

Daniel se sauva dans la nuit, poursuivi par son cri. Une cloche sonna. Il traversa la rue, longea le mur en courant et faillit rater la porte de leur immeuble. A présent, il était certain que ceux qui le regardaient méchamment le jour étaient à ses trousses.

Dans la chambre, il retrouva Père dans la même position que lorsqu'il était parti. Une tache de vomi par terre montrait cependant qu'il s'était réveillé pendant son absence. Daniel plaqua son oreille contre la porte et s'assura qu'il n'y avait personne dans l'escalier. Pas de chasseurs, pas de chiens. Il s'essuya les pieds et nettoya le sol. Puis, il se mit en boule derrière le dos de Père et ferma les paupières. L'antilope se détacha de sa paroi, fit un bond en avant, se planta devant lui et huma l'air.

Daniel fut tiré de son sommeil par des pleurs.

Ils s'introduisaient progressivement dans son rêve. D'abord il crut que c'était l'un des enfants de Kisa, la sœur de Be, mais, au fur et à mesure qu'il sortait de son rêve, le sable et la chaleur s'effacèrent. En fait, c'était Père qui pleurait, assis tout nu sur une chaise, une bouteille à la main. Ce n'était pas la première fois que Daniel le voyait dans cet état. Il savait qu'au contenu de sa bouteille se mêlaient des larmes. Il savait aussi que Père allait se calmer, qu'ensuite il observerait longuement son visage dans la glace en lui faisant des reproches. Un mot revenait sans cesse, le premier que Daniel avait appris : *Satan, Satan.* Il le répétait inlassablement comme une sorte de mélopée.

Alors, Père serait plus silencieux que d'habitude, il se

plaindrait de maux de tête et il serait moins patient avec Daniel.

Père se retourna brusquement.

– Tu es donc réveillé. J'ai vu que tu avais nettoyé derrière moi.

Daniel se redressa dans le lit.

– J'ai rêvé que tu étais parti, poursuivit Père. Mais quand je me suis réveillé, tu étais là.

Il se leva et s'approcha de Daniel, sans s'arrêter devant la glace. Il lui prit la main.

– Aujourd'hui est un jour important, dit-il. Je n'ai plus d'argent et je ne pourrai plus payer notre chambre. J'ai pris une décision. Et pour que ça aboutisse, j'ai besoin de ton aide. Il faut absolument que je puisse compter sur toi.

Daniel acquiesça.

– Ce soir, je vais faire le récit de mon voyage dans le désert. Je vais montrer quelques-uns de mes insectes et je vais également te montrer, toi. On me paiera pour ça. Si ça marche, il y aura d'autres personnes qui voudront vous voir, toi et les insectes. Nous pourrons ainsi nous chercher une chambre plus confortable.

Père était toujours nu. D'après les bleus qu'il avait sur le bras, il avait dû tomber en rentrant la veille au soir. Il n'avait sans doute pas réussi à se mettre d'accord avec ses pieds.

– Ce ne sera pas compliqué, reprit-il. Je monterai sur une petite estrade et j'exposerai les insectes en indiquant sur une carte leurs différentes provenances. Toi, tu seras assis à côté de moi. Quand je prononcerai ton nom, tu te lèveras, tu t'inclineras et tu diras : *Je m'appelle Daniel. Je crois en Dieu.* Rien d'autre. Quand je te demanderai d'ouvrir la bouche, tu le feras. Quand je te dirai de rire, tu riras, mais pas trop long-temps, ni trop fort. Quand je te demanderai de gonfler tes joues comme un animal, tu le feras aussi. Puis tu sauteras à la corde pour montrer ton adresse et ton agilité. C'est tout. Si jamais quelqu'un dans l'assistance veut te toucher, tu accep-teras en te disant qu'il ne te veut pas de mal. Mais tu dois surtout te dire que ça nous permettra de nous payer une meilleure chambre. As-tu bien compris ?

Daniel fit oui de la tête. En réalité, il n'avait pas compris un seul mot, mais Père lui avait parlé gentiment. Un peu comme Be quand elle voulait faire la paix avec Kiko après une dispute.

Père passa le restant de la journée à classer ses insectes et à parler à voix haute comme s'il s'adressait à un grand auditoire. Une fois les insectes rangés dans sa trousse de toilette, il commença les répétitions avec Daniel. *Je m'appelle Daniel. Je crois en Dieu.* Il corrigeait son intonation, lui demandait de parler plus fort, lui montrait comment se lever, s'incliner et dire ces deux phrases.

– Je m'appelle Daniel. Je crois en Diou.

– Tu parles trop vite. Tu prononces mal. Il faut dire Dieu, pas Diou.

– Diou.

– Encore une fois. Dieu.

– Diou.

– Encore.

Daniel s'entraîna jusqu'à ce que Père fût satisfait.

Il ne leur restait qu'un bout de pain rassis et de l'eau. En fin d'après-midi, ils s'habillèrent. Père se brossa longuement les cheveux et examina les ongles de Daniel.

Quand ils quittèrent leur chambre, il faisait déjà nuit. L'inquiétude de Père était manifeste et Daniel décida de respecter scrupuleusement ses consignes. Il ne savait toujours pas qui était cet homme ni pourquoi il l'avait fait venir dans son pays, mais il savait qu'il n'avait pas de mauvaises intentions.

Il décida aussi de lui exprimer son souhait concernant la montagne dans laquelle ils allaient s'installer. Ce serait la première fois qu'il donnerait son avis. Il allait lui expliquer qu'il se sentait mieux à proximité de l'eau.

Ils s'arrêtèrent devant une porte flanquée de torches allumées. Un petit homme coiffé d'un haut-de-forme les attendait. Il regarda Daniel avec un mélange d'angoisse et d'enthousiasme.

– Ce sera très réussi, dit-il. L'Association ouvrière Le Flambeau n'a encore jamais rien présenté de semblable. Des insectes étonnants et cet enfant noir, un véritable Hottentot.

L'homme, qui avait le blanc des yeux jaune et le front dégoulinant de sueur, s'approcha de Daniel pour étudier les traits de son visage.

– L'enfant doit être bien traité, souligna Père. C'est un être humain bien qu'il soit noir.

– Bien entendu, un être humain. La conférence est très attendue.

L'homme ouvrit la porte et les fit entrer dans une salle où de nombreuses chaises étaient encore vides. Une table, avec une nappe verte, était installée sur l'estrade. A côté, se dressait un pupitre où était accroché le drapeau de l'Association : une femme à moitié nue, une lampe allumée à la main.

– Les membres du bureau ne vont pas tarder, dit l'homme en s'inclinant. Pour l'instant, ils dînent.

– Qui sont ces membres ?

– L'inspecteur chef des eaux et forêts, M. Renström, le baron Hake et le secrétaire, maître Wiberg. Le fondateur de l'Association, le colonel Håkansson, a annoncé sa présence. Nous pensons avoir beaucoup d'auditeurs.

– Et les ouvriers ?

– Ils seront là. Du moins un forgeron.

– Il s'agit bien d'une association d'ouvriers ? Destinée à la formation des déshérités ?

– Bien entendu. Le colonel Håkansson a été extrêmement clair sur ce point.

– Mais s'ils ne viennent pas ?

L'homme ouvrit les bras dans un geste de résignation.

– On peut difficilement en faire le reproche au colonel. Sa bonne volonté est bien connue.

157

– On retrouve là les prétextes habituels. On fonde une association pour les ouvriers, que l'on interdit aux ouvriers.

– Nous n'avons rien contre.

– Mais vous ne les encouragez pas non plus. Le forgeron est l'exception qui confirme la règle. De qui s'agit-il ?

– Il travaille dans une des forges du baron Hake dans le Roslagen.

– Et le public ? Vous m'avez dit que la salle serait comble.

– L'accès n'est pas autorisé aux femmes, bien entendu. Il y aura un certain nombre de lieutenants. Un ou deux journalistes aussi, à la recherche de quelque chose à se mettre sous la dent. La salle se remplira petit à petit. Il y a tant de gens qui passent par ici, certains entreront, forcément.

Et effectivement, une demi-heure plus tard, presque toutes les chaises étaient occupées. Père avait disposé ses insectes et les avait recouverts d'une nappe en lin. Daniel était assis sur une chaise dans un coin et répétait ses phrases. Il était recouvert d'une étoffe, lui aussi.

– On va les surprendre, expliqua Père. Ils devineront une forme humaine sous le tissu et, quand je le retirerai, ça fera beaucoup d'effet.

Daniel entendait le bruit des pas et des frottements de chaises, les rires et les toussotements. Une odeur de tabac et d'humidité flottait dans la salle. Il avait sans doute commencé à pleuvoir. Père venait le voir de temps à autre.

– Il ne reste plus que quelques places dans le fond. Répète bien tes phrases.

– Je m'appelle Daniel. Je crois en Diou.

– Dieu. Pas Diou.

Père avait le trac. Il bafouillait. Daniel avait du mal à le comprendre.

On demanda le silence. Quelqu'un frappa avec un marteau sur la table. Un homme se mit à parler en se raclant la gorge constamment. Quelques mots revenaient sans cesse, *travailleur, instruction, la parole est à* suivi d'un nom. Daniel commençait à avoir chaud. C'était une idée à retenir : quand

158

le froid deviendrait insupportable, il aurait juste à se couvrir d'une nappe en lin, dans une salle remplie de gens. Comme ça, il aurait l'impression de sentir la chaleur du soleil.

Le nom de Père fut prononcé. Il y eut des applaudissements, suivis d'un silence, avant que la voix de Père ne se fasse entendre. Les mots sortaient difficilement de sa bouche sèche. Daniel se tenait prêt mais Père avait beaucoup à dire sur les insectes et il attendit un bon moment avant d'être annoncé. Père retira la nappe.

Daniel ne s'attendait pas à voir autant de visages et aussi près. Père lui fit un signe, il se leva.

– Je m'appelle Daniel. Je crois en Dieu.

Sa prononciation était parfaite. Père était satisfait. C'était l'essentiel.

Soudain, il aperçut le visage de Kiko dans le fond de la salle, là où la lumière était très faible. Il était venu le chercher, il fallait qu'il aille le rejoindre. Il sauta de l'estrade, escalada les chaises et leurs occupants en semant la panique. Certains essayaient de l'éviter, d'autres de l'attraper. Daniel n'avait qu'une idée en tête : rejoindre Kiko avant qu'il ne disparaisse. Il frappait les mains qui tentaient de le retenir, griffait les visages qui se trouvaient sur son chemin.

Quand enfin il parvint au fond de la salle, Kiko était parti.

Il sentit un coup sur sa tête, quelqu'un le plaqua contre le sol et il entendit les cris de Père avant de perdre connaissance.

16

Daniel se réveilla allongé sur la table recouverte d'une nappe verte. Au-dessus de sa tête pendait un lustre dont plusieurs cierges s'étaient déjà éteints. Père était assis sur une chaise à côté de lui. Il s'essuyait le front. Le souvenir de ce qui s'était passé lui revenait lentement. Dans la pénombre, derrière les gens, il avait vu Kiko et il avait essayé de le rejoindre. Il s'était jeté corps et âme dans un torrent de visages et de chaises mais, quand il était arrivé sur l'autre rive, Kiko avait disparu, absorbé par l'obscurité. Daniel avait failli se noyer. Il avait été rejeté sur un îlot de verdure, cette table.

– Ça y est, il est réveillé, dit une voix tout près.

Daniel sursauta et se redressa. L'homme qui parlait était celui qui les avait accueillis et qui s'était incliné devant Père comme s'il était quelqu'un de très puissant.

Père avait l'air déçu. Ses yeux étaient fatigués et des morceaux de peau morte parsemaient le col de sa veste comme toujours lorsqu'il était énervé et qu'il se grattait la tête.

– Je ne comprends pas, dit-il, incrédule. Nous avions pourtant répété. Le public était attentif et puis j'ai soulevé la nappe et tu es devenu complètement fou. Les gens ont cru que j'avais lâché un singe en furie dans la salle. Tu as donné un coup de pied dans la tête d'un lieutenant de cavalerie et tu as mordu un assesseur de la Cour d'appel. La salle était paniquée et je n'ai même pas été payé.

– C'est extrêmement regrettable, murmura l'homme qui

tenait son haut-de-forme serré sur son cœur comme si c'était un enfant.

– Il faudrait tout de même qu'on me paie, insista Père. C'était convenu.

L'homme au chapeau se tortillait, l'air malheureux.

– Le secrétaire est parti avec la caisse. Je n'ai pas pu le retenir. L'inspecteur des eaux et forêts a crié au scandale et a exigé que les auditeurs soient évacués. Le sujet de notre prochaine rencontre dans un mois sera la distribution gratuite de livres de cantiques aux malheureux des hospices. Ce sera plus calme. Il faudra juste apprécier qui est suffisamment pauvre pour y avoir droit.

A cet instant même, les portes de la salle s'ouvrirent et deux hommes entrèrent d'un pas décidé. Ils s'avancèrent jusqu'à l'estrade.

– Monsieur le baron, chuchota l'homme au chapeau d'une voix inquiète. Nous allons connaître les mesures qui seront prises.

Père se leva d'un bond comme s'il s'agissait de la visite d'un dieu. Le premier homme, qui avait une grosse moustache, se planta devant la table. Le deuxième, vêtu simplement, resta en retrait. En voyant la taille de ses mains, Daniel pensa à l'éléphant que Kiko avait tué de trois flèches. Ça faisait alors presque un mois qu'ils n'avaient pas eu de viande à manger.

– Nous n'avons pas été présentés, me semble-t-il, dit l'homme moustachu. Baron Hake, maître de forges et protecteur de l'Association ouvrière Le Flambeau.

Père annonça son nom en s'inclinant.

– Je vous prie de m'excuser, ajouta-t-il. Le garçon s'est emporté.

– Dans le fond, c'était plutôt amusant, dit Hake, bien qu'inconvenant. Il s'est permis de marcher sur mes épaules. Je souffre de rhumatismes et le mal s'est immédiatement déclaré.

– Je vous prie de m'excuser, répéta Père.

L'homme toucha Daniel du bout de sa canne.

– Un jour, j'ai vu un nègre dans une ménagerie à Berlin. Il était adulte et différent de celui-ci. Ses lèvres étaient plus épaisses et il avait d'étranges tatouages sur le visage. Après tout, peut-être était-ce à Hambourg chez M. Hagenbeck, et non pas à Berlin. Ma mémoire flanche.

– Tout ce que je peux faire, c'est vous présenter mes excuses, dit Père encore une fois.

– Oh ! ces excuses ! s'écria Hake, agacé, en frappant le sol avec sa canne. J'ai passé toute ma vie à entendre des excuses. Je ne les supporte plus. L'évidence, c'est qu'il aurait fallu attacher le garçon.

Hake ne quittait pas Daniel des yeux.

– Que peut-il bien se passer dans sa tête ? dit-il.

– Difficile de le savoir, répondit Père.

– Il se demande forcément ce qu'il fout ici, fit l'homme aux grandes mains qui était resté silencieux jusque-là.

Hake se tourna vers lui.

– Ce commentaire me semble déplacé.

L'homme aux grandes mains s'apprêtait à s'en aller, mais il se ravisa.

– C'est l'un de mes plus vieux forgerons expliqua Hake à Père. Nils Hansson. Excellent ouvrier. C'est lui qui a fait les nouvelles grilles du château de Drottningholm. Il est là pour représenter les travailleurs.

– Je m'étais déjà posé la question, dit Père. S'agit-il réellement d'une association ouvrière ? Le public ne se composait que de lieutenants et d'inspecteurs des eaux et des forêts.

– Le plus important, ce n'est pas ce que nous traitons, dit Hake. C'est ce que nous ne traitons pas. Nous invitons le pays à la quiétude. Pas de prédications politiques, pas d'esprits récalcitrants. Les insectes, c'est très bien. Si l'on veut améliorer les conditions des travailleurs, il faut œuvrer pour approfondir les relations entre les différents groupes de la société. Et non pas les changer.

– Croit ça qui veut, dit le forgeron.

162

Hake n'entendit pas. Ou ne voulut pas entendre.

– Les insectes, c'était parfait, poursuivit Hake en s'adressant à l'homme au chapeau qui rapetissait à vue d'œil. Regarder des bêtes fascinantes et apprendre des choses sur elles, c'est utile. Mais il aurait fallu que le garçon soit attaché.

– Bien entendu, dit l'homme au chapeau qui, à force de rétrécir, devenait presque inexistant.

– Il était convenu que je sois payé, fit remarquer Père.

– C'est le secrétaire qui s'occupe de ça.

– Il s'est sauvé.

Hake jeta un regard mécontent sur l'homme rétréci.

– M. Wiberg aurait disparu?

– Il a commencé par s'évacuer lui-même. De temps à autre il a des problèmes avec ses nerfs.

– Il faudra le faire remplacer lors de la prochaine réunion, annonça Hake. Une association ouvrière doit constituer un exemple. N'est-ce pas?

La dernière phrase était destinée au forgeron qui essayait de réconforter Daniel en lui faisant des sourires.

– Bien sûr, répondit Hansson. Mais si j'étais noir comme ce garçon, mon âme se serait brisée et je me serais précipité vers la sortie, comme lui.

– Nous parlions du secrétaire.

– Je sais. Mais il est possible de répondre à deux choses à la fois.

Hake mit la main sur sa poitrine et il finit par sortir quelques billets qu'il tendit à Père.

– Vous n'êtes pas sans savoir que la conjoncture des forges n'est pas bonne en ce moment, sermonna-t-il. Il n'y a pas assez de guerres dans le monde. Et je dois également financer les livres de cantiques. Je ne peux pas vous donner plus.

Il pivota sur ses talons et s'en alla.

– Comment diable peut-on se permettre d'exposer des gens comme dans une ménagerie? s'exclama le forgeron. Des insectes épinglés, soit, mais des êtres humains! Merde! Ça non!

Il posa sa grosse main sur la tête de Daniel et quitta la salle à son tour. L'homme au chapeau reprit sa taille normale.

– Tout s'est arrangé, dit-il, satisfait. Un des auditeurs de ce soir m'a donné une carte de visite pour vous. Il va vous contacter demain pour vous faire une proposition.

– Concernant quoi ?

– Des affaires. Que peut-on proposer d'autre ?

Père glissa la carte dans sa poche. Il avait meilleur moral. Il attrapa le sac avec les insectes et sortit de la salle, suivi de Daniel. Il faisait nuit. Daniel avait hâte d'arriver au bord de l'eau, d'autant qu'il devinait déjà Kiko parmi les silhouettes fatiguées et voûtées qu'il croisait dans l'obscurité et qui, elles, n'avaient jamais été à proximité d'une antilope.

Tôt le lendemain matin, alors que Père était en train de se raser et que Daniel observait la rue de la fenêtre, on frappa à la porte. Père fit signe à Daniel d'ouvrir. Un homme obèse, court de jambes, apparut sur le seuil. Il était tête nue et vêtu d'une veste rouge. Il portait des guêtres de couleurs différentes. Ses mouvements étaient souples malgré sa corpulence. Son visage était puéril, sans caractère.

– On a dû vous transmettre ma carte de visite hier soir, monsieur Bengler ?

Père essuya la mousse à raser de son menton et saisit la carte de visite posée à côté du lavabo.

– « August Wickberg, présentateur », lut-il.

L'homme avait pris l'initiative de placer son derrière imposant sur la seule chaise rembourrée de la chambre.

– J'espère ne pas vous déranger trop tôt.

– Quand on est pauvre, on n'a pas les moyens de traîner au lit.

– Exact. C'est d'ailleurs la raison de ma visite.

Père s'assit sur le bord du lit et fit signe à Daniel de le rejoindre.

– Un joli couple, dit Wickberg. Bien que mal assorti.

– En quoi consiste le travail d'un présentateur ?

– Je m'occupe de gens comme vous qui ont quelque chose d'inhabituel à offrir mais qui ignorent comme le rentabiliser.

– Autrement dit, vous vous occupez d'attractions dans les foires, dit Père d'un air désapprobateur.

– Pas du tout. Je n'interviens que lorsque l'idée proposée est sérieuse. Des insectes, oui, mais pas des nains qui font des galipettes. Montrer des Noirs, ça fait partie de l'éducation. Contrairement aux belles dames qui se vautrent, des pythons paresseux autour du cou. Nous vivons à une époque où le côté sérieux prend de l'ampleur.

Père éclata de rire.

– Ce n'est pas mon avis.

– Vous avez été absent trop longtemps. Les choses changent à toute vitesse. Il y a quelques années, il n'aurait pas été envisageable d'intéresser les gens à de vieux morceaux de bronze sortis de terre. C'est encore un peu tôt, mais ça ne va pas tarder. Le public ne cherche plus seulement à se distraire, monsieur Bengler, mais à s'instruire.

– Comme le baron Hake ?

– C'est un hypocrite, si vous permettez l'expression. Il veut être bien vu par les vrais amis des travailleurs mais, dans le fond, il les hait. Les conditions de travail dans ses forges du Roslagen sont, paraît-il, terribles. Les gens sont traités comme des esclaves. Pour éviter de faire l'objet d'une intervention au Parlement, il s'est chargé de l'Association Le Flambeau. Il y a un ou deux mois, il a organisé une conférence sur le thème « Le sens de la vie ». Étaient conviés un apprenti tailleur et un pasteur. L'apprenti n'a jamais eu la parole puisque le pasteur ne la lui a jamais laissée. Les lieutenants avaient fait appel à leurs ordonnances pour remplir la salle alors que les amis de l'apprenti tailleur sont restés dehors sous la pluie. Le baron Hake avait fait venir un député radical qui a aussitôt rédigé un projet de loi sur les accusations injustifiables dont étaient victimes les forges suédoises.

Wickberg se tut, essoufflé après son long discours. Il sortit une petite gourde de sa poche, but une gorgée et la tendit ensuite à Père.

– Du cognac français.

Père fit claquer sa langue de satisfaction.

– C'est bon le matin. Surtout si ça s'est mal terminé la veille, dit Wickberg.

– Vous aviez donc une proposition à me faire ?

– Exact.

Wickberg se remit à parler. Daniel fit des efforts pour comprendre ce qu'il disait, mais le flot de paroles ininterrompu demeura un ensemble d'ondes auditives dépourvues de sens. Il se rapprocha de Père pour sentir la chaleur de son corps. Ça le rassurait le matin. Père mit son bras autour de ses épaules tout en écoutant Wickberg. Il posa quelques questions et Wickberg lui présenta des papiers. Père les lut attentivement pendant que Wickberg sortait de sa chaussette un paquet de billets qu'il posa sur la table. Ensuite il entreprit d'extraire une boîte en bois contenant un encrier et un stylo d'une de ses poches volumineuses. Père posa sa signature en bas d'une feuille et ils burent chacun une gorgée de cognac. Wickberg se leva, s'inclina et s'en alla.

– Il est quand même sorti quelque chose de bon de cette soirée, dit Père en prenant Daniel dans ses bras. Je le pressentais. Dans le désert, j'ai appris à ne jamais perdre courage. A présent, nous allons pouvoir échanger cette satanée chambre contre un vrai appartement. Mais d'abord, nous allons faire un voyage.

Daniel savait ce que *voyage* signifiait. Ils allaient peut-être repartir pour les grandes forêts où il n'y avait pas d'eau. Cette idée l'inquiétait.

Quelques heures plus tard, ils quittèrent la chambre mansardée après une dispute entre Père et le propriétaire. Leurs valises furent de nouveau transportées sur un chariot à travers les venelles. Daniel commençait à s'habituer aux regards des curieux. Il avait remarqué que s'il affrontait les gens sans baisser la tête, c'étaient eux qui détournaient les yeux.

La venelle déboucha bientôt sur l'eau et Daniel sentit immédiatement son inquiétude se dissiper. Ils traversèrent un pont et s'arrêtèrent devant un navire. De la fumée s'échappait de sa cheminée noire. On chargea leurs bagages. Daniel resta près de Père pour suivre l'appareillage.

– Ça ne va pas être long, dit Père. Dès ce soir, nous serons à destination. Cette fois-ci, nous n'allons pas naviguer sur la mer mais sur un lac.

Daniel ne voyait pas bien la différence entre une mer et un lac. L'eau était la même. Il aurait voulu en savoir plus, mais Père s'était endormi derrière leurs valises, son manteau sur la tête.

Daniel regarda la ville s'éloigner. Il se fichait pas mal des curieux qui l'observaient. Père était content de partir et lui d'être près de l'eau. C'était tout ce qui comptait.

Quand Père fut réveillé, ils allèrent dîner dans la salle de restaurant. Leur table était recouverte d'une nappe blanche. Daniel constata que le comportement de Père était différent quand il avait de l'argent. Ses mouvements devenaient précis et rapides.

– Nous allons exposer les insectes, dit-il. Wickberg est quelqu'un de bien. Il est en train de nous préparer une tournée. Je serai grassement payé. Si ça marche, il y aura une suite. Mais il faut que tu me promettes de ne pas recommencer à marcher sur la tête des gens. Sinon, Wickberg reprendra son argent et on sera obligés de retourner dans la petite chambre. D'accord ?

– Oui, Père.

– Tu me promets de ne pas recommencer ?

– Oui, Père.

– Qu'est-ce qui s'est passé l'autre soir ? demanda Père en posant sa main sur celle de Daniel. J'ai vu une expression particulière dans tes yeux. Comme si tu avais découvert quelque chose.

– C'était Kiko, répondit Daniel simplement.

– Kiko ?

Daniel se rendit compte que Père ne savait pas qui était Kiko. Il n'avait jamais cherché à savoir quelle avait été sa vie avant qu'il ne le découvre dans le box d'Andersson. Comment lui parler de Kiko ?

– Kiko ? répéta Père.

– C'est lui et Be qui m'ont fait naître. Kiko a peint une antilope sur une paroi rocheuse. C'est lui qui m'a parlé des dieux. Un jour il est mort. Comme Be.

Daniel s'exprimait très lentement. Il cherchait les mots exacts et s'appliquait à les prononcer aussi distinctement que possible.

– Mais tu parles ! s'exclama Père, stupéfait. Tu fais des phrases entières !

Il ne pensait plus du tout à Kiko. Il n'avait pas fait attention à ce que Daniel avait dit, au sens de ce qu'il avait dit.

– Tu es un garçon remarquable, poursuivit-il. Tu maîtrises déjà notre langue. Tu as le même accent que moi, celui du Småland. Et pourtant tu viens d'un désert très, très éloigné.

Daniel s'attendait à ce que Père pose des questions sur Kiko, mais il continua à s'émerveiller sur sa façon de parler. Sans faire attention au contenu.

Tard dans l'après-midi, ils arrivèrent dans la petite ville où ils devaient débarquer. Wickberg les attendait sur le quai. Deux garçons avec un chariot se tenaient à ses côtés. Il avait mis sa veste rouge à l'envers, laissant apparaître la doublure grise. Il serra la main de Père, l'air satisfait, et caressa la tête de Daniel.

– Ce sera une réussite. Le maire, qui est un botaniste amateur, met la salle d'audience de la Mairie à notre disposition. Il nous promet une grande participation. On a déjà collé des affiches improvisées. A Strängnäs, elles seront imprimées. Elles représentent un serpent en train d'avaler un homme. Un homme noir armé d'une lance. Pour attirer du monde, on insinue que l'homme est nu.

Daniel vit que Père fronçait les sourcils.

– Je n'ai pas de serpents à montrer.

– Aucune importance.

– Je tiens à ce que tout soit véridique et scientifique.

– C'est bien, les serpents. Ils attirent du monde. Je suis sûr qu'on trouvera un petit serpent à montrer à Strängnäs.

Wickberg mit fin à la conversation. Ils commencèrent à marcher vers la ville.

– Il faut faire attention, murmura Père.

Daniel se demanda ce qu'il voulait dire. Il leva la tête vers les toits, vers les nuages, mais ne vit aucun danger qui les menaçait.

Le soir, Daniel s'assit de nouveau sous la nappe en lin. Il répéta ses phrases en se persuadant qu'il n'essaierait pas de rejoindre Kiko, même s'il le voyait dans la salle.

La conférence de Père était meilleure que la fois précédente. Il n'avait pas le trac, sa voix était ferme et assurée. Parfois même, il arrivait à faire rire les gens. Daniel se dit qu'il devait éprouver de la reconnaissance envers Père, bien qu'il l'ait enlevé et qu'il l'ait emmené faire ce voyage incompréhensible. Il lui voulait du bien, mais dans quel but ? Il avait entendu des adultes parler d'épreuves qui rendaient fort. Uk, le frère de Kiko, s'était fait attaquer par un léopard et avait réussi à se traîner jusqu'à la maison, la jambe cassée. C'était une épreuve. Non seulement Uk, mais aussi tous les membres de la famille avaient appris à être encore plus prudents quand il y avait un félin dans les parages. Mais il ignorait quelle épreuve il devrait endurer lui-même. En fin de compte, c'était peut-être justement ce que seul un Blanc avait réussi jusqu'à présent : marcher sur l'eau.

Il sentit la main de Père sur sa tête. Il était prêt. Père retira lentement la nappe. Un frémissement traversa la salle. Une femme eut un rire nerveux mais Daniel garda son calme. Il s'inclina, prononça ses phrases, toujours en se maîtrisant. Kiko n'était pas dans la salle. Père lui fit un sourire encourageant et lui ouvrit la bouche pour montrer ses dents. Il appuya ensuite sur ses bras et les écarta. Quand Daniel gonfla ses joues, tout le monde applaudit. Il resta calme lorsque, plus tard, les gens vinrent le regarder de près.

Je me demande ce qu'ils voient, se dit-il. A en juger par l'expression de leurs yeux, ce qu'ils voient les inquiète. Ils ne sont pas angoissés ni étonnés, mais inquiets.

Quand tout fut fini, Wickberg se frotta les mains. Les billets de banque formaient de grosses bosses dans ses chaussettes.

– Ça va bien marcher, dit-il. On pourra peut-être miser sur deux jours pour Strängnäs.

– Mais il n'y aura pas de serpents, dit Père en refermant le sac.

– Du moins pas des grands, répondit Wickberg avant de s'en aller.

Père fit un signe de tête à Daniel.

– Cette nuit, nous dormirons à l'hôtel, dit-il. Et maintenant, allons dîner.

Au même instant, la porte du fond de la salle s'ouvrit et une femme entra. Elle était tout de noir vêtue, à l'exception d'une voilette rouge sur son chapeau.

Daniel sut immédiatement qu'un événement important allait se produire.

17

Be aimait bien jouer. Un jour, elle avait mis un morceau de peau de kudu sur sa tête et l'avait attaché avec des rubans rouges pour éviter que le vent ne l'enlève. Quand Daniel vit la femme en noir s'avancer dans la salle, il se dit que c'était sans doute Be qui l'avait envoyée. Kiko avait dû parler avec Be de sa visite l'autre soir et elle avait décidé de venir, elle aussi, mais par personne interposée. La femme était jeune, plus jeune que Père, Be et Kiko. Elle n'avait certainement pas encore d'enfants. Elle le regardait en souriant. Père se redressa, les mains crispées. Il se comportait comme Kiko. Quand il voyait passer une belle femme, ses muscles se tendaient et il se passait la main sur le nez. Ça faisait rire Be. Parfois, elle lui mordait le bras. Alors Kiko rougissait et il disait que la femme qui venait de passer était belle mais qu'elle le laissait insensible.

Père était pareil. Quelque chose se produisit au moment où la femme à la voilette vint les voir sur l'estrade.

– J'espère ne pas vous déranger, dit-elle. J'ai assisté à votre présentation, ou plutôt à votre conférence. J'ai beaucoup aimé ce que j'ai entendu. Et vu.

– Les insectes sont des êtres négligés, répondit Père. Pourtant ils peuvent nous apprendre beaucoup sur notre propre existence. Le zèle des abeilles et la force des fourmis. Il y a aussi des sauterelles qui font preuve d'une ingéniosité impressionnante. Et un hyménoptère qui a le pouvoir remarquable de se transformer en pierre.

– Et le garçon, dit la femme en regardant Daniel. Il a suscité de nombreuses réflexions.

Père arrangea son foulard.

– Mon nom est Hans Bengler, dit-il. Comme on l'a annoncé avant la conférence. A qui ai-je l'honneur ?

– Ina Myrén. J'écris des articles pour un des quotidiens de la capitale.

– Parfait, dit Père. J'espère que votre avis est favorable.

– Si je viens vous voir, c'est pour en savoir plus sur votre voyage. Sur votre rencontre avec le garçon dans le désert. Votre histoire personnelle n'a été qu'esquissée.

– C'est exact, dit Père. Les gens se fatiguent vite. Il faut veiller constamment à retenir leur attention. Il faut éviter les longueurs.

– Vous donnez là une leçon aux pasteurs.

Père rit. Un rire flatteur, pensa Daniel.

– Il est rare de rencontrer une correspondante, fit remarquer Père. En général, ce sont des hommes. Manifestement, il y a eu du changement.

– Les femmes cherchent à obtenir un statut dans la société, dit-elle. Un vieux bastion vermoulu est en train de s'écrouler. Les hommes s'y sont barricadés, à part ceux qui sont jeunes et téméraires, mais nous n'allons pas céder.

– J'en conclus que madame Myrén est radicale.

– Mademoiselle. Je ne suis pas mariée et je suis autonome.

– Les correspondants sont bien rémunérés ?

– Je suis également modiste et j'emploie sept personnes.

– Ici, à Mariefred ? Est-ce rentable ?

– Nous travaillons pour des magasins de Stockholm. Et nous livrons des chapeaux à l'administration de la Cour. Nous avons des clients parmi les nobles.

Daniel remarqua qu'elle insistait sur certains mots, comme si elle n'aimait pas ce qu'ils désignaient. Elle prononçait *l'administration de la Cour* sur le même ton que Père quand il disait *Satan*.

– Vous souhaitez donc faire un reportage, mademoiselle Myrén ? Bien entendu, je suis à votre disposition.

– J'aimerais aussi m'entretenir avec le garçon. Il a déjà appris la langue. Cela me surprend.

– Il s'exprime très peu. Mais je peux vous raconter son histoire. Je vous propose, mademoiselle, de partager le dîner qui nous attend à l'auberge.

– Cela pourrait être mal interprété.

– Je comprends. Les rumeurs se propagent vite dans une petite ville. Comme dans un grand désert. Mais c'est l'unique occasion. Nous quittons Mariefred demain de bonne heure pour Strängnäs.

La femme ôta son chapeau, ouvrit un petit sac à main et sortit un bloc-notes et un crayon. Père ouvrit la trousse avec les insectes, attrapa la corde à sauter et la tendit à Daniel.

– Va dans le vestibule, dit-il. Ne fais pas trop de bruit.

– J'aimerais bien lui parler aussi, dit la femme.

– On l'appellera.

Daniel sentait que Père voulait être seul. Il prit la corde et gagna l'entrée où une vieille femme dormait en tenant ses aiguilles à tricoter. Daniel fit le tour de la pièce. Au plafond, il découvrit des anges qui jouaient parmi les nuages. C'était sans doute aussi difficile de se maintenir dans les nuages que de marcher sur l'eau. Il se mit à sauter. Ses pieds touchaient à peine le sol en pierre. Il imaginait que c'était de l'eau. Un jour il réussirait non seulement à marcher, mais aussi à sauter sur l'eau.

Au bout d'un moment, il s'arrêta. La vieille dormait toujours. Il entrouvrit la porte de la salle. Père se tenait debout devant la femme qui prenait des notes. Daniel se glissa au dernier rang. Père parlait très fort et il entendait chaque mot qu'il prononçait. La femme posait une question de temps à autre. Ils parlaient des insectes. Daniel était fatigué. Il appuya sa tête contre le dossier de la chaise devant lui et ferma les yeux. Il fallait qu'il s'entraîne pour marcher sur l'eau. La visite de Kiko signifiait qu'il l'attendait.

Soudain, il entendit son nom. Il leva la tête. Apparemment, Père était en train de parler de lui. En tendant l'oreille, il en fut moins sûr. Père disait qu'un lion blessé par balle avait traîné un garçon sans connaissance vers un bosquet pour le manger. Qui était-ce ? Daniel n'avait jamais vu de lion. Be non plus. Kiko croyait en avoir aperçu un. Il se leva et s'approcha doucement de Père et de la jeune femme et s'assit par terre. Il allait salir son costu ne de marin, mais tant pis.

Il n'y avait aucun doute. C'était bien de lui que Père parlait, mais il n'y avait pas un mot de vrai dans ce qu'il disait. D'après son récit, Père l'avait sauvé des griffes du lion et l'avait ensuite porté pendant quatre jours dans le désert, sans eau. Ils s'étaient fait attaquer par une bande de brigands. Non seulement Père avait réussi à garder la vie sauve, mais il avait réussi à convertir les brigands à la foi chrétienne. Depuis ce jour, Daniel était son apôtre fidèle.

Daniel n'avait jamais entendu ce mot auparavant. *Apôtre*. Il crut comprendre qu'il signifiait qu'il avait traversé la mer avec Père de son plein gré, que c'était même lui qui avait insisté pour le suivre, lorsque Père avait annoncé son intention de retourner dans son pays.

Tout ce qu'avait raconté Père était faux ! Il s'agissait peut-être d'un autre garçon qui l'avait accompagné auparavant ? Non, ça ne paraissait pas possible puisque Père le nommait. Tout ce que la femme notait dans son calepin n'était que mensonges.

Père mentait.

Il inventait une histoire.

Daniel eut une envie irrésistible de crier : *Ce n'est pas comme ça que ça s'est passé. Je n'ai jamais vu de lion !* Mais il ne le fit pas. Pourquoi Père avait-il parlé de lui ainsi alors que tout ce qu'il avait dit sur les insectes était vrai ? Dans les moindres détails.

Père s'arrêta et s'essuya le front avec son mouchoir. Daniel retourna dans le vestibule à pas de loup. Il se remit à sauter à la corde. Cette fois-ci furieusement. Il tapait violemment des pieds contre le sol. La vieille femme ouvrit les yeux mais se rendormit aussitôt. Père arriva.

– Je t'ai appelé. Tu ne m'as pas entendu ? Je t'avais dit de ne pas faire de bruit.

Daniel ne répondit pas.

– Elle veut te parler. J'ai déjà tout raconté. Dis-lui seulement comment tu t'appelles et que tu crois en Dieu. Ça suffira.

Daniel suivit Père dans la salle. La femme avait enlevé ses gants pour écrire. Ses mains étaient très blanches et fines. Daniel eut envie de les saisir et de s'accrocher à elles de toutes ses forces.

– Je viens d'apprendre ton histoire, dit-elle en souriant. Elle est très étrange et elle va émouvoir de nombreux lecteurs. Contrairement à tout ce que nous lisons sur l'esclavage et la violence, c'est une histoire sur le Bien.

– Le Bien est une valeur indispensable, dit Père d'une voix douce. Sans cela, la vie n'est rien.

– Je m'appelle Ina, dit la femme en regardant Daniel. Tu sais prononcer mon nom ?

– Ina.

– Peux-tu comprendre à quel point c'est important pour moi d'entendre mon nom prononcé par quelqu'un qui est né dans un désert lointain ?

– Je n'ai jamais vu de lion.

Il s'entendait prononcer ces mots : *Je n'ai jamais vu de lion.* Père fronça les sourcils.

– Il croit que c'est le nom qu'on donne à un animal suédois, expliqua Père. L'élan, peut-être. N'est-ce pas, Daniel ?

– Je n'ai jamais vu de lion.

– Maintenant, réponds aux questions de Mlle Myrén. Le dîner ne nous attendra pas indéfiniment et nous ne pouvons pas aller au lit sans manger.

Daniel s'apprêtait à se révolter une troisième fois mais il n'eut pas besoin de répéter sa phrase. Il vit dans les yeux de la femme qu'elle le croyait.

– En fait, je n'ai pas d'autres questions à poser, dit-elle après un moment de réflexion. J'irai plutôt vous écouter à Strängnäs demain. Si vous le permettez.

– Avec grand plaisir. Vous êtes la bienvenue et, bien entendu, vous ne paierez pas l'entrée. Peut-être accepterez-vous que je vous invite à dîner. Ce sera sans doute moins gênant dans une autre ville.

– Peut-être.

La femme rangea son carnet, enfila ses gants et remit son chapeau sur ses cheveux bouclés.

– C'était très agréable, dit Père. Permettez-moi de vous dire que vous êtes très belle. Ne le prenez pas mal.

– Vous êtes un homme étonnant, dit-elle tout en jetant un coup d'œil à Daniel.

Elle a un message pour moi, se dit Daniel. Elle me chuchote quelque chose derrière son rocher.

Père la regarda quitter la salle. La porta se referma derrière elle.

– Elle est très belle, dit-il. Quand je l'ai vue, j'ai eu conscience de ma solitude. Tu es là, c'est vrai, mais je te parle d'une autre solitude, que tu ne peux pas comprendre.

Mais Daniel comprenait. Être seul, c'est vivre avec une absence. Comment Père pouvait-il prétendre qu'il ne comprenait pas ce que c'était ? Lui qui était obligé d'apprendre à marcher sur l'eau pour rejoindre ceux qui lui étaient les plus chers.

Il avait plu. Ils suivaient une rue pavée pour aller à l'auberge. D'habitude, Daniel tenait la main de Père, mais là, il n'en avait pas envie. Et Père ne semblait pas s'en soucier. Daniel l'observait discrètement. Il voyait bien qu'il pensait à la femme aux mains fines. Il le lisait dans ses yeux.

Le restaurant de l'auberge était vide. Une seule table était dressée. Daniel n'avait pas faim. Une grosse boule occupait toute la place dans son ventre. Il repensa à ce que Père avait raconté sur le lion.

– Pourquoi ne manges-tu pas ?

Le regard de Père était sévère. On y voyait la trace de tous les verres qu'il avait bus pendant le repas.

– Je n'ai pas faim.

– Tu es malade ?

– Non.

– Je n'aime pas ce ton. On dirait que tu ne veux pas me parler.

Daniel se tut.

– Il n'est pas toujours possible de faire un récit exact de ce qui s'est passé, dit Père. Il n'y avait peut-être pas de lion. Mais mon histoire lui a fait plaisir. Elle en parlera dans son article. Et ça lui donnera peut-être envie de m'aimer.

Père vida son verre, secoua la tête et le regarda.

– Tu comprends ce que je veux dire ?

Daniel acquiesça bien qu'il n'ait pas compris. Il savait que Père voulait qu'il acquiesce.

– Une très belle femme, poursuivit Père. Célibataire. Radicale sans doute, mais en général c'est passager. Il faut que je pense à ce qui va se passer après.

Moi aussi, songea Daniel en lui-même.

Dès que Père fut endormi, Daniel se leva, s'habilla et sortit. Il courut tout le long de la rue déserte vers le quai où ils avaient débarqué. Un chien aboyait. Il y avait un clair de lune. Daniel se déchaussa et descendit du ponton en bois. Il détestait les chaussures. Chaque fois qu'il était près de l'eau, il avait envie de s'en débarrasser définitivement. Il aurait voulu les remplir de cailloux pour les faire couler. Ça sentait la vase. Au loin, un poisson fit un bond. Daniel remonta les jambes de son pantalon et posa le pied sur la surface qui se brisa dès qu'il appuya un peu. Je n'y arrive pas, s'emporta-t-il. Je le fais mal. Il ferma les yeux et essaya de faire venir Be et Kiko pour leur demander de l'aide. Mais le désert au fond de lui-même était vide. Il appela Kiko, puis Be. Il n'y eut en retour que l'écho de sa voix.

LE FILS DU VENT

Il fit un nouvel essai pour apprivoiser l'eau. Il passa doucement sa main sur sa fourrure humide, puis posa un pied. De nouveau la surface se contracta et se brisa.

Il éclata en sanglots. Les larmes coulèrent le long de ses joues et se mêlèrent à l'eau. Peut-être allait-elle se laisser amadouer. Mais, cette nuit-là encore, elle refusa de le porter.

Père était réveillé quand il rentra. Il était assis dans son lit, la lampe était allumée.

– Tu étais sorti, dit-il. Qu'est-ce que tu as fait ?

– J'ai fait un tour.

– Ce n'est pas une réponse. Tu dois te douter que j'étais inquiet ?

– J'avais envie de faire pipi.

– Tu as été absent pendant près d'une heure, dit Père en regardant sa montre. Donc, tu mens.

– J'ai fait pipi deux fois.

– Je devrais te gifler, dit Père. Si ça se reproduit, je serai obligé de t'attacher. Maintenant, explique-moi ce que tu as fait.

Daniel fut tenté de lui dire la vérité mais un pressentiment l'en empêcha. Père ne comprendrait pas et il ne pouvait pas risquer de se faire encore attacher.

– Je suis sorti pour regarder la lune, dit-il. Je ne savais pas que je n'avais pas le droit de le faire. Je m'appelle Daniel. Je crois en Dieu. Je demande pardon.

Père le regardait en silence.

– Malgré les apparences, tu dis sans doute la vérité, finit-il par dire. Mais si jamais tu recommences, je t'attacherai.

Daniel s'allongea à côté de Père.

La lumière était éteinte.

Il ne se sentait plus en sécurité auprès de Père. Il avait plutôt la sensation de se trouver derrière une énorme pierre qui menaçait de l'écraser.

Be et Kiko revinrent enfin dans son rêve. Be jouait. Elle avait remis la voilette rouge devant son visage. Kiko était en

178

train de préparer de nouvelles flèches. Daniel avait l'impression de ne les avoir jamais quittés. Il avait grandi et mûri. Suffisamment pour être autorisé à accompagner les hommes à la chasse. Il essaya d'expliquer à Kiko qu'il n'était encore qu'un enfant, mais Kiko ne faisait que rire sans s'en préoccuper. Be lui donna une petite tape joyeuse dans le dos en lui disant d'arrêter de rêver. Il se réveilla parce que Kiko l'avait pris par le bras. Père était penché sur lui et lui annonçait qu'il était l'heure de se lever.

– Tu as appelé Kiko quand tu dormais, dit-il.

– J'ai grandi à côté de Kiko, précisa Daniel.

– Je suis ton seul père. Tout ce qui s'est passé avant qu'on ne se rencontre a disparu. Tout cela n'existe plus.

– Comme le lion.

Le visage de Père s'assombrit.

– Je ne te permets pas, dit-il. Je ne te demande pas grand-chose mais si je dis qu'il y avait un lion, c'est qu'il y en avait un. Ce lion nous rapportera de l'argent. Il attirera du monde. Plus que les vrais lions en cage que l'on expose parfois. Ton pantalon est sale, continua-t-il. Je ne comprends pas comment tu fais. On aura peut-être le temps de le laver à Strängnäs, mais pas maintenant.

Daniel se leva. Il avait les jambes lourdes et ses pieds étaient encore couverts de vase. Père se rasait devant la glace en fredonnant. Daniel vit le visage de la jeune femme dans ses yeux.

Ils prirent le même bateau que la veille. Le voyage se poursuivit sur une grande étendue d'eau qui se resserrait et formait un détroit entre quelques îles plates. A bord, il y avait deux chevaux qu'un garçon de l'âge de Daniel tenait au bout d'une corde. Il regardait Daniel sans curiosité malsaine. Daniel s'assit à côté de lui. Le garçon lui toucha les cheveux en riant. Daniel fit un signe de tête interrogatif en direction des chevaux.

– On les emmène à l'abattoir, expliqua le garçon. On les assommera à Strängnäs.

– Pourquoi ?

– Ils sont vieux.

– J'ai vu un lion, déclara Daniel. Un lion qui m'a attrapé pour me mettre en morceaux.

Le garçon lui lança un regard méfiant.

– Je ne te crois pas, dit-il. Ou plutôt, je crois que tu mens.

– Merci, dit Daniel en lui tendant la main.

Le garçon la prit et la serra.

Ils accostèrent dans l'après-midi. Wickberg les attendait sur le quai. Un peu plus loin, derrière un tas de bois, Daniel aperçut la jeune femme à la voilette rouge.

Il décida alors de lui faire définitivement confiance. Il allait lui dire la vérité et elle allait l'écouter.

18

Les cris des mouettes les accompagnaient lorsqu'ils débarquèrent. Une altercation éclata aussitôt entre Wickberg et Père au sujet de l'affiche. Non seulement elle comportait un serpent menaçant avec une langue fourchue, mais en plus elle donnait une image de Daniel qui mettait Père hors de lui. Il était représenté comme un sauvage grimaçant aux dents acérées.

– C'est parfaitement inacceptable, s'écria Père. Ça va à l'encontre de tout ce que nous avions convenu.

Wickberg s'attendait à cette réaction.

– C'est ça qui attire du monde et vous toucherez un pourcentage sur les entrées. C'était d'accord. Et sans public, ce sera la faillite.

– Il ne s'agit pas d'une affaire commerciale mais d'une série de conférences sérieuses.

– Peu importe le contenu si les gens ne viennent pas. Une fois sur place, ils auront vite fait d'oublier le serpent. Leurs cœurs seront attendris par le garçon. Ce n'est pas un sauvage qu'ils auront devant eux mais un petit esclave apeuré.

– Esclave ?

Les gens sur le quai commencèrent à s'intéresser à la conversation bruyante plus qu'à Daniel, si bien que Wickberg prit Père à part.

– Vous avez été absent longtemps, Hans Bengler. Pour les habitants de ce pays arriéré, les Noirs sont des sauvages ou des esclaves. Soit ils mangent les missionnaires, soit ils sont enchaînés. Si vous voulez changer cette image-là, il faut que vous arriviez à les faire venir.

Daniel avait bien compris que les deux hommes parlaient de lui. Il était plus préoccupé par la femme qui restait dissimulée derrière le tas de bois. Il avait envie d'aller la rejoindre et de serrer ses jolies mains, mais il savait bien que si elle s'était cachée, c'était parce qu'elle ne voulait pas être vue.

Wickberg roula l'affiche.

– Vous finirez par admettre que j'ai raison, dit-il en désignant ses chaussettes remplies de billets.

– Vous êtes un escroc ! s'emporta Père. Pour le reste, le contrat n'est pas trop mal.

Wickberg rougit.

– Ne me traitez jamais d'escroc ! Tout ce que vous voulez, mais pas ça.

– Tout le monde a peur des mots justes, dit Père. Je me contenterai donc de vous appeler brigand de grands chemins.

Wickberg mit sa main sur son cœur puis vérifia son pouls. Il était écarlate.

– Choisissez bien vos cartes, dit Père. Il n'y a pas de dame de cœur derrière votre veste. Vous n'avez que du pique. Et sans grande valeur. Quand les gens commenceront à venir d'eux-mêmes, on supprimera le serpent et le sauvage.

Résigné, Wickberg approuva.

Leurs bagages furent transportés à l'hôtel situé dans un bâtiment en brique rouge. Wickberg avait réservé un petit salon privé dans le restaurant et il avait demandé que l'on serve le souper de bonne heure. Après s'être installés dans leur chambre, Père emmena Daniel acheter un pantalon. Le vendeur se mit à trembler de tous ses membres quand il dut prendre les mesures. Père était fatigué et énervé.

Par chance, le premier pantalon était parfait. Pas besoin de retouches. Père et Daniel purent aussitôt regagner le restaurant où Wickberg les attendait.

La femme à la voilette rouge avait disparu. Daniel se retourna plusieurs fois en chemin sans la voir.
– Tu cherches quelqu'un ? demanda Père.
– Non, personne, répondit Daniel.

Wickberg avait commandé un souper consistant. Il suffit à Père de voir la table dressée pour retrouver sa bonne humeur.
– Ce soir, c'est relâche, dit Wickberg. Le repos est important, d'autant plus que Strängnäs est une ville flegmatique. Les habitants ont besoin de temps, il leur faut réfléchir avant de prendre une décision. Mais demain, la salle sera comble.
– Ça va se passer où ?
– Nous ne pouvons pas utiliser la grande salle diocésaine étant donné que tout ce qui ne vient pas d'en haut terrorise l'évêque. Le maire craint l'évêque et a donc fermé l'Hôtel de Ville. Il ne restait plus que les francs-maçons. L'acoustique de leur local n'est pas bonne, mais nous tendrons des tissus au plafond.
Père vida son verre d'eau-de-vie et toussota, l'air satisfait.
– Un dîner est prévu demain après la représentation. C'est Ehrenhane, un homme de lettres, qui invite.
– Il écrit quoi ?
– Du charabia. Des hommages chaleureux adressés à la famille royale. C'est quelqu'un qui se fiche de ses convictions, qui va voir des putains à Copenhague, qui trempe dans des conspirations avec les radicaux et qui invite des clochards à sa table.
– Vous parlez pour moi ?
– Pas du tout. Il est rare que de grands voyageurs passent par cette ville. J'ajouterai qu'il herborisait, quand il était jeune. C'était un passionné de botanique. Il a une collection colossale de feuilles de chêne.
Daniel ne mangeait pas. Il avait toujours une boule dans le ventre. Il savait que la jeune femme à la voilette n'était pas loin.

– Tu ne manges pas ? s'étonna Père.

– J'ai mal au ventre.

– Il doit être fatigué, dit Wickberg. Je lui ferai monter une tartine dans sa chambre.

– Merci.

– Pas de sortie cette nuit ! dit Père en le regardant avec insistance.

– Non, je vais dormir.

Il monta seul dans sa chambre. De la fenêtre, il voyait la rue éclairée par un réverbère solitaire. S'il sortait, Père l'attacherait, il n'aurait plus accès à l'eau et cela rendrait ses projets impossibles. Il fallait pourtant qu'il rencontre la femme à la voilette. Elle était venue pour lui, il en était convaincu. Peut-être allait-elle parler avec Père de ses voyages, continuer à écouter ses mensonges, mais elle avait compris que le lion n'avait jamais existé. Si elle était là, c'était pour avoir sa version à lui. Peut-être l'aiderait-elle à marcher sur l'eau.

Il vit un chien traverser le cercle de lumière et partir vers une destination inconnue. Un homme arriva en titubant et s'appuya contre le réverbère pour vomir.

On frappa à la porte. Père voulait sans doute vérifier s'il avait retenu la leçon. Daniel attendit. On frappa de nouveau. Très discrètement. Il eut l'impression qu'il s'agissait d'une main blanche dégantée aux doigts longs et fins. Il se dépêcha d'ouvrir.

C'était bien Ina Myrén. Sans gants. Daniel prit sa main et la pressa contre son visage. Il ne put empêcher ses larmes de couler. Il se souvint soudain d'une douleur qu'il avait ressentie il y avait longtemps. Be avait été saisie d'une fureur incompréhensible et l'avait frappé au visage. Le sang avait beau couler, elle avait pressé sa figure contre le sable si fort qu'il avait failli s'étouffer. Quelqu'un l'avait arrêtée dans sa folie et elle avait disparu pendant deux jours. Jamais elle n'en avait reparlé, jamais elle n'avait cherché à expliquer son comportement. Le silence s'était ensuite installé dans la famille pendant une longue période et Kiko s'était éloigné de

Be. Bien plus tard, Daniel avait compris qu'elle avait été habitée par les démons du Mal. Pour quelle raison ? Personne ne le savait. Peut-être avait-elle eu des pensées interdites. Ce n'est qu'après la naissance d'un autre enfant, la petite sœur de Daniel, que la vie avait repris son cours normal. Be semblait avoir tout oublié. Kiko avait retrouvé sa place près d'elle et elle avait recommencé à caresser les cheveux de Daniel, comme elle l'avait toujours fait.

Les larmes de Daniel continuaient de couler. Au lieu de retirer sa main, la jeune femme ferma la porte et s'assit sur une chaise. Sans rien dire. Daniel cacha son visage entre ses seins.

Une fois calmé, il alla s'asseoir sur le bord de son lit, les yeux baissés. Quand au bout d'un moment il releva la tête, elle lui sourit.

– Il n'y avait pas de lion, dit-il.

– Je sais. Qu'y avait-il alors ?

– Une antilope que Kiko a gravée dans la paroi rocheuse. Une antilope prête à bondir.

– Quoi d'autre ?

Il descendit du lit. Pour raconter une histoire, il faut être assis par terre. A défaut de sable, il s'installa sur le tapis. A sa grande surprise, elle s'assit en tailleur en face de lui.

– Il manque un feu, dit-elle.

Daniel acquiesça. Comment le savait-elle ?

– Je suis en face de toi, mais en réalité il y a quelqu'un d'autre.

Il approuva. C'était magique. Elle disait exactement ce qu'il espérait entendre. Il n'en revenait pas. Pourtant, il ne ressentait aucune crainte.

– Oui, c'est Be, dit-il. Ou bien Kiko, ou Undu, ou Rigna la borgne qui boite.

– Mais il n'y avait pas de lion ?

– Non, pas de lion.

Il eut peur. Elle connaissait trop de choses sans que personne les lui ait expliquées. Il savait qu'il fallait se méfier des gens bienveillants aux mains blanches. En général, ils attendaient de lui ce qu'il ne pouvait pas leur donner.

– Tu sais sauter à la corde ? demanda-t-il, pour détourner la conversation.

Craignant d'avoir manqué de politesse, il ajouta :

– Je m'appelle Daniel. Je crois en Dieu.

– Oui, je sais sauter à la corde mais pas avec ces grandes jupes.

– Il n'y avait pas de lion, répéta-t-il.

La femme se leva, prit la corde, remonta ses jupes, dévoilant ses bas et un bout de ses cuisses, et se mit à sauter. Malgré une certaine maladresse, elle n'avait pas oublié ce qu'elle avait appris, petite fille. Elle savait encore sauter à la corde.

Elle s'arrêta et arrangea ses vêtements. Daniel eut un instant de regret. Il aurait voulu toucher sa peau au-dessus de ses bas qui était aussi blanche que ses mains. Elle était essoufflée et sa poitrine se soulevait quand elle respirait. De nouveau, Daniel pensa à Be qui, elle, était toujours torse nu. Kiko aimait bien jouer avec ses seins. Il leur avait même donné des noms, ce qui faisait rire Be. Elle lui disait qu'il n'avait pas besoin de flatter ses avantages, vu qu'elle était souvent enceinte. Daniel aurait bien demandé à la jeune femme de se dénuder. Au moins du haut. Mais pouvait-il se le permettre ? Comme elle savait sauter à la corde et qu'elle avait compris que le lion n'existait pas, elle accepterait peut-être la question. Il pointa le doigt vers les boutons noirs de sa robe.

– Ce sont des boutons, expliqua-t-elle, déroutée.

Ça, Daniel le savait déjà. Tous les matins, surtout les lendemains de beuverie, Père pestait contre ses boutons de col.

– Ouvrir, dit Daniel.

Elle se raidit et le regarda longuement. Visiblement, il avait commis une incorrection. Cependant elle se mit à défaire les neuf boutons, puis sa chemise blanche. Daniel constata avec étonnement que ses seins ressemblaient à ceux de Be. Toutes les femmes ont des seins de formes différentes comme les hommes ont des torses différents. Mais les seins de la femme en face de lui étaient pareils à ceux de Be. Daniel ne put s'empêcher de se blottir contre elle et elle le laissa faire, même si elle était tendue.

– Je suis ta mère, dit-elle. Elle est ici avec toi.

– Be est morte, répondit Daniel. Son sang coulait dans le sable. Quand Kiko est arrivé, elle ne respirait plus. Les hommes avec les lances et les fusils ne m'ont pas trouvé parce que j'étais caché derrière des peaux d'antilopes. Kiko est arrivé trop tôt. Un des hommes, qui avait déjà sectionné les oreilles de ceux qu'il avait tués, a tiré une balle dans la tête de Kiko.

La femme mit ses bras autour de Daniel. Be était maintenant très proche.

– Qu'est-ce qui s'est passé ? demanda-t-elle.

– Je ne sais pas. Des hommes à cheval sont venus, ils étaient blancs et portaient un drapeau avec un aigle. Ils riaient et tuaient tout le monde sans explications. Ils nous auraient dépouillés si on avait été des animaux. Et ils nous auraient mangés. Mais ils se sont contentés de nous tuer et de nous trancher les oreilles. Un jour, chez Andersson, j'ai entendu dire qu'après les avoir rendues rigides avec du suif, ils les utilisaient pour présenter le sucre et le chocolat.

– C'est qui, Andersson ?

– C'est celui qui m'a sauvé la vie. Il m'a installé dans une boîte. Alors Père est venu me chercher. Il m'a appelé Daniel, m'a obligé à porter des chaussures et m'a fait traverser la mer.

Daniel éprouvait un grand calme quand il parlait, serré contre sa poitrine chaude. Il entendait son cœur battre et sentait sa douce odeur de transpiration. Il repensa à un incident quand il était tout petit. Une nuit, il s'était réveillé et avait quitté la hutte. Le ciel était plein d'étoiles qui le regardaient bâiller et faire pipi. Soudain, conscient de ces regards, il fut soulevé du sable et entraîné dans un tourbillon invisible qui l'attira vers ces petits points étincelants. Il comprit alors que les yeux des dieux étaient très proches et qu'ils allaient toujours l'accompagner. La chaleur des seins de la femme fit resurgir en lui ce souvenir lointain. Il sentit qu'il allait crier, peut-être la mordre, si elle s'écartait de lui et fermait ses boutons.

– Puis, tu es venu ici.

– D'abord dans une ville où deux petites filles sautaient à la corde dans une arrière-cour. Père avait une valise pleine d'insectes et il m'attachait pour que je ne me sauve pas.

– Où aurais-tu pu aller ?

Daniel réfléchit. Il savait qu'il existait une expression qui désignait ce dont il rêvait. L'endroit où il allait se rendre si l'eau acceptait de le porter.

– Chez moi, dit-il. Je crois que c'est comme ça qu'on dit.

Elle le serra tendrement contre elle. La bouche de Daniel se trouva juste à côté de son bout de sein. Il le prit entre ses lèvres, pas pour boire mais pour se rassurer.

Il ferma les yeux et se mit à rêver. Derrière les battements du cœur de la jeune femme, il entendait Be fredonner. Kiko dormait déjà. Ce n'étaient plus les odeurs du tapis et de l'eau de toilette de Père qui lui parvenaient, c'étaient celle du feu éteint et celle, un peu rance, des carquois en peau.

– Je n'ai jamais tenu un homme serré contre moi, dit la jeune femme. Beaucoup me l'ont demandé. Ils ont essayé de défaire mes boutons et de regarder à travers mes jupes, mais personne n'a été aussi proche de moi que toi.

Daniel ne comprenait pas bien ce qu'elle voulait dire et il n'avait pas envie de le savoir. Il était déjà parti loin dans son rêve. La main de Kiko le conduisait vers la montagne où l'antilope l'attendait. Le sein lui apportait le sommeil. Grâce à lui, il sentait la main caressante de Be, les corps de ses parents et de ses frères et sœurs serrés contre le sien. Grâce à lui, il retrouvait la nuit et l'aube qui les attendait après leurs rêves dont ils parleraient au réveil.

– Je devine ton chagrin, dit-elle. Connais-tu le sens de ce mot ?

Daniel ne répondit pas.

– A quoi penses-tu ? demanda-t-elle.

– Je vais apprendre à marcher sur l'eau, dit-il, je vais apprendre à bouger sans l'effrayer et je vais rentrer chez moi en effleurant le dos de la mer.

Elle avait besoin d'explications mais il s'était déjà rendormi.

Un nuage noir apparut sans prévenir. Les éclairs et le tonnerre se déchaînèrent juste au-dessus de sa tête.

Père était sur le seuil de la chambre.

Incrédule, il observait la scène de ses yeux imbibés d'alcool. Daniel leva la tête, toujours dans les bras de la jeune femme.

– C'est scandaleux, rugit Père. Une femme est en train d'engloutir mon fils. Qu'est-ce que c'est, nom de Dieu ?

Daniel enfonça son visage entre les seins de la jeune femme transformés en rochers pour le protéger. Be était toujours présente avec sa chaleur qui allait s'enflammer et tenir Père à distance, comme on chasse les animaux sauvages avec des torches.

– J'ai parlé avec le garçon, dit la femme. J'ai écouté son histoire. Elle n'est pas celle que vous m'avez racontée.

– Dans ce cas, il ment. Ce n'est qu'un enfant. Un Hottentot du désert. Que sait-il du mensonge et de la vérité ? Il raconte ce qui vous fait plaisir. En plus, il est incapable de faire un vrai récit. Son vocabulaire est insuffisant. Que vous a-t-il dit ?

– La vérité.

– Quelle vérité ?

– La sienne.

– C'est-à-dire ?

– Qu'il n'y avait pas de lion.

Daniel tendit l'oreille. Père semblait nerveux mais la femme était parfaitement calme. Les battements de son cœur étaient aussi réguliers que tout à l'heure.

– Cette situation est indécente, fit remarquer Père. Une femme adulte qui se déshabille et séduit un enfant ! Noir, de surcroît. Il peut être porteur de maladies inconnues. Si cela s'ébruite, vous serez bonne pour le tribunal ou l'hôpital psychiatrique.

– Je n'ai pas peur.

La femme repoussa doucement la tête de Daniel, se leva et boutonna sa robe.

– Pour moi, vous êtes malade ou dangereuse, dit Père. Vous avez un homme à proximité et vous préférez abuser d'un enfant.

Daniel entendit une claque et il sut que la femme avait giflé Père de sa main blanche et délicate.

Mais il n'aurait pas pu imaginer ce qui allait suivre. Normalement un homme frappé par une femme s'effaçait, alors que Père se jeta sur elle en poussant un hurlement. Sans chercher à ouvrir les boutons, il lui arracha ses vêtements. Daniel se leva et essaya de s'interposer. Père le repoussa en tirant la femme vers le lit. Il se souvint des hommes à cheval venus tuer Be et Kiko. Père était comme eux. Il allait la tuer et lui trancher les oreilles. Daniel ne voyait pas d'autre solution que de se cacher, comme la dernière fois.

Il s'élança hors de la chambre et descendit dans la rue. Il pleuvait mais il n'y fit pas attention. Il courut vers la mer.

Il n'arriverait jamais à apprendre à marcher sur sa surface. Père viendrait le tuer. Il ne serait plus qu'un enfant mort, loin de ceux qui l'attendaient, enterrés dans le sable.

Il avança dans l'eau. Autant s'enfoncer et disparaître.

Le froid le transperça.

Sa dernière pensée fut pour l'antilope.

19

L'eau lui parlait.

Il s'avança dans la mer, de plus en plus loin, en tournant définitivement le dos à la ville et à Père. Il avait imaginé que la mort serait entourée de silence ou, éventuellement, d'un bruissement de grains de sable. Mais l'eau s'adressa à lui d'une voix puissante qui le poussa vers le haut et l'obligea à respirer. Elle repoussa sa tête au-dessus de la surface et retourna son corps, lui laissant voir les faibles lumières de la ville endormie.

Le froid contracta ses muscles et le fit trembler. Il regagna vite la rive et courut vers le bâtiment en brique rouge où Père s'était jeté sur la jeune femme. Il avait peur de ce qu'il y trouverait. Malgré ses craintes, il fallait bien qu'il monte et qu'il se débarrasse de ses vêtements trempés. L'eau lui avait dit de ne pas mourir, d'apprendre à marcher sur sa surface pour aller raconter son histoire étrange aux morts qui l'attendaient dans le désert. Au moment d'enfoncer sa tête sous l'eau, il avait compris qu'il devait continuer à vivre.

Il trouva Père dans la rue à côté d'une voiture couverte tirée par deux chevaux.

– Monte vite, dit-il à Daniel en le regardant comme s'il voyait un fantôme. On s'en va.

– Il faut d'abord que je me change.

– Plus tard. Il faut partir tout de suite.

Le vieux portier de nuit était là aussi, un papier à la main. Père lui donna quelques billets et finit de charger les bagages.

– Nous allons à Örebro, dit Père en jetant un regard inquiet autour de lui. Je dis bien à Örebro.

Le cocher était tout jeune. Il avait une curieuse toque de fourrure enfoncée sur la tête qui lui cachait les yeux. Père poussa Daniel dans la voiture et cria au cocher de prendre la route principale.

La faible lueur d'une lanterne éclairait le visage en sueur de Père. Daniel vit qu'il avait une plaie ouverte au-dessus de l'œil et se demanda ce qui avait bien pu se passer. Il l'a tuée, se dit-il, c'est pour ça qu'il s'enfuit.

Père ouvrit brusquement une des valises et sortit des vêtements secs.

– J'ignore si tu es tombé dans l'eau ou si tu l'as fait exprès, dit-il. Pour l'instant, je ne sais plus quoi penser. Je ne sais plus rien.

Il murmurait sans cesse une sorte de litanie qui ressemblait à une prière mais qui ne se composait que d'un seul mot : *Satan, Satan, Satan.*

Quand ils quittèrent la ville, Père attira l'attention du cocher et lui cria :

– Change de direction. Va vers Stockholm.

– Je n'ai pas été payé pour ça, s'opposa le garçon.

– Tu auras plus d'argent que tu n'en as vu de ta vie, insista Père en colère.

Le garçon raccourcit les rênes et fit demi-tour. Un des chevaux hennissait. Daniel avait toujours froid. Père l'enveloppa dans une couverture et, d'une main dure et inquiète, lui tendit la bouteille qu'il avait toujours avec lui.

– Bois, dit-il.

La boisson était forte et râpeuse, mais Daniel avala en observant qu'elle le réchauffait. Le cocher usait de son fouet et la voiture roulait maintenant à vive allure. Père continuait à murmurer, les lèvres serrées. Qu'avait-il bien pu se passer ? Pourquoi étaient-ils obligés de s'en aller en pleine nuit ? Il y avait forcément un rapport avec la jeune femme.

– On va où ? demanda Daniel.

Pas de réponse. Daniel se mit alors la tête sous la couverture pour mieux garder la chaleur et pour s'isoler de Père. Dans un monde à part. La voiture cahotante lui rappela le bateau. Le jeune cocher tenait la barre et non pas les rênes entre ses mains. Les chevaux devinrent des voiles gonflées par le vent. Mais il entendait le cliquetis d'une bouteille et le coup cinglant du fouet.

Daniel ignorait le véritable sens du mot *temps*. Lorsque le cocher arrêta la voiture, il estima cependant que « longtemps » s'était écoulé. Il sortit la tête de la couverture. Il faisait encore nuit.

– Pourquoi s'arrête-t-on ? cria Père en ouvrant la portière.

– Les chevaux ont besoin de repos et de nourriture.

– On n'a pas le temps.

– Je ne peux pas les pousser davantage.

– Les bœufs, que je connais bien, sont plus costauds.

Le garçon ne céda pas.

– Les bœufs et les chevaux, ce n'est pas pareil. On repartira dans une demi-heure.

Père claqua la portière. Il était furieux mais il ne dit rien. Daniel découvrit dans ses yeux brouillés une expression qu'il n'y avait jamais vue auparavant. La peur.

– J'ai commis un acte impardonnable, dit Père. J'ai essayé de la toucher. Elle m'a griffé. Nous sommes obligés de nous en aller.

Daniel n'en sut pas plus.

La voiture s'était arrêtée au milieu d'une forêt. Daniel avait besoin de faire pipi. De grands arbres sombres l'observaient. La terre était froide sous ses pieds.

– Pourquoi es-tu noir ? demanda le jeune cocher qui était en train de donner à boire aux chevaux. Tu t'es brûlé ? C'est peut-être du charbon ?

Père ouvrit brutalement la portière.

– Ne bavarde pas. Prépare les chevaux pour qu'on puisse partir.

193

Malgré sa petite taille, le garçon avait les épaules larges. Il avait enlevé son chapeau et on voyait que ses cheveux étaient blonds et très courts. Il s'avança jusqu'à la portière.

– Je veux voir l'argent, dit-il. Sinon je ne continuerai pas.

Père sortit une poignée de billets. Le garçon écarquilla les yeux et fit semblant de les attraper.

– Pas avant Stockholm, dit Père.

– Je n'en ai jamais vu autant. Tu as beaucoup d'argent et tu es très pressé, il y a quelque chose de louche.

Le garçon retourna auprès des chevaux et Daniel remonta dans la voiture.

– Ça va s'arranger, le rassura Père. Il n'est pas toujours possible de suivre le chemin prévu. Quand on a commis une faute, on est obligé de modifier ses projets.

– Elle est morte ? demanda Daniel.

– Non, elle s'est sauvée, répondit Père, étonné par la question. Et elle va peut-être porter plainte. Ça fera scandale. Je serai poursuivi. Il faut donc prendre les devants.

Daniel voulut en savoir plus et essaya de prononcer le nom compliqué de l'homme à la veste rouge.

– Wickberg, l'aida Père. Oui, il va forcément partir à ma recherche, lui aussi. Je ne sais pas ce qui est le pire, agresser une femme ou rompre un contrat.

D'une main tremblante, il attrapa la bouteille et but une gorgée.

– Nous allons changer de vie, dit-il. La nouvelle vient de commencer.

– On va où ?

– Je te dirai ça quand je connaîtrai la réponse.

La voiture repartit.

– Tâche de dormir, dit Père. J'ai besoin de réfléchir.

Daniel s'enroula dans la couverture et passa sa main sur son visage en imaginant que c'était celle, blanche et délicate, de la jeune femme.

Quand Daniel se réveilla, la voiture s'était de nouveau immobilisée. Père était dehors et discutait avec le garçon. Le jour commençait à poindre. Ils étaient encore dans la forêt, à présent moins dense. On devinait des champs derrière les arbres et on voyait un lac scintiller. Il y avait du brouillard. Daniel serra la couverture autour de lui pour ne pas laisser la chaleur s'échapper. Il avait fait un rêve. Il avait vu l'antilope, seule, sans Kiko. Elle semblait être à la recherche de quelqu'un capable de terminer ses yeux et d'ajouter un dernier trait à son corps.

Père ouvrit la portière.

– On descend, dit-il. Les bagages seront transportés au port, nous, nous allons descendre ici.

Père semblait avoir pris une décision. Ses yeux étaient redevenus clairs mais la peur était toujours là.

– Je te poursuivrai en enfer si tu ne fais pas ce que je t'ai demandé, dit-il au cocher qui était en train de décharger une des valises. Pour une somme pareille, on exécute les ordres sans discuter. Allez, ouste !

Le garçon fit avancer les chevaux et disparut au bout du chemin serpentant.

Ils étaient de nouveau seuls. Daniel grelottait de froid. Père ouvrit la valise et sortit les vêtements en les éparpillant autour de lui avant de trouver ce qu'il cherchait : une chemise blanche qu'il entreprit de déchirer. Quand il ne resta plus que des bandes de tissu et un col, qui ressemblait à un oiseau mort, il s'assit sur la valise et s'essuya le front.

– Je t'expliquerai plus tard, dit-il. Notre nouvelle vie vient de commencer et il faut, avant tout, mettre de la distance entre le passé et nous. On va encore traverser un désert. Pour arriver au bout, il va falloir que tu m'obéisses.

Daniel espérait apprendre ce qui s'était passé.

– Je suis recherché, poursuivit Père. On sait que je suis avec toi et que tu es noir. C'est pourquoi je vais mettre ces bandes de tissu autour de ta tête et ne laisser visibles que ta bouche, ton nez et tes yeux. On dira que tu as été grièvement

blessé lors d'un incendie. Il faut aussi que tu portes un chapeau et que tu gardes tes mains cachées dans tes manches.

Père se mit immédiatement à l'œuvre. Daniel avait l'impression d'étouffer et tenta de se dégager.

– Je ne peux pas faire autrement, s'écria Père. C'est seulement pour quelques jours. Je t'ai déjà sauvé la vie. Tu peux
bien faire ça pour moi !

Père avait les larmes aux yeux. Quoi qu'il ait fait, il fallait
l'aider. Il n'y avait pas d'autre solution. Daniel se laissa
faire.

A l'aide d'un petit couteau, Père découpa des trous pour
les yeux, le nez et la bouche.

– Cache tes mains, dit-il. Voilà, personne ne se doutera que
ta peau est noire. Allons-y maintenant.

Père saisit la valise et commença à marcher d'un bon pas.
Il s'arrêtait de temps à autre pour se reposer. Daniel était
gêné par les bandes qui le démangeaient. Le jour s'était levé
et de gros nuages s'accumulaient dans le ciel.

– S'il se met à pleuvoir, je deviens fou, dit Père.

Daniel était incapable de parler. Il arrivait à respirer par la
bouche mais il ne pouvait pas remuer les lèvres.

Les arbres se faisaient de plus en plus rares et bientôt il
n'y eut plus que des champs dégagés autour d'eux. Père était
aux aguets. Il se retournait fréquemment pour vérifier qu'ils
n'étaient pas suivis. Daniel ne savait toujours pas qui aurait
intérêt à les rattraper.

A un croisement de routes, une charrette transportant des
sacs de farine s'approcha. Père souleva son chapeau et héla
le cocher.

– Mon fils a eu un grave accident. Il a été brûlé au visage
et nous allons en ville pour voir un médecin.

Il se tourna ensuite vers Daniel et lui ordonna à voix basse
de gémir.

L'homme jeta un regard affolé à Daniel.

– Avec de telles brûlures, il ne vivra pas longtemps, dit-il.

Père aida Daniel à grimper en haut des sacs et s'installa à côté de lui. L'homme fit trotter les chevaux.

– Bien entendu, je vous dédommagerai pour le dérangement, dit Père. Si cela vous était possible, nous aimerions aller au port.

L'homme se retourna, étonné.

– Vous êtes sûr qu'il y a des médecins dans le quartier du port ? Un hôpital parmi les débardeurs ?

En guise de réponse, Père fourra un billet dans sa poche.

Aux abords de la ville, Père demanda à Daniel de s'allonger et de cacher sa tête sous le manteau.

– Il est mort ? s'inquiéta le cocher.

– Il va s'en sortir, affirma Père. Je suis fatigué et je n'ai plus la force de répondre à vos questions.

– Je m'appelle Eriksson, dit l'homme. Et mes chevaux s'appellent Cigogne et Géant. Je sais que ce n'est pas très réussi mais je n'ai jamais su trouver de jolis noms pour mes chevaux. J'en ai pourtant eu un certain nombre.

– Mon nom est Hult, dit Père. Je viens de Västerås où j'ai une quincaillerie. Mon fils, mon enfant unique, s'appelle Olle.

Daniel ne s'étonnait plus de ce que racontait Père. Il était devenu un chapitre dans une histoire que Père avait dans sa tête et qui n'avait pas grand-chose de commun avec la réalité. Un instant, il eut envie de montrer son visage à l'homme. Alors l'histoire n'existerait plus et il pourrait reprendre son identité.

Mais, dans ce cas-là, Père serait qui ?

Il resta allongé à regarder le ciel. Kiko lui avait appris la patience. Un chasseur devait être vigilant et savoir attendre le moment opportun. Le moment pour marcher sur l'eau finirait bien par se présenter.

Il commençait déjà à faire sombre lorsqu'ils atteignirent le port. L'odeur de l'eau attira irrésistiblement Daniel qui voulut se lever.

– Pas encore, dit Père. Pas avant qu'il fasse tout à fait nuit.
Le cocher lui jeta un regard inquiet.

– Il est encore plus pâle que tout à l'heure, dit-il. C'est la
mort qui approche ?

– Qu'est-ce qui vous permet de dire ça ? Vous ne voyez
pas son visage derrière le pansement.

– C'est une impression, répondit Eriksson. Je ne vais plus
vous embêter avec mes questions. J'ai du chemin à faire et il
faut que je décharge la farine.

Père sortit quelques billets de plus de sa poche. Daniel
s'étonna de la valeur que ces bouts de papier semblaient
avoir et se demanda combien il lui en restait.

– J'ai encore besoin de votre aide. Un bateau va partir
pour Kalmar dans quelques heures et il nous faudrait une
cabine.

– Kalmar ?

– Oui, il y a un excellent dermatologue à Kalmar, expliqua
Père. Le meilleur du pays. Les familles royales de l'Europe
entière font appel à lui.

– Et vous pensez que le garçon va supporter le voyage ?
demanda l'homme.

– Il le faut. Si vous aviez l'amabilité d'aller nous faire les
réservations, je surveillerai les chevaux et la farine.

Eriksson accepta et se dirigea vers le bateau.

– C'est bientôt fini, dit Père.

– Ça me démange.

– Je sais. Dès qu'on sera à bord, je t'enlèverai les bandages
et je t'expliquerai ce qui s'est passé. Notre nouvelle vie vient
de commencer. Tout ira bien.

Eriksson revint avec les réservations. Père lui donna un
billet supplémentaire en lui demandant d'avancer la charrette
jusqu'à la passerelle. Le bateau était éclairé par des lampes à
pétrole.

– J'ai fait les réservations au nom de M. Hult et de son fils,
dit Eriksson.

– Parfait, vous êtes un homme intelligent et vos chevaux ont de beaux noms. Inhabituels certes, mais beaux.

Un homme en uniforme vérifiait les tickets des passagers. Père demanda à Daniel d'attendre près de la voiture, le temps qu'il aille s'entretenir avec lui.

– Ça ne doit pas être facile pour toi, dit Eriksson à Daniel. Tu es patient malgré la douleur.

– Je m'appelle Olle, dit Daniel. Je crois en Dieu.

Eriksson hocha lentement la tête.

– Tu as certainement raison. Même si ça ne change rien, c'est notre dernier recours. L'espoir. Quelqu'un qu'on appelle Dieu.

Père revint.

– Cache tes mains, chuchota-t-il à Daniel.

– J'espère que tout va bien se passer, dit Eriksson.

Père lui donna l'un de ses derniers billets.

L'homme à la passerelle eut l'air peiné en voyant le visage bandé de Daniel.

– On risque d'avoir du mauvais temps au sud de Landsort. Est-ce qu'il va supporter une grosse houle ?

– Je lui ai donné des médicaments, répondit Père. Il dormira.

Père ferma la porte de la cabine exiguë et s'effondra, épuisé, sur la couchette. Daniel se souvint du bateau qui l'avait éloigné du désert. Brusquement son cœur se mit à battre plus fort. Y retournaient-ils ? Il n'aurait peut-être pas besoin d'apprendre à marcher sur l'eau !

– Tu as été très sage, dit Père un peu plus tard en défaisant le bandage que la transpiration de Daniel avait collé sur sa peau. Je ne l'oublierai jamais.

Daniel s'attendait à ce que Père lui parle de ses projets. En vain.

Il sentit une secousse. On larguait les amarres et les ordres fusaient. Le navire se mit à vibrer.

Daniel s'assit à côté de Père dans l'espoir qu'il allait enfin parler. Mais Père cacha son visage dans ses mains et fondit en larmes.

20

Bien que leurs réservations aient été faites pour Kalmar, ils quittèrent le navire dès Västervik. Père chargea Daniel de garder les bagages sur le quai et partit à la recherche de quelqu'un qui pourrait les conduire. Il faisait nuit et Daniel n'avait pas besoin de dissimuler son visage. Un chien rôda un moment autour de lui avant de disparaître dans l'obscurité. Il y avait un fin crachin mais pas un brin de vent. Peu de gens évoluaient autour du bateau. Une dispute éclata soudain en bas de la passerelle. C'était un homme ivre à qui on refusait l'accès bien qu'il ait son billet. Dépité, il s'en alla en jurant et se fondit rapidement dans la nuit qui semblait engloutir tout le monde. L'odeur de la mer était la même que celle que Daniel avait sentie le soir où il avait décidé de mourir. Tout ça lui paraissait irréel à présent.

Père n'avait pas prononcé un seul mot au cours de la traversée. Son visage était resté figé par le silence, impénétrable. Un véritable masque. A plusieurs reprises, il avait éclaté en sanglots mais Daniel avait été incapable de deviner ses pensées. Comme il n'était pas autorisé à quitter la cabine, il n'avait pas pu se renseigner sur leur destination. Le bateau avait terriblement tangué la première nuit. Père avait eu le mal de mer alors que Daniel s'était imaginé qu'il était attaché dans le dos de Be. Il avait même senti l'odeur de son corps. De très grosses vagues venaient, de temps à autre, secouer violemment le navire, si bien que le capitaine avait décidé de l'immobiliser en attendant que le vent mollisse.

Daniel avait entendu des vaches mugir sur le pont et des gens gémir dans la cabine voisine. Quant à lui, il avait attendu tranquillement que le calme revienne, persuadé qu'ils avaient entrepris le retour vers le désert.

Ils avaient quitté le bateau en toute hâte. Daniel dormait et rêvait de viande grillée quand Père l'avait secoué pour le réveiller.

– On ne va pas tarder à descendre, avait-il dit. Habille-toi.

Daniel avait regardé par le hublot et constaté qu'il faisait noir. Les vagues s'étaient jetées vers lui et avaient rebondi contre la vitre. Mais ce voyage avait été trop court. Impossible qu'ils soient déjà arrivés. D'autant plus qu'il faisait très froid. Daniel s'en était rendu compte en appuyant sa main contre le verre glacial du hublot. Il avait été pris d'angoisse et s'était tourné vers Père qui était en train de boucler les valises.

– On est déjà arrivés ?

– On va descendre dans une ville qui s'appelle Västervik. On reprendra le voyage plus tard, avait ajouté Père.

Daniel avait bien vu, à ses yeux, qu'il avait bu.

– Notre nouvelle vie a commencé, avait dit Père en se levant. Elle va être meilleure.

On retira la passerelle, le navire fit demi-tour dans le port étroit avant de reprendre le large. Le quai était de nouveau vide. Père disparut. Daniel serra la couverture autour de lui. Le chien revint et flaira ses jambes mais s'éclipsa peureusement quand Daniel voulut le caresser.

Et si Père était parti en l'abandonnant ! Comme le chien. Et le navire. Il était tout seul dans le noir avec les bagages. Il pensa aux vieux dans le désert. Quand ils sentaient la fin approcher, ils se retiraient pour mourir. Certains dans leur hutte, d'autres à l'ombre. Daniel se souvint d'un vieil homme qui s'était tout simplement assis appuyé contre un rocher. Il était resté là en silence sans manger ni boire pendant plus d'une semaine avant que la mort ne vienne le chercher.

Daniel ferait peut-être mieux de se préparer de la même manière. Au lever du soleil, on le retrouverait assis sur les valises à attendre que son cœur cesse de battre.

L'idée l'horrifia. Il se leva précipitamment, se débarrassa de la couverture et se mit à courir dans la direction où était parti Père. Il ne voulait pas mourir, pas encore, pas ici. Sans Père, il ne retournerait pas dans le désert. Il mourrait sans que personne le sache. Be et Kiko le chercheraient en vain.

Il fonça droit dans quelqu'un. C'était Père, suivi d'une voiture bringuebalante tirée par un cheval.

– Que fais-tu ici ? Je t'avais dit de surveiller nos bagages.

– Je t'ai entendu venir.

– On s'en va immédiatement, dit Père en attrapant Daniel brutalement par le bras. Il faut être loin d'ici quand le jour se lèvera. Nous avons déjà pris du retard. Je n'ai rien trouvé d'autre que ce cheval qui m'a l'air bien fatigué.

Le vieux cocher était borgne et sa lèvre inférieure pendait. Il ne semblait même pas voir Daniel. Père chargea leurs bagages, s'installa sur le siège à côté du cocher et jeta une vieille pelisse sur ses épaules. Daniel grimpa au-dessus des valises.

Ils quittèrent la ville et s'arrêtèrent dans une forêt au bout de quelques heures. Quand d'autres convois apparaissaient sur le chemin, Père emmenait Daniel se cacher parmi les arbres.

Dans l'après-midi, Daniel chercha de nouveau à savoir où ils allaient.

– On ne va pas tarder à arriver, répondit Père. Demain soir, normalement, à condition que ce foutu cheval tienne le coup.

Ils reprirent le voyage après la tombée de la nuit. La mer apparaissait de temps en temps à gauche de la route, mais trop loin pour que son odeur leur parvienne. Père avait toujours peur. Ça se sentait. Son mutisme et ses épaules couvertes de la pelisse donnaient l'impression qu'il se transformait progressivement en animal.

Daniel dormait quand ils entrèrent dans la ville de Simrishamn. Il se réveilla, tout courbatu, quand le chariot s'arrêta.
Malgré l'obscurité, il reconnut la maison où ils avaient passé
la première nuit après avoir débarqué du charbonnier. Il
réprima un cri de joie. Ils étaient donc en train de refaire le
voyage à l'envers ! Un navire allait les ramener de l'autre
côté de la mer. Il ne put s'empêcher de se jeter au cou de
Père qui eut un mouvement de recul, comme s'il craignait
d'être mordu.

– Je vais voir s'il y a une chambre de libre. Je ne pourrai
pas payer mais je dirai que tu es malade.

Il ressortit les bandes de tissu de sa poche.

– Gémis quand il y a quelqu'un à proximité. Je vais te
porter.

Daniel dissimula son visage derrière les bandes. Père
revint en compagnie du propriétaire de l'hôtel qui était torse
nu et tenait une lanterne à la main.

– Il est tombé ? demanda-t-il.

– Oui, dans un précipice.

– Il ne va pas mourir, au moins ? s'inquiéta l'homme à la
lanterne. Mon hôtel pourrait en pâtir.

– Il ne va pas mourir.

– Mais à en juger par ses gémissements…

Daniel s'arrêta immédiatement de geindre.

– Il a surtout besoin de dormir, affirma Père. Je vous garan-
tis qu'il ne va pas mourir.

Peu rassuré, l'homme secoua la tête. Il s'adressa ensuite à
un valet qui surgit tout ensommeillé de dessous l'escalier.

– Porte les valises dans la chambre avec le poêle.

C'était la même chambre que la fois précédente. Père s'assit lourdement sur le lit, visiblement épuisé d'avoir porté
Daniel.

– Quand continuerons-nous notre voyage ? demanda Daniel.

Père le regarda longuement avant de répondre.

– Demain. Enlève ton pansement et couche-toi.

Daniel se serra contre le dos de Père. Il n'avait plus peur de lui maintenant, bien qu'il n'ait toujours pas obtenu d'explication sur ce qui s'était passé avec la jeune femme. C'était forcément une bonne chose puisque, finalement, Père avait décidé qu'il fallait retourner dans le désert.

Cette nuit-là, Daniel eut du mal à dormir. Il alla fréquemment à la fenêtre pour regarder l'arrière-cour où il avait vu les deux filles sauter à la corde. Une lanterne était suspendue à côté de la porte qui donnait sur la rue. Il se sentait parfaitement calme.

– Je vais rentrer, murmura-t-il. Je vais enfin rentrer chez moi.

Quand Daniel se réveilla le lendemain matin, Père était déjà sorti. Une pluie battante tambourinait contre la fenêtre. Daniel imaginait Père en train de chercher un navire. Leur départ était proche. Il retourna à la fenêtre et vit que la cour était pleine d'eau. La maison se transformait petit à petit en un bateau prêt à partir. Le lit bougeait, les rideaux flottaient au vent. Il avait effacé de sa mémoire tout ce qui s'était passé depuis la dernière fois qu'il avait dormi dans ce lit. Dans son souvenir, il traversait le désert avec sa famille, un morceau d'étoffe autour des hanches.

Il se rendormit. Quand il rouvrit les yeux, Père se tenait devant son lit en compagnie d'un homme aux yeux souriants.

– Voici le docteur Madsen, annonça Père. Il travaille ici à l'hôpital. Nous avons fait connaissance dans la ville où un homme alité nous a donné de l'argent. Tu t'en souviens ?

Daniel en avait conservé quelques vagues souvenirs. Pas de l'homme, mais d'une femme qui avait claqué la porte.

– Nous allons faire un voyage ensemble, poursuivit Père. Nous partirons dès que la pluie aura cessé. Nous serons arrivés à destination avant la nuit.

– C'est un voyage en mer ? demanda Daniel.

205

Le docteur Madsen sourit.

– Non, dit Père en secouant la tête. Ce sera encore avec un cheval et un chariot, mais ce ne sera pas long.

Il ne pleuvait plus. Daniel s'habilla. Il aperçut les deux fillettes par la fenêtre. Il leur fit un signe de la main mais elles ne le virent pas. Elles n'avaient pas leur corde avec elles.

Ils quittèrent la ville et reprirent la route. Daniel ne savait toujours pas vers quelle destination. Des champs bruns s'étendaient de part et d'autre. Quelques arbres solitaires, qu'entouraient des volées d'oiseaux noirs et bruyants, brisaient par-ci par-là la monotonie. Dans certains champs, des chevaux tiraient des charrettes et des gens étaient à genoux dans la terre.

– Peut-on imaginer quelque chose de pire que le ramassage des betteraves à quatre pattes dans la boue ?

– De nombreux Polonais viennent faire ce travail, dit Madsen. Ils vivent parmi les cochons et partagent leur nourriture. Et ils se battent pour venir.

– La boue, grommela Père. Toute cette terre grasse dans laquelle on crapahute. Du début jusqu'à la fin de notre vie !

– Je pensais que tu avais l'intention de retrouver le sable, dit Madsen.

Père regarda Madsen qui baissa la tête sans rien dire. Visiblement, Père ne voulait pas parler du désert. Pourquoi ? C'était mauvais signe.

Ils cheminèrent en silence. Les oiseaux se battaient au-dessus des arbres en criant. Les gens rampaient dans la boue. Les cloches sonnaient au loin. Ce paysage effraya Daniel. Il n'y avait d'eau nulle part. Il n'y avait que cette terre lourde et collante. Quelque chose lui disait que ce voyage ne ressemblait pas aux autres.

Daniel se remémora les paroles de Père. *Une nouvelle et meilleure vie commence.* La seule vie, imaginable et bonne, était celle du désert. C'était donc là qu'ils devaient se rendre.

206

Daniel savait qu'il allait retrouver Kiko et Be. Même s'ils étaient morts. D'autres familles l'emmèneraient avec elles dans leurs déplacements.

Il descendit de la voiture pour se dégourdir les jambes. Immédiatement la terre se colla sous ses semelles et il se déchaussa vite pour courir pieds nus.

— Il fait trop froid, le sermonna Père. Tu vas t'enrhumer.

— Le garçon est robuste, dit Madsen. Il ne craint rien.

Daniel s'arrêta pour observer un oiseau de proie. Il s'était immobilisé plus loin, seulement à quelques mètres de lui, avant de s'abattre sur une souris. Le cheval sursauta, le cocher resserra les rênes et le rapace s'envola, sa proie dans le bec.

— Une buse, précisa Madsen. Il y a beaucoup de nourriture pour elles ici. Elles se multiplient d'année en année.

— Je me sens comme cette souris, dit Père. Il y a quelques jours pourtant, c'était tout l'inverse. Ça change vite.

Madsen approuva en silence. Daniel attendit la suite mais il resta encore sur sa faim.

L'après-midi, ils quittèrent la route principale et se rendirent dans un village où la terre grasse semblait s'étendre jusqu'aux soubassements des petites maisons. Suivant les indications de Madsen, ils s'engagèrent dans un chemin étroit à peine carrossable. Ils s'arrêtèrent devant une maison basse qui semblait lutter pour tenir debout. Madsen descendit de voiture, pénétra dans la cour pavée et frappa à la porte. Un homme, la chemise ouverte jusqu'au nombril, ouvrit. Madsen entra et la porte se referma derrière lui. Le cocher était allé vider sa vessie derrière quelques buissons. Daniel en profita pour prendre sa place à côté de Père qui lui confia les rênes.

— On va attendre un peu, dit-il. Le docteur Madsen aime les gens. C'est pourquoi il a choisi de les soigner. Il aurait très bien pu devenir un scientifique et enseigner à l'université. Mais il a préféré soigner les malades à la campagne.

– Il y a quelqu'un qui souffre dans cette maison ? demanda Daniel.

– Il discute avec quelqu'un, dit Père. On attend qu'il revienne.

– Et alors, on va continuer notre voyage ?

Au lieu de répondre, Père descendit et se mit à marcher le long du chemin. Sans lâcher les rênes, Daniel le suivit des yeux. Bientôt il ne vit plus que sa silhouette, semblable à l'un des arbres solitaires dans les champs. Père avait beaucoup changé mais Daniel n'arrivait pas à s'expliquer en quoi.

Le cocher revint, la braguette ouverte. Il sentait l'urine.

– Maudit petit noiraud, dit-il. Ce n'est pas à toi de tenir les rênes !

Père, au milieu du champ, n'avait pas bougé. Il se retourna lentement, comme s'il cherchait quelque chose du regard. Daniel se précipita vers lui et saisit avec empressement la main que Père lui tendait. Il y avait bien longtemps qu'il n'avait eu ainsi besoin de sa compagnie.

– On se sent seul ici, dit Père. Comme dans le désert. Le ciel et la terre se fondent l'un dans l'autre. On ne voit pas où l'un commence et où l'autre s'arrête.

Daniel ne comprit pas le sens de ses paroles et pourtant, il connaissait les mots *ciel* et *terre*.

La porte de la maison claqua et Madsen réapparut. Père alla le rejoindre, sans lâcher la main de Daniel. Le médecin était accompagné d'un homme et d'une femme, tous les deux pâles et vêtus de gris. Ils regardaient Daniel en souriant.

– C'est d'accord, dit Madsen. Dix rixdales par mois. Je vous présente Edvin et Alma Andersson. Des gens bien. J'ai soigné Alma un jour pour un abcès à la gorge.

– Il l'a percé. Sans lui, je serais morte aujourd'hui, affirma la femme.

Père lâcha la main de Daniel.

– Va chercher ta corde, dit-il.

– Je n'ai pas envie de sauter.

La peur l'envahit de nouveau. Père avait beau être près de lui, il le sentait ailleurs.

208

– Fais ce que je te demande, s'impatienta Père. Il n'y en a pas pour longtemps.
– On s'en va après ?
Père ne répondit pas.
– Va chercher ta corde. Un enfant a besoin d'exercice et ça fait plusieurs jours que tu restes sans bouger.
Daniel alla chercher sa corde dans la charrette.
– Maudit petit noiraud, siffla le cocher entre ses dents, tout en caressant la crinière du cheval. Je sais bien reconnaître les enfants du diable, crois-moi.
En voyant Père serrer la main du couple, Daniel comprit qu'un grand danger le guettait, sans parvenir à l'identifier. Il prit sa corde et essaya de sauter sur le chemin mais elle s'entortilla autour de ses jambes comme un serpent et le fit tomber. Il avait froid. Ses pieds étaient déjà noirs de boue.
Père l'appela.
– Je vais entreprendre un voyage, expliqua-t-il. Pas très loin. Je serai bientôt de retour. Entre-temps tu vas vivre chez Edvin et Alma. Ils sont gentils et vont prendre bien soin de toi. Qu'est-ce que je t'ai appris à dire ?
– *Je m'appelle Daniel. Je crois en Dieu.*
– Parfait. Et tu vas habiter ici jusqu'à mon retour.
Daniel sentit sa peur grandir.
– Tu reviendras demain ? demanda-t-il.
Les larmes coulèrent le long de ses joues. Le fleuve secret avait renversé les digues. Ce fleuve de douleur que tous les êtres humains portent en eux et dont Be lui avait parlé.
– Peut-être pas demain, mais bientôt.
Daniel comprit que Père allait partir tout de suite. Ils n'auraient même pas le temps de se dire adieu. Madsen attendait déjà à côté de la voiture.
Daniel se mit à crier en s'agrippant à Père. Il allait l'abandonner. S'il disparaissait, tout serait fini. Il mentait quand il disait qu'il reviendrait. Il l'avait emmené ici, le plus loin possible de la mer.

– Calme-toi, dit Père. C'est pour ton bien.

Daniel hurlait comme une bête que l'on conduit à l'abattoir. Père essaya de le repousser. Daniel planta ses dents dans son poignet, Père chancela et tomba dans la boue. Edvin intervint mais Daniel refusa de lâcher. Il n'avait plus que ses dents pour résister.

Père se releva. Le sang coulait de son poignet.

– Ce n'est pas possible, dit la femme, émue. Le garçon a trop de peine.

– Tout va bien, assura Père. Les séparations sont toujours douloureuses.

– On ferait mieux de lui dire la vérité concernant la durée du voyage, dit l'homme qui avait immobilisé les bras de Daniel.

– Il sait que je reviendrai. Il se calmera après mon départ.

Daniel réussit à se détacher et s'agrippa de nouveau à Père. Comme un animal désespéré, il voulut planter ses dents dans la gorge de Père, mais celui-ci l'éloigna d'un coup au visage. Daniel tomba par terre, le nez en sang.

– Vas-tu te calmer ! cria Père. Je fais tout ce que je peux pour toi. Je veux que tu restes ici jusqu'à mon retour.

– Ce n'est pas possible, répéta la femme.

– Mais si, dit Père. Dès que je serai parti, il redeviendra calme.

Il se détourna et se dirigea vers la charrette, serrant son mouchoir contre son poignet. Daniel essaya de le rattraper, mais il fut retenu par l'homme derrière lui. La voiture s'éloigna sans que Père se retourne. Daniel poussa un hurlement désespéré comme un animal qui sait qu'il va mourir.

Il ferma les yeux.

Derrière ses paupières closes, il voyait Père, un fusil à la main. Il visait l'antilope.

Un coup retentit.

L'antilope tomba.

210

Daniel ouvrit les yeux.

La voiture avait disparu.

Une volée d'oiseaux se battait au-dessus d'un arbre solitaire au milieu d'un champ.

Au même moment, le brouillard se déroula, enveloppant tout de son silence opaque.

TROISIÈME PARTIE

Le fils du vent

21

Daniel se réveilla un matin et découvrit que la terre était blanche. Il crut d'abord que son rêve l'avait emporté dans le désert. En voyant les oiseaux noirs se battre au-dessus du tas de fumier et en sentant le froid sous ses pieds, il sut cependant qu'il était encore chez Edvin et Alma. Ses empreintes dans la couche blanche ressemblaient à celles qu'il laissait dans le sable chaud.

Il fit l'étrange constatation qu'il existait des similitudes entre le froid et le chaud.

– Il ne faut pas marcher pieds nus par un temps pareil, s'écria Alma. Mets tes chaussures.

Daniel s'était aperçu qu'il faisait peur à Alma. Elle l'aimait bien, lui caressait parfois les cheveux, mais elle avait peur de lui. Daniel ne savait pas pourquoi. Elle évitait de croiser son regard et l'observait en cachette, quand elle pensait qu'il ne la voyait pas.

Pourtant il était certain de partager un secret avec elle, sans savoir encore lequel.

– Le petit est pieds nus ! s'exclama Edvin. Pourquoi ne lui dis-tu pas de se chausser ?

– Je lui ai dit, mais on dirait qu'il ne m'entend pas.

Les pieds de Daniel s'étaient déjà transformés en blocs de glace. Il n'aurait pas demandé mieux que de se mettre devant le feu dans la cuisine mais il était incapable de bouger. La terre le désirait et l'attirait.

– Il ne peut pas rester là. Il va mourir de froid, dit Alma.

– Qu'est-ce qu'il se passe donc dans sa tête ? fit Edvin, l'air soucieux. Il ne faut pas que tu marches pieds nus quand il gèle, ajouta-t-il en s'adressant à Daniel. Tu ne sens pas comme il fait froid ?

Daniel tremblait de la tête aux pieds.

– Viens, on rentre, dit Edvin en lui prenant la main.

Daniel ne bougeait toujours pas. Derrière la fenêtre de la cuisine, les deux bonnes et le valet de ferme prenaient leur petit déjeuner tout en observant avec curiosité ce qui se passait dans la cour.

– Prends-le dans tes bras, dit Alma.

– Il faut qu'il apprenne à obéir. Si on lui dit de rentrer, il doit rentrer. Je ne comprends pas pourquoi il refuse de se chausser.

– Peu importe ce que tu comprends, on ne peut pas le laisser mourir de froid !

Edvin porta Daniel dans la cuisine et l'installa devant la cheminée. Alma l'enveloppa dans une couverture et se mit à lui frotter les pieds. Daniel aimait bien quand elle le touchait avec ses mains robustes. Elles ressemblaient à celles de Be.

– Que faisait-il dehors ? demanda la bonne qui s'appelait Serja et était polonaise.

Elle parlait mal le suédois. Daniel avait entendu Alma la disputer à plusieurs reprises. Elle la traitait de paresseuse et lui disait de prendre exemple sur lui qui maîtrisait la langue mieux qu'elle bien qu'étant noir et venant de très loin.

– Ne bavarde pas, dit Edvin. Les vaches attendent.

Les bonnes et le valet partirent travailler. Alma continuait de frotter les pieds de Daniel. Edvin s'assit devant la table et examina ses mains.

Là, au fond des flammes, se cachait un autre monde. Daniel y voyait Be et Kiko, les serpents qui glissaient dans le sable, les nuages, la pluie et le rocher où l'antilope s'était immobilisée en plein mouvement.

L'antilope était figée, comme lui tout à l'heure dans le

blanc. Cette idée le fit tressaillir. Cela signifiait forcément que les dieux étaient là, très près de lui, quelque part sous ses pieds. C'étaient eux sous la terre qui l'avaient attiré et qui avaient essayé de le transformer en une gravure semblable à celle de la paroi rocheuse.

Il s'écarta d'Alma, rejeta la couverture et se précipita de nouveau dans la cour où il se mit à se déshabiller. Quand Edvin revint le chercher, il se débattit avec fureur, essayant même de lui mordre le cou. Mais Edvin était fort, il le prit dans ses bras et le ramena dans la maison.

– Tu ne ressortiras plus, dit-il d'une voix ferme. Pas sans vêtements et sans chaussures. Tu habites chez nous et nous sommes responsables de toi jusqu'au retour de Bengler.

Daniel ne répondit pas. Il savait que Père ne reviendrait pas. Il savait aussi qu'Edvin le frapperait s'il recommençait. Alma se remit à lui frotter les pieds.

– Si seulement j'arrivais à le comprendre, dit Edvin qui avait repris sa place devant la table.

– Nous avons accepté la responsabilité de cet enfant, rappela Alma, alors peu importe qu'on le comprenne ou non.

– Comment l'élever si on ne le comprend pas ?

Alma ne répondit pas. Daniel s'étonna d'être le seul enfant de la maison. Alma et Edvin n'étaient plus très jeunes. Leurs enfants étaient peut-être morts ou bien partis ? Daniel aurait aimé le savoir mais il n'osa pas poser la question.

– Nous irons voir le pasteur, dit Alma. Il saura peut-être nous conseiller.

– Hallén ne comprendra pas plus que nous.

– Il est quand même pasteur.

– Oui, mais un mauvais pasteur. Je me demande souvent s'il croit lui-même à ce qu'il nous dit.

– Ne blasphème pas. C'est un homme d'église. Et il n'est pas fier.

– Quelqu'un m'a dit que c'est le fils d'une pute de Småland.

– Ne blasphème pas. Je veux que tu ailles le voir.

217

– Ça s'arrangera peut-être quand il ira à l'école. En tout cas, ça ne peut pas continuer ainsi.

– Nous devons être patients, dit Alma. Et donner du temps à la patience.

Daniel regardait les flammes danser. Il les voyait même les yeux fermés. Le froid l'avait fatigué. Chaque nuit depuis le départ de Père, il se réveillait. Il rêvait que Père frappait à la porte et qu'il était seul à l'entendre. Quand il allait ouvrir, il n'y avait personne de l'autre côté. Et dans la cuisine, il n'y avait que lui, le valet qui ronflait et les deux bonnes.

Edvin sortit. Alma continua de frotter les pieds de Daniel qui essaya vainement de voir Père derrière ses paupières closes. S'il était mort lui aussi, il les aurait perdus tous les deux, Kiko et Père. Il se demandait souvent ce qui avait bien pu se passer le soir où Père était resté seul avec la jeune femme aux boutons noirs. Depuis ce jour-là, rien n'était plus comme avant. Tout avait changé. Pourquoi ? Pourquoi Père l'avait-il abandonné dans un endroit où il n'y avait même pas la mer ? Ici il n'y avait que des mares dans la forêt et des flaques d'eau dans les champs après les fortes pluies.

Combien de temps s'était-il écoulé depuis le départ de Père ? Des jours, des semaines, des mois ? Daniel savait seulement que la lune avait été pleine quatre fois, qu'il faisait de plus en plus froid, que les jours raccourcissaient et que, ce matin, la terre était toute blanche.

Au début, il n'avait eu qu'une seule idée en tête : Père l'avait abandonné loin de la mer pour le laisser mourir. Ça ne l'avait pas empêché d'espérer qu'il pouvait encore revenir. Cependant, tard un soir, alors qu'Edvin avait bu, Daniel avait surpris une conversation entre Alma et lui. Ils avaient parlé de Père. Ils disaient qu'ils avaient reçu les premiers dix rixdales par l'intermédiaire de l'organiste Hornman, un homme honnête à qui l'on confiait les inventaires des biens après les décès. Edvin avait dit que Bengler ne reviendrait probablement pas mais qu'ils n'avaient pas de souci à se faire tant qu'ils recevaient l'argent. Alma s'était inquiétée pour l'avenir. Que feraient-ils de Daniel quand il serait grand ? Edvin avait dit qu'il serait valet de ferme comme les autres.

Ce soir-là, Père avait disparu pour de bon. Il n'était plus qu'une ombre et Daniel s'était mis à le haïr. Derrière des mots gentils se cachait un homme mauvais.

C'est à ce moment-là aussi que Daniel avait commencé à élaborer un plan.

Inspiré par un oiseau.

Tous les matins, quand le garçon de ferme travaillait dans les champs avec Edvin et que les bonnes s'occupaient de la traite, Daniel montait en haut d'une colline derrière la maison pour avoir une vue dégagée de l'horizon. Des oiseaux noirs, qui semblaient en permanence effrayés, planaient dans le ciel, les ailes déployées, portés par les vents ascendants, ou bien faisaient du vacarme dans un bosquet au milieu du champ.

Un matin, une mouette s'était égarée dans la volée. Les oiseaux noirs l'avaient prise en chasse et elle s'était sauvée en survolant la tête de Daniel. Il avait vu des oiseaux comme celui-là voler autour du navire qui l'avait amené dans ce pays. Ils étaient apparus chaque fois que le bateau s'était approché de la terre. L'oiseau blanc était venu lui rappeler que la mer était là, quelque part, même s'il ne la voyait pas.

Il s'était mis alors à préparer sa fuite. D'abord, il fallait qu'il repère dans quelle direction se trouvait la mer. Puis il reprendrait, à l'insu de tout le monde, ses tentatives pour marcher sur l'eau.

Il n'avait rien à craindre de la part des bonnes et du garçon de ferme. Edvin et Alma, par contre, cherchaient à lire dans ses pensées. Mais, petit à petit, il se construisait une carapace que leurs regards scrutateurs n'arriveraient pas à pénétrer.

L'important était de bien se comporter et de faire ce qu'on attendait de lui. Il portait ses chaussures sans rechigner, même s'il les détestait. Il ne les enlevait que lorsqu'il était seul. Il obéissait, et quand Alma et Edvin lui demandaient de les aider, il faisait même plus que ce qu'on exigeait de lui.

Ce matin, il avait échoué. Il n'avait pas pu s'empêcher de sortir en voyant la blancheur de la terre. Il fallait maintenant redoubler de vigilance pour éviter qu'Edvin et Alma ne découvrent son secret.

Alma arrêta de frotter ses pieds. Elle avait les dents gâtées mais il aimait bien son sourire.

– Ça y est, tu es réchauffé ?

Daniel fit oui de la tête.

– Alors, habille-toi et va jouer.

La terre blanche était souillée par des traces de pieds. Daniel était fasciné par la fumée qui sortait de sa bouche à chaque respiration. Dès que les bonnes auraient terminé la traite, il irait se réfugier dans la chaleur de l'étable. S'il le pouvait, il se ferait un lit dans le foin pour dormir parmi les animaux.

Un jeune cochon s'était échappé de l'enclos et était en train de renifler la couche blanche. Daniel n'aimait pas les cochons. Il ne savait pas pourquoi. Il aimait bien leur odeur, mais leurs yeux lui faisaient peur. Il avait l'impression qu'ils lui voulaient du mal. Il imaginait que des morts avaient pris possession du corps de ces animaux pour vivre une deuxième vie. Des gens méchants, probablement, sinon ils se seraient réincarnés en chevaux ou en vaches.

Le cochon s'approcha de lui. Il avait beau s'écarter, la bête le suivait. Soudain, elle se métamorphosa et prit les traits d'un humain. Daniel reconnut son visage. Il se mit à courir, poursuivi par le cochon. Il poussa un cri. Kiko lui avait appris que ça pouvait éloigner les animaux sauvages. Il ne fallait jamais les regarder dans les yeux, sinon ils risquaient d'attaquer. Kiko lui avait appris à agir différemment selon les espèces. Quand un serpent lève la tête pour cracher son venin, il faut s'immobiliser et retenir son souffle.

Mais Kiko ne connaissait pas le comportement des cochons et le cri de Daniel n'eut pas d'effet. L'animal s'approchait de plus en plus. Daniel essaya de se rappeler où il avait déjà vu ce visage.

Brusquement, ça lui revint.

C'était celui de l'homme qui avait tué Kiko ! L'homme qui avait tiré sur Kiko et qui, ensuite, avait donné des coups de pied dans son corps inerte. Daniel chercha une arme et, faute de mieux, prit un de ses sabots pour donner un coup de toutes ses forces sur la tête du cochon. L'animal poussa un cri. Daniel frappa de nouveau. Le cochon essaya de se sauver, mais la cour était glissante et ses pattes fléchirent. Daniel continua de frapper. Il entendit Alma crier derrière lui. Le valet et Edvin accoururent, les bonnes suivaient la scène de l'étable. Daniel frappait. Sans s'arrêter même quand Edvin lui attrapa le bras. Le cochon était déjà mort et son sang se répandait sur la terre blanche. Ses yeux étaient fermés et Daniel sut qu'il avait vaincu l'homme qui avait tué Kiko. Il avait vengé son père. Kiko serait fier de lui.

Incrédule, Edvin regardait la bête morte.

– Il l'a tuée avec son sabot, dit Alma.

– Pourquoi ?

– Je n'en sais rien.

Edvin se tourna vers Daniel qui se sentait protégé par sa carapace. Ses pensées ne pouvaient être devinées.

– Pourquoi as-tu fait ça ?

Daniel ne répondit pas. Edvin ne pourrait pas comprendre. Personne d'autre non plus, d'ailleurs.

– Pourquoi as-tu fait ça ? Pourquoi avoir tué ce petit cochon ?

– Il est fou, conclut le valet. Il est fou et il n'a rien à faire ici.

– Il habite ici, s'emporta Edvin. On me donne dix rixdales par mois pour m'occuper de lui. Il habite ici et il restera ici.

Le valet cracha mais n'osa pas insister.

Edvin se tourna de nouveau vers Daniel qui fit un pas en arrière.

221

– Il a vu ce que tu comptais faire, dit Alma. Il a bien vu que tu voulais le frapper. Et tu l'as frappé.

– Je ne l'ai pas touché.

– Il a pourtant senti le coup que tu avais l'intention de lui donner.

Edvin fit signe au valet d'enlever le cochon mort et Alma dit aux bonnes de retourner à leur travail.

– Ça ne peut pas continuer comme ça. Il faut aller voir le pasteur. Il saura peut-être le faire parler.

– Il veut rentrer chez lui, dit Alma. C'est aussi simple que ça. Sa famille lui manque.

– Mais il n'a plus personne. Ils sont tous morts. Bengler nous l'a dit.

– Cet homme est un moulin à paroles. Je n'ai pas cru la moitié de ce qu'il nous a dit.

Edvin regardait ses mains sans rien dire. Ensuite il retourna aux champs.

– Est-ce que le cochon t'avait fait du mal ? demanda Alma. Elle n'avait pas l'air fâchée.

Daniel prit doucement le poignet d'Alma et sentit à son pouls que son cœur battait aussi calmement que celui de Be. Il aurait voulu répondre à sa question ou, du moins, trouver une raison plausible. Mais elle ne comprendrait pas s'il lui disait que l'homme qui avait assassiné Kiko avait réussi à venir jusqu'ici sous l'apparence du cochon.

Finalement, il dit les deux phrases qui n'étaient jamais mal interprétées :

– *Je m'appelle Daniel. Je crois en Dieu.*

Il enfila ses sabots. Celui qui lui avait servi d'arme était plein de sang et son pied collait dedans. Il sentit le regard d'Alma le suivre quand il sortit. Elle voit ce que je pense, se dit-il. Il faut que je me méfie d'elle bien que ce soit la seule à comprendre que je ne suis pas ici, qu'en réalité, je suis ailleurs.

Du haut de la colline, il pouvait voir Edvin et le valet dans le champ occupés à dégager une énorme pierre. Le vent s'était levé. Dans le petit bois, les oiseaux noirs étaient silencieux. Daniel chercha la mouette et tendit l'oreille. Parfois, il croyait entendre le son de tambours dans le lointain, mais ce n'était que le vent qui s'engouffrait dans les branches.

Il avait froid. Son nez coulait. Dans le désert, il n'avait jamais été enrhumé. Il avait eu de la fièvre et mal au ventre, jamais le nez qui coulait.

Edvin et le valet réussirent à hisser la pierre sur un traîneau que les deux chevaux tirèrent avec difficulté. Daniel avait remarqué qu'Edvin ne frappait jamais ses chevaux. Père, lui, fouettait ses bœufs. Il lui était même arrivé de déverser sa colère sur eux, sans raison. Mais Edvin ne frappait pas. Il donnait parfois un petit coup de rênes, jamais fort, jamais pour faire mal.

Daniel continuait de scruter l'horizon, en tournant en haut de la colline. Soudain, il vit quelque chose bouger dans un petit chemin qui desservait une ferme voisine où habitait la famille Hermansson. Un jour, peu de temps après le départ de Père, ces gens-là étaient venus le voir. Daniel leur avait serré la main et s'était incliné en évitant de croiser leurs regards. Ils étaient restés bouche bée à le dévisager, si bien qu'Alma avait fini par en avoir assez. Elle leur avait offert du café et avait dit à Daniel d'aller à l'étable où il était resté jusqu'à ce qu'ils partent.

« Ils vont s'habituer, avait dit Alma. C'est incroyable comme les gens peuvent être curieux. »

Daniel crut d'abord que c'était un animal qu'il voyait dans le chemin. Puis il s'aperçut que c'était un être humain, une femme qu'il n'avait jamais vue auparavant. Elle se dirigeait vers la colline en courant.

C'était une fille, un peu plus âgée que les petites filles qui sautaient à la corde dans la cour à Simrishamn. Caché derrière un buisson, il l'observait en silence. Ses vêtements étaient sales et ses cheveux blonds couverts de boue. Elle s'était accroupie et creusait la terre en murmurant. Elle semblait chercher quelque chose. Elle fit d'abord un trou qu'elle abandonna d'un geste impatient. Elle colla ensuite son oreille contre le sol tout en avançant à quatre pattes, puis s'arrêta et se remit à creuser.

Daniel éternua. La fille sursauta. Elle va crier, se dit-il, et ça va recommencer comme pour le cochon. Edvin et Alma vont accourir et Edvin va faire ce qu'il a failli faire tout à l'heure. Il va frapper. Et fort, cette fois-ci.

Daniel sortit de sa cachette mais, au lieu de crier, la fille le regardait en riant. Elle se releva et s'approcha de lui. Elle sentait la saleté et l'urine et elle avait de la terre séchée sur le front.

— J'ai entendu parler de toi, dit-elle. Seulement je n'avais pas le droit d'aller te voir. Ils avaient peur que je me comporte mal.

Elle parlait vite et bafouillait, mais Daniel n'avait aucun mal à la comprendre.

Elle le prit par la main.

— Tu es tout noir, dit-elle. A l'église, il y a un diable peint sur le mur. Lui aussi est noir. Tu viens de l'enfer ?

— Je viens du désert.

— Je ne sais pas ce que c'est. Tu t'appelles Daniel, n'est-ce pas ?

— Je crois en Dieu.

— Pas moi. Ne le dis à personne.

Elle tenait toujours sa main. Il tâta son pouls, comme il l'avait fait tout à l'heure avec Alma. Le cœur de la fille battait très vite.

— Qu'est-ce que tu cherches ? demanda Daniel.

— Parfois j'entends des voix dans la terre. Comme si quelqu'un y était emprisonné. J'essaie de l'aider. Mais je ne trouve jamais personne.

Elle lâcha sa main et cracha quelques cailloux qu'elle avait gardés dans sa bouche.

— J'aime bien mâchonner des cailloux. Ça fait un drôle de bruit. Toi aussi, tu aimes bien avoir des cailloux dans ta bouche ?

Daniel secoua la tête.

— Je m'appelle Sanna, dit la fille. Je suis folle.

Puis elle partit en courant. Pour la première fois depuis le départ de Père, Daniel eut envie de rire.

Il la regarda s'éloigner le long du petit chemin jusqu'à ce qu'elle disparût.

22

Les matinées de David Hallén suivaient toujours le même rituel. Il quittait le presbytère peu après sept heures, traversait la route pour aller au temple où il commençait sa journée en enlevant les crottes de souris qui l'attendaient dans la sacristie. Ces petits rongeurs avaient en général eu le temps au cours de la nuit de grignoter aussi bien les livres de cantiques que la Bible.

Puis, il s'installait devant la glace, la tête baissée, et respirait profondément avant de se redresser. Il nourrissait l'espoir vain qu'un miracle se produirait un jour et qu'il verrait non pas son propre visage, mais celui dont il était le serviteur, celui de Dieu. La déception était chaque fois la même. C'étaient bien ses propres yeux écarquillés qu'il avait en face de lui, son nez, de plus en plus rouge, et ses joues pâles, toujours aussi mal rasées.

Cela faisait dix-huit ans qu'il était chargé de la même paroisse. Jeune pasteur, il avait rêvé de consacrer sa vie à la Mission. Le temple dans la plaine scanienne torturée par le vent ne devait être qu'une étape vers le grand voyage qui l'attendait. Mais il n'était pas allé plus loin. Les champs étaient devenus ses océans à lui. Il n'était jamais parti vers les pays lointains à la chaleur écrasante et aux maladies dangereuses pour diffuser la bonne parole auprès des Noirs avides de connaissances religieuses. Ça ne s'était pas fait. Les enfants, trop nombreux, étaient arrivés trop vite. Les années avaient passé sans qu'il s'en rende vraiment compte.

A présent, il était trop vieux. La terre grasse le retiendrait ici jusqu'à son dernier soupir.

David Hallén était un pasteur sévère et doté d'une grande énergie qui pouvait se transformer en accès de colère. Il était impatient, supportait mal l'inertie environnante et se demandait si, dans le fond, ça ne revenait pas au même d'essayer de faire bouger ces fermiers flegmatiques que d'apporter la foi aux âmes noires. Son découragement frôlait parfois la résignation. Cependant le visage qu'il rencontrait chaque matin dans la glace le rappelait à l'ordre. Seules la mort ou l'incapacité physique de monter en chaire pourraient mettre fin à sa tâche.

Quand il entendit la porte claquer, il sut immédiatement qui venait de franchir le seuil du temple.

Alma, cette femme qui ne s'endormait jamais à la messe et qui chantait toujours avec une voix forte et fausse, était venue le trouver un jour au presbytère. Elle avait fait la révérence et lui avait parlé du petit garçon noir qu'elle et Edvin avaient accueilli. Hallén connaissait son existence par le docteur Madsen, mais il ne l'avait encore jamais rencontré puisqu'il était parti enterrer sa sœur dans le Dalsland le jour même de son arrivée. Alma avait demandé son aide. Le garçon avait tué un cochon et il refusait de porter des chaussures. Edvin et elle ne savaient plus comment s'y prendre avec lui. Hallén voulait le voir seul et il avait proposé à Alma d'envoyer le petit au temple. Il lui avait aussi recommandé de le rassurer en lui disant que le pasteur était quelqu'un d'aimable qui voulait connaître tous ses paroissiens.

Hallén quitta la sacristie. La lumière du jour était encore trop faible pour éclairer l'intérieur de l'église. Le pasteur mit un petit moment à découvrir Daniel qui se tenait au fond, près de l'entrée. Il s'avança vers lui. Le garçon ne bougea pas. Hallén remarqua qu'il était chaussé. Puis il le vit lever la main comme pour frapper à une porte invisible.

– Entre, dit Hallén, ce n'est pas la peine de frapper. Il n'y a pas de porte.

Daniel s'agenouilla et posa ses mains sur les chaussures crottées de Hallén.

– Tu n'as pas besoin de t'agenouiller, dit Hallén. Lève-toi.

Daniel se remit debout. Hallén le sentait sur ses gardes, prêt à agir selon les exigences du moment. Hallén ignorait les véritables raisons de son arrivée chez Alma et Edvin. La seule chose qu'il savait, c'était qu'il avait été adopté par un homme qui recherchait des insectes rares et qui avait dû partir pour un grand voyage.

– C'est donc toi, Daniel, dit Hallén.

– Je m'appelle Daniel et je crois en Dieu.

Hallén réfléchit en observant le garçon qui paraissait le jauger. Il se sentait déstabilisé par son regard qui fixait un point derrière lui. Hallén se retourna et découvrit que c'était le retable sculpté qui attirait son attention, une représentation de Jésus qui était là depuis le dix-huitième siècle. Un éclat de bois s'était détaché du genou de Jésus et il n'avait jamais été recollé.

Ils avancèrent vers la table de communion. Daniel s'apprêtait à l'enjamber mais Hallén l'en empêcha.

– Attends un peu, dit-il.

Daniel scrutait le tableau.

– Tu cherches quelque chose ? demanda Hallén.

– Oui, l'eau.

– L'eau ?

– Il savait marcher sur l'eau.

Hallén acquiesça. Le garçon possédait déjà des connaissances, il était un peu déçu. Il se sentait prêt à mobiliser toute son énergie pour convertir ce petit Noir. Il aurait voulu transformer le sauvage en humain, mais visiblement quelqu'un avait déjà commencé le travail.

– Tu l'as vu dans le désert ? Il y avait une église, là-bas ?

– Je m'appelle Daniel. Je crois en Dieu. Où est l'eau ?

Hallén essaya de comprendre. Qu'il parle de l'eau, lui qui venait du désert, n'avait rien de surprenant, mais cela n'expliquait pas sa question. Hallén décida de procéder calmement, avec l'idée que ce petit garçon noir pourrait lui procurer la motivation qui lui manquait tant dans son quotidien.

– Je vais te parler de l'eau. Mais je veux d'abord que tu me parles de toi. D'où viens-tu ? Pourquoi refuses-tu de porter des chaussures ?

Daniel ne répondit pas. Il continuait à chercher l'eau. Hallén attendit.

– Je suis quelqu'un de patient, dit-il. Je sais attendre. Pourquoi ne veux-tu pas mettre de chaussures ?

– Elles sont trop lourdes.

– C'est vrai, les chaussures sont lourdes. Mais si tu attrapes froid, tu risques de tomber malade.

Daniel ne dit plus rien. Hallén continuait à poser ses questions, sans obtenir de réponse. Nylander, le bedeau, apparut.

– J'ai de la visite, fit remarquer Hallén.

Il détestait Nylander. Sa présence commençait à l'incommoder sérieusement au bout de ces nombreuses années passées ensemble. Il ne serait pas mécontent le jour où il célébrerait son enterrement.

– J'avais remarqué ! Je me demande seulement ce que le garçon fait ici.

– L'église est à tout le monde. Les voies du Seigneur sont impénétrables. Je tiens aussi à vous rappeler qu'il est hors de question que vous cachiez votre alcool sous les fonts baptismaux.

Nylander s'en alla sans un mot. A en juger par le bruit, il se mettait à creuser la tombe du vieux tenancier mort de gangrène.

Daniel n'avait toujours pas quitté le tableau des yeux. Hallén attendait.

Au bout d'une demi-heure, Hallén comprit qu'il allait lui falloir une bonne dose de temps et de patience pour approcher ce garçon.

– Reviens demain, lui proposa-t-il. Si tu veux bien répondre à mes questions, je te raconterai l'histoire de l'eau.

Daniel s'inclina, prit ses sabots à la main et quitta le temple. Hallén retourna dans la sacristie. Par l'une des petites fenêtres, il vit que Nylander n'avait pas fini son travail. Ça l'énervait. Nylander était paresseux et lent. Ce genre de travail demande de la force et de la persévérance, pensa-t-il.

Il ferma les yeux et se revit tout jeune, un casque colonial sur la tête, entouré de Noirs en prière.

Tout le long du chemin, entre le temple et la colline, Daniel courut. Il retrouva Sanna qui était occupée à fouiller la terre grasse. Il était content de la revoir.

– Je t'ai vu, dit-elle. Tu es allé au temple. Pour quoi faire ?

– J'ai posé des questions sur l'eau.

– Quelle eau ?

– L'eau sur laquelle Jésus a marché.

Daniel ne savait pas si Sanna avait entendu ce qu'il venait de dire. Elle se mit debout, passa ses doigts pleins de boue sur les mains de Daniel et lui gratta légèrement la peau.

– Tu es tout noir et ça ne part pas. Il n'a pas eu peur ?

– Qui ?

– Le pasteur ! Il a dû croire que le diable était descendu du mur.

Bien que ses mains soient rugueuses et pleines de terre, Daniel aimait bien les sentir sur sa peau. C'était la première fois qu'on ne lui prenait pas la main pour exiger quelque chose de lui. Pour la première fois depuis la mort de Kiko et de Be, il avait rencontré quelqu'un qui lui procurait de la joie. Père l'avait trahi. Il l'avait abandonné le plus loin possible de la mer. Sanna pouvait peut-être l'aider à y retourner.

Elle continuait à observer ses mains. Elle regarda chaque pli de ses paumes, tapa légèrement sur ses ongles, serra fortement ses doigts.

– Si nous avions des enfants, toi et moi, ils seraient gris, annonça Daniel.

Elle éclata de rire d'une voix forte et aiguë.

– Nous, c'est impossible ! répondit-elle. Toi, tu n'es qu'un enfant, et moi je suis folle.

Elle se pencha vers lui. Elle sentait la transpiration mais elle dégageait aussi une odeur sucrée qui rappelait le miel.

– J'entends des voix dans la terre, dit-elle. Tous ceux qui sont là, en dessous, et qui chuchotent. Je n'y peux rien. Je les entends. Je suis la seule à les entendre. Et toi, tu entends quelque chose ?

Daniel tendit l'oreille.

– Il faut que tu colles ta tête contre la terre.

Daniel appuya sa joue et son oreille contre le sol.

– Non, pas l'oreille. Il faut écouter avec la bouche ou le nez.

Daniel enfonça son visage dans la terre. Il n'entendit que le sifflement du vent et les cris des oiseaux noirs.

– Il va falloir que tu m'apprennes, dit-il.

– Je suis trop bête.

– Qui t'a dit ça ?

– Tout le monde.

Daniel se demanda ce que signifiait le mot *bête*. La fille qui tenait ses mains le rassurait et il voyait l'eau scintiller dans ses yeux. Elle saurait certainement lui dire quelle direction prendre pour retrouver la mer.

– En fait, je n'ai pas le droit d'être ici, déclara-t-elle soudain.

– Pourquoi ?

– Je peux me perdre.

– Je ne comprends pas ce que ça veut dire.

De nouveau, elle éclata de rire.

– Tu es encore plus bête que moi. Quand on se perd, on ne retrouve pas son chemin. On est dans le noir et on appelle au secours mais personne ne vous entend. On meurt de froid. Quand on vous retrouve, on est tout raide et il faut vous casser les bras et les jambes pour vous mettre dans le cercueil.

Daniel réfléchit à ce qu'elle venait de dire. Pour la première fois, quelqu'un employait des mots qui exprimaient ce qu'il ressentait. C'était exactement ça, il ne retrouvait pas son chemin. Il ne faisait pas froid et il n'était pas mort. Il s'était perdu.

Il fallait qu'il garde cette expression pour plus tard. Quand il serait vieux et qu'il se retirerait dans le désert, ces mots lui rappelleraient tout ce qui s'était passé à l'époque où il s'était perdu.

– J'aime bien le silence, dit Sanna.

Elle tenait encore ses mains entre les siennes. Daniel commençait à avoir froid mais il ne voulait pas bouger de peur qu'elle ne les lâche.

– Moi aussi, dit-il.

– Il y a tant de silences différents. Juste avant qu'on s'endorme. Ou quand on court si vite qu'on n'entend plus que les battements de son cœur.

Elle appuya sa tête contre la poitrine de Daniel et ferma les yeux.

– Tiens, tu as un cœur toi aussi, dit-elle, tout étonnée. Je ne pensais pas que le diable en avait un. Je croyais que Satan n'avait qu'une cheminée pleine de suie dans son corps.

Daniel tressaillit. Elle avait employé le mot que Père utilisait quand il était fâché ou énervé. Il n'aimait pas ce mot. Il lui faisait peur.

– A quoi tu penses? demanda-t-elle.

– A rien.

Elle lâcha ses mains et se mit à lui frapper le visage. Elle cessa quand il tenta de se défendre.

– Je n'aime pas les gens qui mentent. Tu as menti. Je sais que tu as pensé à quelque chose.

– Je me demandais où se trouvait la mer.

– Elle te servirait à quoi?

– A rentrer chez moi.

– On ne peut pas marcher sur la mer comme sur une route. On s'enfonce et on se noie. Après on remonte à la surface avec des anguilles qui vous sortent des yeux.

232

Sanna montra des signes d'inquiétude. Elle promena son regard autour d'elle, donna des coups de pied dans la terre et cracha. Daniel se dit que même si elle n'était pas noire, elle était comme lui une étrangère venue d'ailleurs. Parmi tous ceux qu'il avait rencontrés avec Père, il n'avait jamais vu quelqu'un comme elle. Peut-être était-elle en route, elle aussi, pour un autre endroit. Même si elle ne savait pas où se trouvait la mer.

Soudain, elle releva sa jupe. En dessous, elle était nue. Elle avait une abondante toison noire entre les jambes.

– A toi, maintenant, dit-elle en laissant retomber la jupe.

Daniel se mit debout et baissa son pantalon. Il tira sur son membre qui était devenu tout petit à cause du froid.

– On n'a pas le droit de faire ça, s'écria Sanna. On n'a pas le droit de se toucher. Si tu fais ça, il va tomber. Et moi, j'aurai une grosse plaie.

Daniel remonta rapidement son pantalon. Sanna le regardait les yeux écarquillés. Tout d'un coup, elle se retourna et partit en courant. Quand elle s'aperçut que Daniel la suivait, elle s'arrêta, ramassa un caillou et le lui jeta.

– Tu n'as pas le droit de venir avec moi, dit-elle. Ils vont me battre.

Le caillou heurta la joue de Daniel qui se mit à saigner. Elle en ramassa un deuxième, plus gros.

– Si tu me suis, je le lance, cria-t-elle.

Elle reprit sa course. Daniel s'arrêta. Si c'était Père qui avait agi ainsi, il aurait eu peur. Mais là, non. Parce qu'il savait que la violence de Sanna n'était pas dirigée contre lui.

Le lendemain, le vent soufflait fort sur les champs bruns. Dans la nuit, Daniel avait fait un cauchemar. Il avait rêvé que les bœufs qui les avaient transportés vers le navire, Père et lui, étaient ensablés jusqu'au cou. Ils beuglaient de terreur pendant que leurs têtes continuaient à s'enfoncer. Daniel avait voulu dégager le sable, mais il n'avait pas de mains. Ses bras pendaient de ses épaules comme des branches sèches.

Le rêve le tira brutalement de son sommeil et, un bref instant, il ne sut plus où il était. Les ronflements du valet et la respiration tranquille des bonnes le ramenèrent vite à la réalité. Les bœufs étaient venus lui transmettre un message, sans doute de la part de Be. Lequel ? Il ne comprenait pas. Trop nerveux pour rester au lit, il se leva et posa ses pieds sur une jupe tombée par terre, pour éviter le contact avec le plancher glacial. La présence de tous ces gens qu'il avait vus morts dans le sable, le jour où Kiko et Be l'avaient quitté, devint soudain tangible. Le murmure de leurs voix et le rire d'un soldat lui parvenaient pendant que l'odeur de chair fraîche se répandait autour de lui. Il voulut toucher les corps qui aussitôt se dématérialisèrent en ne laissant derrière eux qu'obscurité et chuchotements.

Daniel regagna son lit et sombra dans un sommeil agité. Après le petit déjeuner, il aida Edvin à harnacher le cheval. Il alla ensuite rejoindre Alma dans la cuisine où l'attendait l'abécédaire écorné que M. Kron, son futur instituteur, lui avait prêté. Daniel examina les images et essaya d'apprendre les lettres. En général, c'était un exercice qu'il aimait bien, mais l'inquiétude de la nuit le poursuivait encore et l'empêchait de se concentrer. Lorsque Alma quitta la cuisine, il ferma le livre, se mit une écharpe autour de la tête et sortit. Le vent était froid à lui couper le souffle. Il courut jusqu'en haut de la colline. Une grande joie l'envahit quand il vit que Sanna était là, à creuser la terre. Il allait lui raconter son rêve. Elle saurait certainement l'expliquer. Elle se leva en le voyant arriver et lui fit un signe de la main.

– Je n'ai pas fait exprès, dit-elle en regardant sa joue. Je n'ai jamais l'intention de faire ce que je fais.

– Ça ne m'a pas fait mal.

– Hier soir, j'ai prié Dieu. Je lui ai demandé de me pardonner. Je crois qu'il m'a écoutée.

Daniel s'appliqua à raconter son rêve, en s'énervant parfois quand les mots lui faisaient défaut, mais Sanna était attentive et patiente. A l'inverse de Père, elle savait écouter.

– Je ne comprends rien, finit-elle par dire. Je ne sais même pas ce que c'est qu'un désert. Il y a tant de sable que ça ?

Elle fit un geste vers les champs bruns.

– Tout ça, ce serait du sable ? Et il ferait chaud ?

– A te brûler la plante des pieds !

Elle appuya sa tête dans ses mains et réfléchit un moment.

– Tu veux dire que ce serait pareil si on enterrait deux chevaux et ils henniraient de peur comme s'ils voyaient un boucher ?

Elle envoya une boulette de terre séchée sur Daniel.

– Tu racontes des bobards, poursuivit-elle en riant. Ça n'existe pas, des rêves comme celui-là.

– Le mien était exactement comme ça.

– Tu es aussi bizarre que moi. Mais moi, je ne mens pas.

Ensuite tout se déroula très vite. Au changement d'expression de Sanna, Daniel se rendit compte qu'il y avait quelqu'un derrière lui. A peine s'était-il retourné qu'une main l'empoignait et le forçait à se lever. Un homme grand et costaud se trouvait en face de lui. Un filet de tabac à priser coulait le long de son menton. Il lâcha la veste de Daniel et lui administra une violente gifle. Sanna s'apprêtait à se sauver, mais l'homme la saisit par le bras et la frappa au visage. Elle poussa un cri.

– Je t'avais bien dit de rester dans la cour ? Et je te trouve avec ce monstre qu'Edvin a fait venir !

Sanna s'accroupit et se protégea la tête de ses mains comme si elle craignait de recevoir d'autres coups.

L'homme était furieux. Il s'adressa à Daniel :

– Elle est attardée. Elle ne sait pas ce qu'elle dit ni ce qu'elle fait. Nous, on l'héberge. Par pure charité ! Rien d'autre ! Elle n'a pas de parents. Personne. Mais cette bâtarde ne veut pas obéir, alors il faut bien lui donner une correction. En général, ça fait de l'effet. Momentanément, du moins.

L'homme attrapa Sanna par les cheveux et l'emmena de

force. Comme une poule à laquelle on va trancher la tête, pensa Daniel.

Il s'aperçut qu'il pleurait. Il avait mal pour Sanna.

Les champs étaient vides autour de lui.

Il n'y avait que les oiseaux noirs et ils criaient.

23

Le dimanche, les bonnes faisaient la grasse matinée à tour de rôle et le valet de ferme restait au lit une heure de plus que les autres jours. Daniel, lui, ne changeait rien à ses habitudes. Il se réveillait de bonne heure et s'habillait sans faire de bruit. En général, le valet ouvrait un œil et lui demandait de tirer sur la couverture de la bonne, en espérant que sa chemise avait remonté pendant son sommeil. Daniel n'aimait pas ce garçon mais il n'osait pas s'opposer à lui.

La scène se répétait invariablement, quelle que soit la fille. Daniel ne comprenait pas l'intérêt qu'il pouvait y avoir à passer son temps libre à regarder les jambes des bonnes. Ce matin-là encore, il fit ce qu'on lui demandait et découvrit la fille. Au grand contentement du valet, la chemise était relevée jusqu'à la taille.

Il pleuvait et une brume épaisse flottait au-dessus des champs. Les oiseaux noirs perchés dans le bosquet étaient immobiles et silencieux. Alma remontait de l'eau du puits et Edvin, debout à côté d'elle, avait le regard perdu dans la brume. Une vache meuglait au loin. Les chaussures à la main, Daniel courut vers la chaleur de l'étable où une des bonnes était en train de traire. Un chat vint se frotter contre ses jambes. Il s'allongea dans le foin et s'y enfonça jusqu'à ce que seul son visage soit visible. Dans la nuit, il avait rêvé que Sanna l'appelait. Il était parti à sa recherche et s'était soudain retrouvé au bord du navire qui tanguait violemment, aux prises avec la tempête. Sanna avait grimpé en haut d'un mât d'où elle lui faisait des signes de la main. Il avait voulu la rejoindre mais quelqu'un l'avait brutalement attrapé par le cou pour le retenir. Il n'y avait pourtant personne derrière lui. C'était le vent qui lui avait bloqué le cou, de sa main invisible.

Daniel entendit le cheval donner des coups de pied dans le box à côté. Il se mit en boule dans le foin pour garder la chaleur de son corps et pour repenser tranquillement à son rêve. Le message était clair : il souhaitait s'approcher de Sanna mais quelque chose ou quelqu'un l'en empêchait.

On était dimanche. Cela signifiait donc que, tout à l'heure, tout le monde allait se préparer pour la messe. Le valet se peignerait avec de l'eau, les bonnes mettraient leurs plus beaux châles et ils partiraient tous ensemble au temple, Edvin et Alma en tête. Sur la route, ils rencontreraient d'autres personnes qui se rendaient au même endroit qu'eux et qui dévisageraient Daniel. Il avait rangé ces gens dans trois catégories : ceux qui étaient curieux, ceux qui ne l'aimaient pas et ceux qui étaient jaloux de l'argent qu'Edvin touchait pour l'héberger.

Dans son homélie, Hallén utiliserait beaucoup de mots que Daniel ne connaissait pas. Alma veillerait à ce qu'il ne s'endorme pas et à ce que les bonnes et le valet participent aux chants. Daniel regarderait l'homme cloué sur les deux planches et suspendu dans le chœur.

Cela faisait déjà deux fois qu'il rencontrait le pasteur, sans pour autant obtenir d'explications sur l'eau. Hallén posait toujours la même question, « A quoi penses-tu ? », et Daniel refusait de répondre de peur que Hallén ne le répète à Edvin. Daniel avait encore du mal à comprendre ce qui était *interdit*, bien que ce mot, comme *Satan* et *autorisation*, parût particulièrement important aux yeux de gens comme Hallén, Edvin et Alma. Tout ce qui se passait entre l'aube et le crépuscule était soumis à l'autorisation et à l'interdiction. Il était interdit de marcher pieds nus quand la terre était blanche, de pisser n'importe où, surtout si quelqu'un vous voyait. Il y avait des règles pour tout et Daniel faisait des efforts pour les apprendre, même si elles n'avaient pas de sens pour lui.

Normalement, Sanna serait aussi au temple. Elle serait assise tout au fond et Daniel savait qu'Alma lui jetterait un regard désapprobateur s'il se retournait pour la voir. Au temple il fallait regarder vers le bas ou devant soi, mais surtout pas derrière, c'était interdit.

Daniel se demanda avec inquiétude si l'homme avait enfermé Sanna. Il l'avait peut-être attachée, comme Père l'avait fait avec lui.

La bonne déplaça bruyamment les seaux pour traire la dernière vache. Elle chantait. Elle n'avait pas une belle voix mais Daniel l'aimait bien. Parfois, elle lui caressait la tête en riant, contrairement à l'autre bonne qui évitait de l'approcher et qui faisait de grands bonds si jamais il lui arrivait de le frôler.

Il sortit du foin et quitta l'étable sur la pointe des pieds. La cour était vide. Il courut vers le petit sentier et fut bientôt englouti par la brume épaisse qu'il tenta de saisir avec ses mains. L'humidité rendait les sons plus intenses. Daniel tourna lentement sur lui-même en tendant l'oreille dans l'espoir d'entendre des tambours. Il eut l'impression de percevoir un rire et le rugissement d'un fauve mais, quand il essaya de les localiser, ils se déplacèrent.

Sur le chemin du retour, il découvrit, juste devant ses pieds, un serpent marron avec des zigzags sur le dos. Daniel s'arrêta net, puis recula d'un pas sans quitter la bête des yeux. Comme elle ne bougeait pas, Daniel crut d'abord qu'elle était morte. Il se rendit vite compte qu'elle était juste engourdie par le froid. Peut-être avait-elle rêvé du soleil et était-elle sortie trop tôt de son hibernation.

Selon Père, il n'y avait pas de serpents vraiment dangereux dans ce pays. Il y avait une espèce venimeuse dont les morsures étaient rarement mortelles. D'après sa description, le serpent qui se trouvait devant lui en faisait partie. Daniel le toucha avec un bâton et constata qu'il bougeait légèrement.

Il lui vint une idée.

Il retourna à l'étable chercher un seau en bois, attrapa prudemment le serpent derrière la tête et le mit dans le seau. Le serpent réagit faiblement. Le contact avec le corps froid fit frissonner Daniel. Il cacha le seau derrière les fourches que le valet utilisait pour le fumier et le recouvrit soigneusement, pour éviter que le serpent ne se sauve après avoir retrouvé sa vitalité grâce à la chaleur.

Puis Daniel rentra à la maison et s'installa devant le feu.

– Tu n'es pas sorti sans chaussures ? demanda Alma.

Daniel fit non de la tête.

– Il apprend vite, constata Edvin en s'étirant. Maintenant c'est l'heure de partir.

Daniel courut à l'étable. Le serpent n'était toujours pas sorti de sa torpeur. Il l'enveloppa dans un vieux sac et le fourra dans la poche de son manteau.

La brume était toujours aussi dense lorsqu'ils arrivèrent au temple. Daniel chercha Sanna du regard tout en surveillant le serpent dans sa poche. Il finit par la découvrir. Elle se tenait derrière l'homme qui l'avait attrapée par les cheveux et elle baissa les yeux en l'apercevant. Elle avait un gros bleu sur la joue et Daniel eut envie de se précipiter sur l'homme pour glisser le serpent sous sa chemise. Même si le serpent n'avait pas la force de lui injecter son venin, l'homme aurait peur. Il comprendrait que quelqu'un était prêt à défendre Sanna, qu'elle n'était pas seule.

Les cloches se mirent à sonner, Daniel essaya de s'approcher de Sanna qui, l'air inquiète, s'écarta en secouant la tête. L'homme la tenait fermement par le bras.

Daniel s'assit entre Alma et Edvin. Le serpent ne bougeait

240

toujours pas, mais Daniel savait qu'il ne fallait pas se fier aux apparences et qu'il pouvait attaquer quand on s'y attendait le moins.

Hallén monta en chaire. Il adressa un sourire à Daniel, qui baissa les yeux, et se mit à parler de la grâce. *La grâce* et *le péché* étaient des mots qu'il utilisait souvent. Daniel s'efforça de l'écouter mais le serpent dans sa poche et l'homme sur la croix lui paraissaient plus importants. Le serpent n'était pas arrivé sur la route par hasard. Quelqu'un l'avait posé là, devant ses pieds. Quelqu'un, qui savait où les serpents se cachaient, avait réussi à le capturer. Qui connaissait mieux les serpents que Be ? Un jour, elle en avait attrapé un qui faisait deux fois la taille de Daniel et qui avait nourri tous les villageois pendant une journée.

Si Be avait posé le serpent sur son chemin un dimanche, cela signifiait qu'elle voulait qu'il soit sacrifié. Il ne pouvait y avoir d'autres explications puisque les gens de ce pays n'en mangeaient pas. Daniel avait déjà élaboré un plan.

Il se tourna de nouveau vers l'homme suspendu dans le chœur. Contrairement à l'antilope, il ne s'était pas arrêté de vivre en plein mouvement. Quelqu'un l'avait cloué sur les planches, lui avait enfoncé une épée dans la poitrine et ensuite seulement la mort était venue le figer. Pour quelle raison étrange les gens d'ici avaient-ils accroché leur dieu sur une croix ? Daniel n'arrivait toujours pas à comprendre. Pourquoi le traitaient-ils en ennemi ? Pourquoi n'y avait-il personne pour le décrocher et pour réparer son genou cassé ?

Son sermon terminé, Hallén descendit. L'assistance se mit debout, fit une prière que Daniel connaissait presque par cœur, et se rassit. Alma garda les yeux fermés pendant que l'orgue jouait un cantique en sifflant et en couinant. Daniel saisit le serpent dans sa poche et jugea le moment propice. Il le sortit prudemment et le cacha derrière ses genoux. Les deux hommes qui faisaient la quête n'allaient pas tarder à arriver. Edvin tenait déjà sa pièce prête dans la main. Quand l'aumônière passa devant Daniel, il y glissa le serpent. Personne ne s'aperçut de rien.

Be était à côté de lui. En fermant les yeux, il pouvait sentir sa respiration sur son cou.

Edvin lui donna un coup de coude.

– Je suis réveillé, dit Daniel. Je crois en Dieu.

Au même instant, un hurlement retentit dans le temple. Hallén, agenouillé devant l'autel, sursauta et se leva. Un des quêteurs accourut dans l'allée centrale en criant :

– Il y a une vipère dans l'aumônière !

Il la tendit à Hallén. L'organiste cessa de jouer. Suivit un grand silence. L'homme lâcha l'aumônière, et le serpent, sorti de son engourdissement, s'en échappa et rampa sur le sol.

– C'est lui qui l'a mis ! cria l'homme en pointant son doigt vers Daniel. J'ai vu un chiffon et j'ai cru qu'il y avait de l'argent dedans. Et c'était un serpent !

Le ventre de Daniel se noua. Il n'avait pas prévu une telle réaction. Au contraire, il avait pensé faire plaisir en capturant un serpent venimeux et en le sacrifiant.

Le serpent avançait lentement. Les gens se précipitèrent vers la sortie. Un homme, un vieux matelot, le coupa en deux avec une pelle. Daniel s'attendait à ce que les deux parties s'agitent et fouettent l'air, mais elles bougèrent seulement un peu avant de rester inertes. Hallén descendit de l'autel et s'arrêta devant Daniel.

– C'est toi qui as mis le serpent dans l'aumônière ?

Au lieu de répondre, Daniel enleva ses chaussures. Il s'apprêtait à s'en aller en courant.

– Réponds, dit Edvin. Le pasteur t'a posé une question.

Daniel tenta de se sauver mais Edvin le rattrapa.

– Il faudra l'emmener dans la sacristie, dit Hallén.

Edvin le tenait d'une main ferme. Il lui ordonna de se calmer quand Daniel voulut le mordre pour se libérer. Le quêteur, qui l'avait dénoncé, le saisit par les jambes et les blo-

242

qua si fort que Daniel poussa un cri de douleur. Il réussit cependant à donner un coup de pied au visage de l'homme qui se mit à saigner du nez. Edvin ne lâcha prise que lorsqu'ils furent à l'intérieur de la sacristie. Alma fit une tentative pour les suivre, mais Hallén lui demanda d'attendre dehors.

– Je n'ai pas vu de serpent, dit-elle. C'était forcément quelqu'un d'autre.

– Il ne va pas tarder à avouer.

– Il ne faut pas lui faire de mal.

Hallén repoussa Alma sans répondre et ferma la lourde porte.

– Lâchez-le et donnez-lui une bonne gifle, dit Hallén. Ça va le calmer.

Edvin frappa avec une telle force que Daniel tomba à la renverse. Sa joue était en feu et son œil se mit à couler.

Hallén se pencha sur lui en soufflant comme s'il avait couru.

– C'est toi qui as mis le serpent dans l'aumônière ?

Daniel imagina que Hallén était un fauve et qu'il fallait à tout prix éviter de croiser son regard. Il se tourna vers la fenêtre et aperçut, de l'autre côté, le visage de Sanna, le nez aplati contre le carreau.

Pour la première fois depuis le départ de Père, il sentit qu'il n'était pas seul. Cela lui procura la même sensation de force que la présence de Be et de Kiko lorsqu'il était petit. « Un être seul n'est pas un véritable être humain. » C'était la première chose qu'il avait apprise. Sanna était là, elle partageait sa douleur et il n'avait plus peur de rencontrer les yeux de Hallén.

– J'ai fait un sacrifice aux dieux.

La réponse de Daniel frappa Hallén en plein cœur. Il se leva d'un bond.

– Le serpent était une offrande ? s'exclama-t-il. Aujourd'hui, la collecte était justement destinée à la Mission en Afrique, poursuivit-il en regardant Edvin, et ce petit monstre noir a eu le culot de mettre un serpent dans l'aumônière.

– Il ne savait pas à quoi servirait l'argent.

– Il a mis un serpent dans l'aumônière !

Hallén parlait très fort, comme s'il était en chaire, en train de s'adresser aux paroissiens.

– Il ne comprend sans doute pas, insista Edvin.

– Un serpent dans l'aumônière ! C'est non seulement une offense, mais une honte pour toi et Alma qui n'avez pas réussi à lui apprendre l'essentiel. Il n'a même pas de chaussures alors qu'on est en hiver. Il est pieds nus au temple. Et vous, vous permettez ça !

– Il avait des chaussures aux pieds quand nous sommes arrivés, dit Edvin, en s'efforçant de se tenir bien droit pour répondre. Il a dû se déchausser depuis.

– J'ai pourtant essayé, fit Hallén, l'air résigné. Je lui ai parlé à plusieurs reprises mais il ne dit rien. Il ne parle que de l'eau.

Daniel était assis par terre et regardait Sanna. Chaque fois qu'Edvin ou Hallén se tournaient vers la fenêtre, son visage s'effaçait pour réapparaître aussitôt.

– Dimanche prochain, il fera des aveux complets devant tout le monde, dit Hallén. Il demandera pardon.

– Il faut bien admettre qu'il ne comprend pas, fit remarquer Edvin. Il vient d'un endroit où il n'y a que du sable. Ici nous avons de la terre grasse. Ça change peut-être la manière de penser.

Edvin a raison, se dit Daniel. Il a même mieux compris que Père.

– Je ne vois pas le rapport entre le sable, la terre et les serpents, s'opposa Hallén. Il faut qu'il apprenne la discipline. C'est vrai qu'il vient d'un désert, mais la Mission a prouvé que l'on peut rendre les gens civilisés. Le premier pas à faire dans cette voie, c'est se confesser et demander pardon.

– Je vais essayer de lui parler mais j'aurai certainement besoin de votre aide, dit Edvin.

– Je lui parlerai. Demain. Vous pouvez partir maintenant.

Alma les attendait dans l'allée centrale. L'homme qui avait reçu le coup de pied au visage était allongé sur un banc, un mouchoir sur le nez pour arrêter le saignement.

Le serpent n'était plus là.

– Les chaussures, rappela Edvin.

Alma alla récupérer les sabots. Daniel s'inclina et remercia avant de les enfiler.

– Hallén l'a frappé ? demanda Alma en voyant la joue de Daniel.

– Non. C'est moi, dit Edvin.

– C'était vraiment nécessaire ?

– Comment savoir ce qui est nécessaire ou non ? Comment arriver à comprendre ce qu'on ne comprend pas ? Où sont les bonnes et le valet ?

– Je les ai renvoyés à la maison.

– Et le parvis est comment ?

– Plein de curieux, j'imagine.

– Dans ce cas, ça va être le supplice des baguettes, s'exclama Edvin en jetant sa casquette par terre et en s'asseyant lourdement.

Alma le regarda avec étonnement, tout en caressant les cheveux de Daniel.

– Nous n'avons rien à nous reprocher.

– Je suis tellement en colère que j'ai peur d'avoir envie de les frapper.

– Il y a eu suffisamment de violence aujourd'hui. Nous avons tout de même le droit de rentrer chez nous sans nous cacher.

Edvin hésitait, Daniel s'impatientait. Il lui tardait de retrouver Sanna. Même s'il ne pouvait pas lui parler, il voulait voir son visage.

Alma le prit par la main.

– Allons-y, dit-elle. Et toi, Edvin, tu restes ou tu viens, comme tu veux.

Edvin lui jeta un regard suppliant.

– Qu'est-ce qu'on va faire ? On a peut-être eu tort de le prendre chez nous.

– On verra ça plus tard. Maintenant, on rentre.

Edvin ramassa sa casquette. L'homme sur le banc se redressa, le mouchoir appuyé sur le nez.

– Il m'a cassé l'os, grommela-t-il.

– Il y a un médecin à Simrishamn, dit Alma. Si vous n'aviez pas fait tant de boucan tout à l'heure, rien de tout ça ne serait arrivé.

C'était la première fois que Daniel entendait Alma s'exprimer avec autant de fermeté. L'homme se tut et s'allongea de nouveau.

Le parvis était effectivement plein de monde. Edvin poussa un soupir et Alma eut du mal à respirer. Les gens s'écartèrent en silence pour leur laisser le passage. Alma menait la marche. Daniel s'inquiéta de ne voir Sanna nulle part. Peut-être avait-il seulement imaginé qu'elle était derrière la fenêtre ?

Il finit cependant par la découvrir perchée sur le mur qui entourait le temple. Elle lui fit un signe de la main. Daniel voulut lui répondre, mais Alma l'en empêcha. Edvin les suivait d'un pas lourd et ne les rattrapa que lorsqu'ils eurent atteint la route.

– Tu as vu ? dit-il.

– Oui, j'ai vu, répondit Alma. Et j'ai senti. Mais ça m'est égal. Ce qui m'importe, c'est de savoir pourquoi Daniel a agi ainsi.

Edvin s'arrêta.

– Une vipère en plein hiver ! Je me demande comment c'est possible.

– Je n'en sais rien, dit Alma. Mais je ne veux plus que tu frappes Daniel.

Daniel s'interrogea sur ce qui s'était passé. Sanna pourrait sans doute lui fournir une réponse.

Petit à petit, il sentit la joie l'envahir. Il y avait quelqu'un qui rendait sa solitude moins lourde. Quelqu'un qui était capable de le comprendre.

Il repensa à la surface de l'eau qui devrait s'habituer à ses pieds.

Soudain, il eut une certitude.

Sanna saurait lui montrer où se trouvait la mer.

24

Le lendemain de l'incident au temple, une violente tempête souffla sur la plaine scanienne. Daniel se réveilla quand il entendit Edvin venir chercher le valet. Le vent était une menace pour le toit de chaume de l'étable et il lui fallait un coup de main. Alma, une bougie à la main, demanda aux bonnes de s'occuper des animaux affolés. Elle se pencha sur Daniel qui faisait semblant de dormir.

– Moi, tu ne me trompes pas, dit-elle. Je sais que tu es réveillé.

Daniel ouvrit les yeux.

– Tu as peur de la tempête ?

Daniel fit non de la tête.

– Je voudrais pouvoir t'aider, dit-elle, mais comment aider quelqu'un qu'on ne comprend pas ?

Le vent se déchaînait sur les murs de la maison. Il passait à travers les vieilles fenêtres.

– Le ciel est inquiet, expliqua Alma.

Daniel s'apprêtait à quitter son lit.

– Tu n'as pas besoin de nous aider. Tu es trop petit.

Derrière ses yeux mi-clos, Daniel regarda Alma s'affairer devant la cuisinière. Un instant, il crut voir Be et chuchota son nom. Le bruit du vent l'empêcha d'entendre sa réponse.

La tempête n'avait rien perdu de sa force le jour suivant. Elle soufflait en rafales, déchiquetant les nuages qui traversaient le ciel à vive allure. Edvin et le valet se démenaient pour maintenir le chaume en place. Les animaux étaient trop agités pour que Daniel ait le droit d'entrer dans l'étable et le vent était trop fort pour qu'on l'oblige à aller au temple. Hallén avait fait savoir qu'il attendrait la fin de la tempête pour le recevoir. Daniel remarqua qu'un des arbres au milieu du champ avait été déraciné. Les oiseaux noirs croassaient. Il lui sembla qu'ils dessinaient des signes dans le ciel et il essaya de les déchiffrer, en vain.

Edvin était descendu du toit pour pisser.

– Alma m'a dit que tu n'avais pas peur de la tempête, dit-il en passant devant Daniel.

– Non, je n'ai pas peur.

Edvin lui caressa maladroitement la joue qu'il avait frappée.

– Jamais plus je ne te ferai de mal. Même si Hallén me le demande.

Daniel savait qu'il disait vrai. Si jamais il lui arrivait de lever de nouveau la main sur lui, le coup resterait dans son bras sans l'atteindre.

Daniel courut vers la colline en écartant les bras pour que son manteau forme une voile. Quand Kiko lui avait dit qu'un homme ne peut pas voler, Daniel avait cru sentir un soupçon de doute dans sa voix. Il enleva ses sabots et voulut se laisser porter par le vent, mais ses pieds continuaient à buter contre le sol.

Sanna n'était pas sur la colline et le chemin en bas était vide. L'homme l'avait peut-être attachée, comme le faisait Père ? Si le lendemain elle n'était toujours pas là, il partirait à sa recherche.

Il retourna dans la cuisine, attrapa son abécédaire et récita les lettres à voix haute. Kiko et Be dessinaient des signes dans le sable, des visages et des chemins, jamais des mots. Daniel s'agenouilla sur la banquette devant la fenêtre et essaya de reproduire le visage de Be sur le carreau embué. Mécontent du résultat, il l'effaça aussitôt, souffla sur la vitre et recommença sans y parvenir.

249

A la place, il se mit à dessiner l'antilope. Son doigt devint le bout de bois qu'utilisait Kiko. Mais la surface était trop différente de la paroi rocheuse. Il s'énerva et faillit donner un coup de poing dans le carreau.

Le lendemain, le vent avait molli. Le toit de l'étable était sauvé. Daniel se rendit au temple dès sept heures. La porte de la sacristie était fermée. Il frappa. Invité par la voix de Hallén, il ouvrit, s'arrêta sur le seuil et s'inclina. Le pasteur était assis sur une chaise au milieu de la pièce. Il lui fit signe de s'approcher.

– Tu as tué un porcelet avec ton sabot, commença-t-il, et tu as mis un serpent dans l'aumônière. Pour moi, cela signifie que tu es encore un sauvage. Visiblement, il te faut du temps pour te comporter en être humain. Je vais faire preuve de patience. Sache cependant qu'elle aura des limites. Si tu te montres obéissant, on sera bon avec toi. Sinon, tu seras puni. M'as-tu compris ?

Daniel acquiesça.

– Je veux t'entendre le dire.

– J'ai compris.

– Qu'est-ce que tu as compris ?

– Qu'il faut porter des chaussures quand la terre est gelée, qu'il ne faut pas tuer le cochon, qu'il ne faut pas mettre un serpent dans l'aumière.

– On dit « les cochons » et « l'aumônière ».

– « On dit les cochons et l'aumière. »

– L'aumônière. Allons voir Jésus, dit Hallén en se levant.

Pour la deuxième fois, ils se trouvaient ensemble devant la table de communion. Un rayon de soleil faisait briller le regard de l'homme cloué. Daniel reconnut l'étincelle qu'il avait vue dans l'œil de l'antilope.

– Jésus a sacrifié sa vie pour toi, dit Hallén. Pour devenir un véritable être humain, il faut croire en lui. Il faut également ment savoir comment se comporter.

– Ça doit faire mal, dit Daniel.

– Mal ?

Hallén le regarda, intrigué.

– D'être cloué sur une planche.

– Bien entendu que ça fait mal. Sa souffrance a été épouvantable.

– Je voudrais bien apprendre à marcher sur l'eau, dit Daniel.

– Aucun être humain ne peut marcher sur l'eau. Jésus était le fils de Dieu. Lui seul pouvait le faire.

Daniel savait que l'homme à côté de lui se trompait, mais il n'osa pas le contredire. La gifle d'Edvin lui brûlait encore la joue.

– Dimanche prochain, tu viendras ici, poursuivit Hallén. Et devant tous les paroissiens, tu demanderas pardon d'avoir péché contre la Sainte Église. Tu comprends ce que je viens de dire ?

– Moi aussi, on va me clouer sur des planches ? demanda Daniel, terrifié.

Hallén empoigna le col de Daniel et leva la main, sans frapper.

– Tu te permets de te comparer au Rédempteur ? Tu te permets de te comparer à l'homme qui s'est chargé de nos péchés ?

Hallén lâcha Daniel et s'écarta comme s'il ne supportait pas sa présence.

– J'oublie que tu es encore un sauvage. Tu as beaucoup de chemin à faire et nous allons progresser ensemble. A présent, tu peux t'en aller mais je veux que tu reviennes demain.

Daniel était pétrifié. Ce ne fut que lorsque Hallén disparut derrière le tableau du retable qu'il trouva la force de se précipiter hors du temple. Trempé de sueur, il se réfugia en haut de la colline. Dimanche, c'était dans cinq jours. Il serait alors cloué sur des planches. Il fallait retrouver la mer d'ici là. Il fallait qu'il apprenne à marcher sur l'eau et qu'il se cache en attendant. Il appela Kiko et Be de toutes ses forces. Pour toute réponse, il n'entendit que les croassements inquiets des oiseaux noirs.

Il s'effondra puis s'accroupit, la tête entre les genoux. Il faisait froid et la longue course l'avait épuisé.

Quand il se réveilla, Sanna était là.

– Je t'ai entendu appeler, dit-elle. Pourquoi dors-tu ici ? Tu vas mourir de froid.

Daniel ne savait pas combien de temps il avait dormi. Il avait rêvé qu'il était accroché sur deux planches croisées. C'était le valet qui avait enfoncé les clous. Les bonnes avaient dormi à ses pieds, la couverture remontée jusqu'au cou.

– Ils vont m'accrocher, dit-il.

– Qu'est-ce que ça veut dire ?

– Ils vont me clouer sur des planches et me mettre dans le temple.

– Qui t'a dit ça ? fit Sanna, incrédule.

– Hallén.

– Le pasteur te clouerait sur des planches ? Il n'a pas le droit. C'est interdit. On peut couper la tête des gens mais pas les clouer sur des planches.

– Il l'a dit.

– C'est peut-être autorisé pour les Noirs, dit-elle, pensive, en mordillant ses lèvres. On a peut-être le droit de clouer des gens comme toi.

Puis elle poussa un cri si fort que les oiseaux s'envolèrent des arbres.

– Je ne le veux pas !

– Je vais m'en aller.

– Pour aller où ? Ils vont te rattraper.

– Je vais me cacher.

– Tu es noir. Tu ne peux pas te cacher.

– Je vais me rendre invisible.

Sanna se remit à mordiller ses lèvres en réfléchissant.

– Tu en es capable ?

– Je ne sais pas.

Elle s'assit tout près de lui et prit sa main.

– Si tu cries quand ils t'accrocheront, je te promets de crier, moi aussi. Tu auras peut-être un peu moins mal.

– Merci.

– On ne pourra pas te laisser très longtemps dans le temple. Toi, tu es un être humain et les êtres humains sentent mauvais après la mort. J'irai mettre des fleurs sur ta tombe.

– Merci.

Sanna garda le silence un bon moment. Daniel se demanda s'il devait attendre ou partir dès cette nuit. Il savait que Sanna n'oserait pas venir avec lui et qu'elle n'était pas assez patiente pour apprendre à marcher sur l'eau. Mais il avait besoin de partager ses pensées avec quelqu'un. Peut-être pourrait-elle l'aider en mettant ceux qui partiraient à sa recherche sur une mauvaise piste.

Il lui expliqua qu'il avait décidé d'apprendre à marcher sur la surface de la mer pour rentrer chez lui. Sanna l'écouta, bouche bée.

– Tu es fou, finit-elle par dire. Je ne comprends pas la moitié de ce que tu dis, mais je comprends que tu es aussi fou que moi.

– C'est quoi, « fou » ?

– Être comme moi. Je suis bête. Je ne comprends pas ce que les gens me disent. Je ne suis pas capable d'apprendre à lire et à écrire. Parfois ils me disent que je suis stupide, parfois attardée. Mais je ne suis pas suffisamment folle pour être enfermée dans une maison de fous.

– Pourquoi ton père t'a tirée par les cheveux ?

Sanna lui pinça le nez si fort qu'il en eut les larmes aux yeux.

– Ce n'est pas mon père. Mon père est mort. Ma mère aussi. J'habite chez ces gens-là parce que j'ai été vendue aux enchères.

Daniel ne comprenait pas.

– C'est le frère de ton père ?

253

– Il s'appelle Hermansson et il met sa main sous ma jupe quand Elna ne le voit pas. La nuit, il vient me toucher sous la couverture. Je ne veux pas mais il m'ordonne de me taire. Sinon, il me mettra dans une maison de fous où je passerai les journées dans une baignoire d'eau froide.

Daniel ne comprenait pas le sens de ses mots mais la douleur qu'il lisait sur son visage lui rappelait la sienne. Il se souviendrait d'elle quand il serait chez lui. Il rêverait d'elle la nuit.

– Je vais graver ton visage dans le rocher, dit-il. A côté de l'antilope.

– C'est quoi ?

– Un animal.

Daniel se leva, mit ses bras au-dessus de sa tête pour imiter les cornes du kudu.

Sanna éclata de rire.

– On dirait un animal.

– L'antilope est un animal.

– Oui, mais toi, tu es un être humain même si tu es aussi fou que moi.

Tout en parlant, elle balayait les environs du regard. Soudain, elle s'arrêta et pointa son doigt vers quelque chose.

– Il y a quelqu'un sur la route.

C'était Edvin.

– Je vais revenir ce soir, dit Daniel. Je veux te revoir avant de m'en aller.

– Mais ils vont te trouver ! Ils vont mettre les chiens à tes trousses.

– Ils ne me trouveront pas.

Sanna dévala la colline. Daniel alla à la rencontre d'Edvin.

– Avec qui parlais-tu ?

– Personne.

– Inutile de me mentir. C'était Sanna ?

Daniel ne répondit pas.

– Le docteur Madsen est là, dit Edvin. Il est accompagné de deux messieurs de Lund. Ils veulent te rencontrer.

254

LE FILS DU VENT

Daniel se figea.

– N'aie pas peur. Ils veulent seulement te dessiner et écrire un livre sur toi.

Les deux hommes qui l'attendaient dans la cuisine étaient jeunes. Ils se levèrent, lui serrèrent la main et le regardèrent avec gentillesse. Daniel remarqua que leur curiosité était bienveillante et sans crainte. Ils se présentèrent. Le plus petit s'appelait Fredholm. Il était pâle et avait les cheveux jaunes. Le plus grand était chauve et avait une grosse moustache. Il s'appelait Edman. Le docteur Madsen, que Daniel redoutait depuis que Père avait disparu par sa faute, s'accroupit devant lui.

– MM. Fredholm et Edman sont étudiants, expliqua-t-il. Tu sais ce que c'est, « étudiant » ?

Daniel secoua la tête. Il ne voulait pas utiliser trop de mots devant le docteur Madsen, de peur de trahir ses pensées. Il ne voulait pas que le docteur Madsen découvre ses projets.

– Ils font des études à l'université de Lund, poursuivit le docteur. Tu ne sais probablement pas ce que c'est non plus. Mais tu connais la ville et tu as certainement entendu dire que l'on y va pour acquérir des connaissances. Il y a un professeur de biologie qui s'appelle Holszten et qui étudie les humains. Il cherche à expliquer pourquoi nous sommes différents. Pourquoi certaines races seraient inférieures, pourquoi d'autres seraient condamnées à disparaître et d'autres encore destinées à survivre. Il veut décrire ce qui différencie les races de façon notable. C'est le professeur Holszten qui envoie ces messieurs. Les résultats seront publiés dans un nouveau magazine consacré à la biologie humaine.

Le docteur Madsen quitta la cuisine, suivi d'Alma et d'Edvin. L'homme qui se nommait Edman, celui qui était chauve, sortit un bloc à dessin et se mit aussitôt à l'œuvre. Daniel eut envie de rire en le voyant dessiner sa tête mais il sentit qu'il devait se retenir. Il n'arrivait pas à comprendre l'importance qu'il y avait à mesurer son nez et l'écartement de ses yeux.

Les deux hommes lui rappelaient Père. Ils se consacraient à des actions incompréhensibles. Père avait déjà failli perdre la vie dans le désert quand il était parti à la recherche de scarabées et de papillons. Et maintenant il avait devant lui deux adultes qui mesuraient son nez avec le plus grand sérieux.

– Je me demande ce qu'il pense, dit Edman en changeant de position pour dessiner le profil gauche de Daniel.

– S'il pense…, répondit Fredholm en notant la longueur de l'oreille gauche.

– Cela procure une sensation étrange de se trouver devant quelqu'un qui appartient à une espèce en voie de disparition. Est-il conscient lui-même de ce qui l'attend ?

Daniel, préoccupé par une nouvelle idée, les écoutait d'une oreille discrète. Ils sauraient peut-être lui dire où se trouvait la mer ? Ils étaient seuls dans la pièce. Alma et Edvin ne seraient pas au courant de sa question. Il fallait la formuler correctement pour éviter qu'ils ne devinent ses intentions. Il décida d'attendre la fin de leur travail.

– Ouvre la bouche, dit Fredholm.

Daniel s'exécuta.

– Tu as vu ses dents ! Pas un trou. Pas un ver.

– Ce sont les bactéries qui provoquent les caries. Mais si ses dents paraissent si blanches, c'est à cause du contraste avec sa peau noire.

– Solides comme celles d'un fauve, constata Fredholm en tirant dessus. Si jamais il les plante dans ta main, ça te fera l'effet d'une morsure d'un chat furieux.

C'était la deuxième fois que Daniel se faisait examiner sous toutes les coutures. Il se demanda si c'était dans les habitudes des gens de ce pays d'agir ainsi avec les visiteurs.

Fredholm prit de nouvelles mesures. Il tira sur les lèvres de Daniel. Ça faisait mal mais il ne laissa rien paraître.

– Un jour j'ai dessiné la tête d'un renard décapité. Il avait probablement attrapé la rage. J'éprouve le même sentiment qu'alors. Comme si je reproduisais un animal.

Fredholm se moucha, puis demanda à Daniel de lever le bras. Il renifla son aisselle.

– Je ne sens aucune différence.

– Entre quoi et quoi ?

– Entre mon odeur et celle du garçon. Il faut veiller à ne pas déformer la vérité.

– Dans ce cas, je note qu'il a la même odeur qu'un être humain.

Edman éclata de rire.

– Mais *c'est* un être humain.

– En voie de disparition.

Fredholm posa le centimètre et s'assit sur une chaise.

– Imaginons que ce garçon ait quelques années de plus et qu'il s'accouple avec une petite fermière bien rose.

– C'est repoussant.

– Mais supposons. Quel serait le résultat ?

– Un mulâtre. A l'intelligence réduite. Holszten a déjà fait un travail là-dessus.

Fredholm cura sa pipe avant de l'allumer à nouveau.

– Et si tout cela était faux, dit-il. Si le point de départ de notre raisonnement n'était pas correct. Ça nous mènerait où ?

– Pourquoi ne serait-il pas correct ?

– Si la religion chrétienne disait la vérité ? Si tous les hommes étaient égaux ?

– Des espèces animales disparaissent bien. Pourquoi pas des espèces humaines moins réussies ?

– J'ai l'impression qu'il écoute tout ce que nous disons.

Edman reposa son bloc à dessin.

– C'est possible. En tout cas, il ne comprend pas ce qu'il entend. Si tu as fini, j'aimerais bien quitter cette pièce. Ça sent le renfermé.

Fredholm haussa les épaules.

– J'avoue qu'il ressemble à un singe. Mais je ne peux pas me défaire de l'idée qu'il s'agit d'un être humain et qu'il n'a pas l'air d'appartenir à une espèce en voie de disparition.

– Tu en discuteras avec Holszten. Il ne supporte pas d'être

LE FILS DU VENT

contredit. Selon lui, la biologie raciale fait partie du futur. Celui qui ne suit pas le même chemin que lui doit en découvrir d'autres.

Fredholm rangea ses instruments de mesure dans un petit sac sans faire de commentaire.

– Où se trouve la mer ? demanda Daniel.

Les deux hommes le regardèrent d'un air interrogateur.

– Il a dit quelque chose ? demanda Fredholm.

– Il parle de la mer.

– Où se trouve la mer ? répéta Daniel.

– Par là, c'est Simrishamn, indiqua Edman en souriant. Par là, Ystad. Par là, Trelleborg, et par là, c'est Malmö. La mer t'entoure comme un fer à cheval. A l'est, au sud et à l'ouest. Mais au nord, il n'y a que de la forêt.

Sans chercher le pourquoi de sa question, les deux hommes ramassèrent leurs affaires et ouvrirent la porte de la pièce où attendaient le docteur Madsen, Edvin et Alma.

– J'espère que cinq rixdales suffiront, dit le docteur Madsen en posant un billet sur la table.

– C'est plus que suffisant, acquiesça Edvin.

Le couple accompagna ensuite les trois hommes à leur voiture.

Daniel resta debout au milieu de la cuisine. Il ferma les yeux et il lui sembla entendre le bruit des vagues.

A présent, il savait quelle direction prendre.

25

Daniel s'en alla deux jours plus tard, peu après minuit, quand il fut certain que tout le monde dormait. Il s'habilla et quitta la cuisine, les sabots à la main. Dans un baluchon, il avait mis ce qui restait du sable qu'il avait trouvé dans les caisses d'insectes de Père, quelques morceaux de pain et quelques pommes de terre. Dans la cour, la rudesse du froid le saisit et le fit hésiter. Allait-il survivre à sa marche vers la mer ? Il ignorait aussi bien la vraie distance à parcourir que l'aspect du terrain. Peut-être y avait-il des montagnes et des marécages de l'autre côté de la plaine ? L'appel de Be et de Kiko le poussa à partir. Il mit l'écharpe autour de sa tête et partit. Le temps était couvert mais calme. Il avait décidé de prendre la direction du sud. La nuit précédente, il avait repéré une étoile qui l'aiderait à maintenir le cap. Il s'engagea d'abord sur le chemin qui passait devant la maison de Sanna, mais, surpris par l'aboiement d'un chien, il dut sauter rapidement dans un champ. A chaque respiration, il avait l'impression que le froid lui arrachait les poumons.

Sanna était au courant de sa décision. Il lui en avait parlé en haut de la colline pendant qu'elle cherchait des gens invisibles dans la terre. Elle lui avait dit à nouveau qu'il était fou, qu'il allait se faire rattraper et ramener à la maison. Quelqu'un qui devait être accroché sur une croix ne pouvait pas se sauver aussi facilement. Il avait estimé que ce n'était pas la peine de lui proposer de l'accompagner. Il l'avait regardée dévaler la colline et disparaître en s'imaginant lui-même s'enfoncer dans la nuit.

Demain matin, Edvin et Alma trouveraient son lit vide. Il avait répandu un peu de sable pour leur faire croire que c'était lui qui s'était transformé en grains de sable.

Il faisait nuit noire, l'air glacial lui écorchait la poitrine. Il suivit le petit chemin qui serpentait entre les champs. Au moins, la terre gelée ne collait pas à ses semelles. De temps en temps, il s'arrêtait pour reprendre son souffle, mais il avait si froid qu'il était obligé d'écourter les pauses.

La traversée de la plaine lui parut interminable. Devenu insensible au froid, il avançait dans un état second. Il savait qu'il fallait qu'il tienne jusqu'à l'aube. S'il s'arrêtait avant, l'obscurité l'engloutirait et, au retour du soleil, il ne resterait de lui qu'un corps raide, sans vie. Au lever du jour, il trouverait un endroit pour se réchauffer et pour dormir. Tout au long de cette nuit sans fin, il portait Be et Kiko en lui, eux aussi transis de froid. Parfois il tendait ses bras vers Kiko pour lui demander de le porter, mais Kiko secouait la tête et lui disait qu'il devait avancer tout seul.

L'aube arriva.

Il se mit à neiger. D'abord quelques flocons épars qui s'épaississirent rapidement et limitèrent sensiblement sa visibilité. Du milieu du champ où il se trouvait, il repéra au loin une maison entourée d'arbres. Aucune trace de la mer. En haut d'une petite colline, il distingua un moulin à vent en ruine. Les ailes pendaient des murs en partie effondrés comme les restes d'un oiseau mort. Il décida de s'y rendre. A présent, le champ était blanc et ses pieds laissaient derrière eux des traces bien nettes. Il grimpa jusqu'au moulin. Un renard se sauva à toute vitesse. Il s'enveloppa dans quelques vieux sacs qui traînaient par terre et se recroquevilla contre le mur dans un coin abrité par un petit bout de toiture. Il avala un morceau de pain et une pomme de terre, s'étonnant de ne pas avoir soif. S'il avait marché toute une nuit dans le désert, il n'aurait pas eu faim, mais soif.

Les sacs lui procureraient-ils suffisamment de chaleur pour l'empêcher de mourir de froid ? Pendant qu'il essayait d'évaluer le danger, il s'endormit. Kiko était comme d'habitude couché à sa gauche, un bras sous la tête. Be se trouvait quelque part derrière lui. Il n'avait pas besoin de la voir pour savoir qu'elle s'était mise en boule, les mains serrées contre son ventre.

Il rêvait que son cœur battait moins vite. Dans un sursaut d'énergie, il réussit à sortir de son rêve, tremblant de froid. Il ignorait pendant combien de temps il avait dormi. Il fut surpris de s'apercevoir qu'il pleurait. Jamais auparavant il n'avait pleuré pendant son sommeil.

Il eut d'abord du mal à se situer. Il neigeait encore. Il se leva avec difficulté. Comme il n'arrivait pas à voir la position du soleil, il tenta de se faire une idée de la durée de son sommeil en évaluant l'épaisseur de la couche de neige. Il mit une poignée de neige dans sa bouche et sentit qu'il avait très soif.

Avant de quitter le moulin, il déchira les sacs et les fourra dans son pantalon et dans ses chaussures. Puis il reprit sa marche vers le sud.

Il n'avait pas assez de forces pour supporter une nuit de plus dans des conditions aussi difficiles. Il avait besoin de repos et de chaleur pour ne pas mourir. Juste avant le crépuscule, il atteignit une ferme composée de deux grandes étables et d'une maison en brique rouge surmontée d'une tour. Il se cacha dans le champ derrière quelques blocs de pierre et attendit. Il entendit des éclats de voix et le bruit de seaux qui s'entrechoquaient. Puis, à l'abri de l'obscurité, il s'approcha d'une des étables. Il découvrit une ancienne rigole à purin qu'il emprunta pour se glisser à l'intérieur. Il y avait beaucoup de vaches. Certaines furent perturbées par sa présence. Une délicieuse odeur lui chatouilla le nez et, dans le noir, il réussit à trouver un seau avec un fond de lait qu'il but d'un trait. Il repéra un deuxième seau qu'il vida aussi. Il se tenait constamment aux aguets bien qu'il n'y ait aucune trace humaine. Il s'allongea dans le foin à côté de la vache qui se trouvait le plus près de la rigole à purin. Il sentit son haleine chaude contre sa peau quand elle renifla son visage. Il mangea la pomme de terre et le pain qui lui restaient avant de s'enfoncer dans le foin. Progressivement, la température de son corps remontait. Il n'allait pas mourir de froid cette nuit.

Il fut réveillé par un cri. Pendant son profond sommeil, il n'avait pas entendu les trayeuses arriver avec leurs seaux. Une fille maigre au visage marqué par la petite vérole se tenait devant la stalle en hurlant. En le voyant reprendre ses esprits, elle se sauva en jetant son seau. Il ressortit par la rigole à purin et partit en courant à toutes jambes. Le froid s'était intensifié et la neige avait cessé de tomber. Daniel glissa, se releva et reprit sa course, craignant à chaque instant d'entendre des cris et des aboiements derrière lui. Il escalada une petite côte en se disant qu'il serait en sécurité de l'autre côté. Arrivé en haut, il fit une découverte inespérée. Là-bas, au loin, il y avait la mer ! Un regard rapide derrière lui l'assura qu'il n'était pas suivi. Les champs étaient vides.

Au bout d'un moment, il se trouva sur une grande route. De nombreuses cheminées d'où sortait de la fumée se dressaient devant lui. Peut-être était-ce la ville où il avait débarqué avec Père. En voyant deux attelages venir dans le sens inverse, il se cacha dans le fossé. Le cocher du premier somnolait. Une femme tenait les rênes du deuxième. C'était peut-être Be qui s'était déguisée pour lui faire comprendre qu'il avait pris le bon chemin ?

Le soir, il s'était suffisamment approché de la ville pour constater qu'il n'y avait pas de rues pavées comme dans celle où Père l'avait emmené. Les chemins qui desservaient les petites maisons basses étaient boueux et étroits mais, chose importante, il y avait un port dans lequel étaient amarrés plusieurs navires. S'il montait à bord de l'un d'entre eux, il n'aurait pas besoin d'apprendre à marcher sur l'eau.

La faim torturait son estomac. Il tenta d'imaginer ce qui se passerait quand Alma et Edvin s'apercevraient de sa disparition. Alma croirait peut-être à son simulacre avec le sable dans son lit mais Edvin était moins crédule. Ils commenceraient par le chercher, puis, au bout d'un jour et deux nuits, ils le considéreraient comme mort, enseveli sous la neige.

Le vent se leva de nouveau à l'approche de la nuit. Daniel eut peur que les navires s'en aillent sans qu'il ait eu le temps de monter à bord. Il fila vers le port en contournant les maisons. Les coques des bateaux frottaient contre le quai. Il n'y avait aucune lumière dans les cabines. Où étaient donc les matelots ?

Le quai était désert. Une seule fenêtre, dans une maison située au bout du quai, était éclairée. Sa déception était de plus en plus grande. Pour quelle raison ces navires restaient-ils là, comme des animaux morts ? Pourquoi n'y avait-il pas de matelots qui attendaient l'aube pour hisser les voiles ?

Les nuages avaient commencé à se dissiper. Guidé par la lune, Daniel s'arrêta devant le plus gros navire, enjamba le bastingage et retrouva la sensation des mouvements du pont sous ses pieds. Soudain il crut voir Père parmi les ombres et eut peur qu'il ne le ramène auprès d'Alma et d'Edvin. Mais, en réalité, il n'y avait personne. Il était seul à bord. La faim le tenaillait. Il fallait trouver quelque chose à manger pour pouvoir réfléchir. Il frappa à la porte de la cabine sur le pont arrière. Pas de réponse. Il appuya sur la clenche. La porte n'était pas verrouillée. Une odeur de vêtements mouillés l'accueillit. Il alluma une bougie posée sur une table et ferma les rideaux des hublots. Sur la table, il y avait également du beurre, un panier avec du pain dur et une bouteille qui contenait ce que buvait Père et qui s'appelait *bière*. Il étala le beurre sur le pain avec ses doigts et vida la bouteille. La boisson était amère. Repu, il éteignit la bougie et s'assit sur la couchette derrière la table. Dans le noir, il entendait toutes les voix qui l'entouraient. Il sentait les corps et leur respiration.

– Qu'est-ce que je dois faire ? chuchota-t-il.

Mais le souffle du vent et le bruit des écoutes contre le mât couvraient les réponses.

Il s'allongea et se glissa sous la couverture. Ça sentait l'urine et le tabac. Trop fatigué pour prendre une décision et pour chercher un endroit où se cacher, il s'endormit.

*Be était perchée sur la cime d'un arbre. Elle était entourée d'eau qui montait lentement le long du tronc. Il n'y avait pas de sable. En fait, elle était en train d'accoucher. Elle appelait Kiko qui ne répondait pas. Daniel voulait grimper pour l'aider mais il n'y arrivait pas. Il finit par comprendre que c'était lui qui était en train de naître pendant que l'eau montait. Be coupa le cordon ombilical avec **ses** dents et l'enfant ensanglanté fut arraché de ses bras. L'eau n'allait pas tarder à atteindre le feuillage et à les emporter. Be avait des ailes. Elle les déploya et s'envola au moment même où les vagues touchèrent ses pieds.*

Une lumière violente réveilla Daniel. Un homme, une lanterne à la main, était penché sur lui. Il n'était pas rasé. Une de ses paupières pendait et lui couvrait la moitié de l'œil.

– Merde alors ! s'exclama-t-il. Qui diable es-tu ?

Daniel s'assit.

– Je m'appelle Daniel. Je crois en Dieu.

– Si j'avais été saoul, je me serais sauvé en courant. Un petit négrillon dans la cabine ! Comme le vent avait forci, j'ai voulu vérifier les amarres. Pour une raison que je ne m'explique pas, je suis passé dans la cabine et voilà que je trouve quelqu'un dans mon lit !

Daniel sentait que l'homme n'était pas dangereux.

– Je vais rentrer chez moi et je n'ai pas peur de grimper aux mâts. Je ne mange pas beaucoup et je pourrai dormir sur le pont quand il fera plus chaud.

L'homme posa la lanterne sur la table sans quitter Daniel des yeux.

– Tu es vraiment noir, dit-il. Un jeune homme noir de l'Afrique. Qui parle suédois. Qui mange du pain dur. Qui boit de la bière. Et qui dort sur ma couchette. Si je racontais ça, on me prendrait pour un fou. Après tout, je le suis peut-être. Touche-moi, poursuivit-il, pour m'assurer que tu existes vraiment.

Daniel tendit sa main.

– Oui, tu existes, constata l'homme. Et ta main est glacée. Tu es gelé. Et tu t'appelles Daniel ?

– Je crois en Dieu.

– Peu importe. Par contre, j'aimerais savoir d'où tu viens. Et comment tu as atterri ici, dans ma cabine, en plein hiver.

L'homme s'assit sur le bord de la couchette et remonta la couverture sur les jambes de Daniel.

– Mon nom est Lystedt, dit-il. C'est mon navire. Il s'appelle *Elin de Brantevik*.

Il s'interrompit et rapprocha la lanterne avant de poursuivre :

– Tu ne sais peut-être pas où tu te trouves ?

– Non.

– Tu viens bien de quelque part ?

– De chez Alma et Edvin.

– Alma et Edvin ? Ils ont un nom de famille, j'imagine ? Ils habitent où ?

Daniel eut peur d'avoir trop parlé. Même si l'homme n'avait pas l'air dangereux, il pouvait prévenir Alma et Edvin.

L'homme avait les yeux marron et le front marqué par des rides profondes. Il attendait.

– Tu ne veux pas me dire d'où tu viens ? reprit-il. Tu disais que tu rentrais chez toi. Je ne vois qu'une explication : tu es en cavale. Tu as beaucoup marché par ce temps ?

– Pendant deux nuits.

– Où as-tu dormi ?

– Auprès des animaux.

265

– Et tu rentres chez toi. C'est où chez toi ?

– Dans le désert.

Daniel se rappela une phrase que Père prononçait souvent. *Le garçon vient du lointain désert du Kalahari.*

– Je viens du lointain désert du Kalahari.

L'homme hocha la tête, l'air pensif.

– Quand j'étais jeune, je suis parti pour Le Cap sur un bateau hollandais. On a failli faire naufrage devant la Skeleton Coast. Je me souviens que le capitaine parlait d'un désert qui s'appelait Kalahari.

Il se pencha en avant et remonta la couverture jusqu'au menton de Daniel.

– Tu as froid ?

– Non.

– Comment as-tu fait pour venir en Suède, petit ? Qui a été assez cruel pour te traîner jusqu'ici ?

– Père.

– Ton père ?

Daniel chercha le nom de Père au fond de sa mémoire fatiguée et embrouillée.

– Hans Bengler.

– Un Blanc ? Qui n'est pas ton vrai père ?

– Kiko est mort dans le sable. Ma mère qui se nommait Be savait voler. Ses bras se sont transformés en ailes quand l'eau, qui entourait l'arbre où je suis né, s'est mise à monter.

Daniel poussa un soupir. Il n'avait pas la force de répondre plus longuement. Il voulait surtout retourner dans son rêve et s'envoler avec Be.

– Je ne comprends pas grand-chose à ce que tu me racontes, mais je comprends que tu as fait une fugue et que tu es venu ici avec un fou qui voulait probablement te montrer dans les foires. C'est ça ?

– Père exposait des insectes. Puis il soulevait la nappe qui me cachait.

L'homme se pencha pour caresser le visage de Daniel.

– Je comprends que tu veuilles rentrer chez toi. Pourquoi

266

resterais-tu ici dans le froid, toi qui es habitué à la chaleur ? Rappelle-moi le nom de celui qui t'a fait venir. Hans Bengler ? Tu connais quelqu'un d'autre, ici en Scanie ? Ton accent me dit que tu as vécu en Scanie.

– Le docteur Madsen.

– Le médecin de Simrishamn ? Dans ce cas, tu n'as pas rencontré que des gens désagréables. Il aide même ceux qui ne peuvent pas payer.

L'homme était rassurant.

– Je sais hisser une voile, dit Daniel dans un demi-sommeil. Et je ne suis pas malade, même quand la mer est démontée.

– Tu es sûrement un bon marin, bien que tu ne sois qu'un enfant. Maintenant il faut que tu dormes. Il est préférable que tu restes ici. Ma femme deviendrait folle et crierait au diable si je t'emmenais à la maison. Elle accepte difficilement ce qu'elle ne connaît pas.

Daniel avait du mal à suivre le raisonnement de l'homme. Il était trop fatigué pour écouter.

– On quitte le quai quand ? demanda-t-il.

L'homme le regarda longuement avant de répondre.

– Demain peut-être. Ça dépend. Si le vent ne mollit pas.

– Je peux dormir sur le pont, murmura Daniel.

– Tu peux dormir ici. Tu n'as plus besoin de te cacher.

L'homme posa sa main sur le front de Daniel.

– Au moins, le froid ne t'a pas donné de la fièvre. Allez, dors maintenant. Demain on verra d'où vient le vent.

Avant de sombrer dans le sommeil, Daniel ouvrit les yeux. L'homme était toujours là. Il serait peut-être encore là à son réveil. Il se sentait parfaitement rassuré. Il n'aurait pas besoin d'apprendre à marcher sur l'eau. Il ne serait pas cloué sur des planches.

Il allait rentrer chez lui.

Quand il se réveilla le lendemain matin, c'était le docteur Madsen qui était à côté de lui. Lystedt se tenait devant la porte et évitait de croiser son regard.

– Tu as causé beaucoup d'inquiétude à Alma et Edvin, dit Madsen d'une voix grave. On va rentrer maintenant.

Daniel regarda avec épouvante d'abord Madsen, puis Lystedt.

– J'étais obligé, s'excusa l'homme. Le navire est dégréé et je ne partirai qu'au printemps. Je comprends que tu veuilles retourner chez toi.

– Le garçon doit rester ici, rétorqua Madsen.

– Je dis ce que je veux, dit Lystedt. Le garçon a le droit de retourner dans le désert. Il n'a rien à faire ici.

Le docteur Madsen ne répondit pas. Il retira la couverture.

– Lève-toi. Un cas sérieux de gangrène m'attend à l'hôpital mais bien que je sois très pressé, je vais d'abord veiller à ce que tu rentres chez toi.

Ils sortirent sur le pont. Il neigeait de nouveau. Daniel leva la tête vers le ciel. Il savait que Be était là-haut mais il ne pouvait pas la voir. Le docteur Madsen le poussa devant lui en le tenant par un bras. Daniel réussit à se dégager, il traversa le pont en courant, enjamba le bastingage et se jeta dans le port.

Enfin, l'antilope réussit à prendre son élan et à se libérer du rocher.

26

Daniel garda le lit jusqu'à la fin de cet hiver particulièrement venteux et froid.

Il n'avait aucun souvenir de ce qui s'était passé entre le moment où il s'était jeté à l'eau et celui où il s'était réveillé dans son lit. Alma était assise à côté de lui.

Elle sembla heureuse de le voir ouvrir les yeux. Elle fit aussitôt venir Edvin mais s'opposa vigoureusement à ce que les bonnes et le valet entrent dans la cuisine. Edvin secoua la tête en caressant la joue de Daniel. Son corps commençait à se réchauffer. Son cœur battait vite comme s'il avait fait une course de fond pendant son sommeil.

Daniel fut pris d'un accès de toux. Edvin recula d'un pas alors qu'Alma se rapprocha. Elle se pencha sur lui pour arranger l'oreiller derrière sa tête.

En l'écoutant faire le récit des événements, il comprit qu'il avait dormi très longtemps. Quand elle mit un miroir devant lui, il comprit aussi pourquoi il avait mal au front et sur le nez, il avait une grande plaie qui n'était pas encore cicatrisée.

– Tu t'es blessé au visage en heurtant un bloc de glace, expliqua-t-elle. Je remercie Dieu matin et soir que tu ne te sois pas noyé.

La seule image que Daniel conservait était celle de l'eau noire qui se précipitait sur lui comme un rapace. Les autres souvenirs avaient disparu, comme ses rêves.

Il avait cessé de parler. Rapidement, on prépara dans l'étable une chambre provisoire pour Jonas, le valet, et Alma plaça deux paravents devant le lit des bonnes. Malgré ses recommandations, les deux filles ne pouvaient s'empêcher de regarder Daniel. Mais lui s'en fichait, bien trop préoccupé par son cœur qui semblait toujours être en fuite et par ses jambes qui s'étaient arrêtées de courir. Le docteur Madsen venait le voir de temps en temps. Il l'auscultait, écoutait sa poitrine et enduisait son visage de pommades. Daniel gardait toujours les yeux fermés pour ne pas voir le visage de l'homme qui lui avait interdit de rester sur le navire.

Madsen faisait chaque fois le même commentaire :

– Il a un gros rhume et je n'aime pas sa toux.

Daniel avait une forte fièvre qui le fatiguait et le rendait somnolent.

C'était surtout son silence que son entourage avait du mal à supporter. Il ne voulait pas faire de peine à Alma mais il ne pouvait pas se résoudre à parler. Petit à petit, ses rêves étaient revenus, l'emportant vers sa langue d'origine.

Hallén venait une fois par semaine. Avant son arrivée, Alma faisait toujours faire une bonne toilette à Daniel. Le pasteur s'installait sur une chaise à une distance respectable du lit et exigeait d'être seul avec Daniel. Il joignait ensuite ses mains et faisait une prière pour que le malade retrouve la parole et la santé. Daniel, méfiant, ouvrait discrètement un œil pour vérifier que Hallén n'avait ni marteau ni clous cachés dans sa poche. Pour l'instant, sa maladie semblait le sauver des planches.

Hallén reposait chaque fois la même question :

– Veux-tu que je te parle de Jésus qui marchait sur l'eau ?

Daniel restait impassible en gardant les yeux clos.

Il ne voulait plus rien entendre. Seuls les mots de Kiko et de Be auraient pu le toucher.

270

Il n'y avait qu'une personne qu'il avait envie de voir, c'était Sanna. Il avait entendu Alma dire à Edvin qu'il faudrait faire venir la fille mais Edvin avait hésité. Compte tenu de son comportement imprévisible, Sanna risquait de le perturber, d'après le docteur.

Daniel dormait le jour pour pouvoir profiter de la nuit quand la maison était silencieuse. Il lui arrivait de se lever, surtout quand il y avait un clair de lune, pour sauter à la corde jusqu'à l'épuisement.

Une nuit, il fut surpris par Alma. Elle le regarda un moment et referma la porte sans rien dire. Daniel savait qu'elle n'en parlerait à personne.

Le printemps s'était déjà annoncé le jour où Daniel décida de quitter la cuisine pour s'installer dans l'étable. Il ne supportait plus le ronflement des bonnes. Tôt le matin, il se prépara une couche dans l'étable sous l'escalier qui menait au grenier à foin. Alma et Edvin étaient alors déjà au travail. Alma vint le voir un peu plus tard dans la journée. Elle s'accroupit à côté de lui malgré ses genoux raides et son dos douloureux. Après avoir chassé les deux bonnes, elle lui dit :

– Si tu restes ici, ta toux ne guérira jamais !

Daniel enfouit sa tête sous la couverture pour ne pas avoir à répondre.

– Pourquoi couche-t-il ici ? demanda Edvin, venu les rejoindre. Comment comprendre ce qui se passe dans sa tête ? J'ai l'impression qu'il n'est pas seul. On dirait qu'il y a des gens autour de lui, même si je ne peux pas les voir.

– Tu racontes des bêtises ! Il n'y a que toi et moi ici, répliqua Alma.

– Tu ne vois donc pas qu'il y a comme un brouillard autour de lui.

– Le désert lui manque à le rendre malade. Il faut que Bengler le ramène là-bas.

– Cet homme ne reviendra jamais, affirma Edvin. Qui sait s'il est encore en vie.

271

Daniel retira brutalement la couverture de sa tête.

– Au moins il entend, constata Edvin. Ne me demande pas de le porter à la cuisine. Je n'ai pas envie qu'il plante ses dents dans ma gorge.

– Le mieux, c'est que le valet retourne dans la cuisine et que Daniel prenne sa chambre.

– S'il s'est couché ici, c'est qu'il a choisi cet endroit.

Daniel se retourna et fixa Edvin droit dans les yeux.

– Quand je regarde cet enfant, j'ai l'impression de voir un vieillard, dit Edvin. Et il n'a que neuf ou dix ans !

– Il a tellement envie de rentrer chez lui que ça le rend malade ! insista Alma.

– Je me demande ce qui peut lui manquer comme ça. Ses parents morts ? Le sable qui vous brûle la plante des pieds ?

– Il veut rentrer !

Le valet reprit son lit dans la cuisine mais sa chambre dans l'étable resta vide, Daniel préférant dormir sous l'escalier du grenier à foin. Alma lui portait à manger et ordonnait aux bonnes de s'éloigner quand elles se montraient trop curieuses.

Daniel continuait à dormir le jour et à se lever la nuit pour sauter à la corde. Edvin avait accroché dans l'étable deux lanternes qu'il allumait tous les soirs. Quand il pleuvait, Daniel aimait bien sortir dans la cour pour sentir les gouttes sur son visage. Il n'avait plus de fièvre mais la toux persistait ainsi que son étrange fatigue.

Les nuits raccourcissaient et devenaient plus claires. Daniel grimpait souvent en haut de la colline. Parfois, il entrevoyait derrière une fenêtre l'ombre d'Alma qui le guettait mais il avait confiance en elle. Comme il avait confiance en Sanna. En Edvin aussi peut-être. Les autres l'avaient trahi. Dans l'espoir de revoir Sanna, il lui laissait des signes sur la colline mais ne recevait jamais rien en retour. Une nuit, il s'aventura jusqu'à sa maison. Il essaya de trouver l'endroit où elle dormait mais seuls les ronflements d'un homme, celui qui l'avait traînée par les cheveux, parvinrent jusqu'à lui.

Il avait compté trois pleines lunes depuis son retour. Il décida de faire une dernière tentative pour partir. Si elle ratait, il ne lui resterait plus qu'à mourir. Si jamais il se faisait rattraper, il n'aurait plus la force de s'échapper.

La mort ne lui faisait plus peur. Kiko et Be étaient morts, mais cela ne l'empêchait pas de parler avec eux. Bien qu'ils soient enterrés dans le sable, ils savaient encore rire. Be l'avait mis au monde dans le feuillage d'un arbre. Ses bras s'étaient transformés en ailes. Il n'était qu'un enfant mais la mort ne lui inspirait aucune crainte, elle s'était déjà introduite dans son corps. Sa toux persistante en était l'expression. Kiko lui avait parlé des nombreuses cavités que contenait un corps humain. Daniel savait que la mort s'était installée en lui en attendant de pouvoir chasser sa vie. Sa toux ne se situait pas dans ses poumons mais dans un creux aux relents nauséabonds qu'il avait tout au fond de lui.

Ce n'était pas la mort elle-même qui lui faisait peur, mais le temps dont elle disposerait et qui serait plus long encore si on l'enterrait dans la terre grasse à côté du temple de Hallén. Kiko et Be ne le retrouveraient jamais. Que pouvait-on imaginer de pire qu'être enterré parmi des inconnus ? Avec qui parlerait-il ? Qui l'accompagnerait pendant ses longues promenades à travers le désert ?

Le plus important cependant, c'était l'antilope qui n'était pas achevée. Il fallait qu'il s'en occupe. Kiko l'avait chargé de la terminer et de la maintenir en vie.

Daniel avait renoncé à marcher un jour sur l'eau. La mort qu'il portait en lui l'avait rendu trop lourd. Il n'espérait pas non plus retrouver le port où l'attendaient les navires. Mais s'il mourait ici, les dieux l'abandonneraient.

Il n'était plus en état de supporter ses pensées, qui pesaient non seulement sur ses épaules, mais aussi sur tout son être. Il était trop jeune pour endurer tout ce qu'on lui imposait.

Une nuit, il comprit qu'il ne s'en sortirait pas tout seul. Il lui fallait quelqu'un pour l'aider. Ce ne pouvait être qu'Alma et Sanna. Éventuellement Edvin. Mais celui-ci craignait Hallén et osait rarement tourner les yeux vers le ciel. Il avait peur de tout ce qui était imprévu. S'il avait accueilli Daniel, c'était certainement pour plaire au docteur Madsen. Il ne voulait pas risquer que celui-ci leur refuse un jour son soutien. Alma était différente. Elle tenait à éviter que Daniel ne souffre inutilement. Mais elle commençait à se faire vieille, son dos et ses jambes la faisaient souffrir.

Il ne restait que Sanna. Et elle avait disparu. Elle ne répondait pas aux signes qu'il lui laissait sur la colline.

Elle était peut-être morte ? L'homme qui l'avait tirée par les cheveux l'avait peut-être tuée ? Sanna, qui ne ressemblait à personne, avait peut-être commis quelque chose qui lui avait valu la mort ? Hallén l'avait peut-être clouée sur des planches pour remplacer Daniel ?

Il avait besoin de savoir ce qui était arrivé à Sanna. Sans elle, il n'avait aucune chance de survivre. Il allait disparaître dans les champs bruns et ne serait jamais retrouvé par les siens.

L'œil de l'antilope allait pleurer.

Dans la nuit, il se rendit jusqu'au temple. La grande porte était fermée à clé mais il réussit à ouvrir l'une des fenêtres de la sacristie et se glissa à l'intérieur. Frissonnant de froid, il alluma un cierge. La présence de Hallén était tangible dans l'obscurité. Daniel grogna comme un animal pour le chasser. Il pénétra dans la salle du temple pour vérifier si Sanna y était, clouée aux planches. Ne la voyant nulle part, il enjamba la table de communion, se mit sur la pointe des pieds et passa sa main sur le genou cassé de l'homme crucifié. Une écharde se détacha. Il la mit dans sa poche avant de quitter le temple.

Le jour commençait à poindre. Des traînées de brume flottaient au-dessus des champs. Un coq chantait dans le lointain.

Il fila vers la maison à toute vitesse. Comme personne ne bougeait encore, il décida de se rendre à la colline. Aucune trace de Sanna. Il sortit l'écharde de sa poche et l'enfouit sous la terre. Des souvenirs de sa petite enfance lui revinrent. Accroché dans le dos de Be, il sentait les mouvements de son corps quand elle dansait. Il traça un cercle autour de l'endroit où il avait enterré l'écharde et se mit à danser comme elle. Il aurait voulu chanter aussi mais il s'abstint, craignant de réveiller Edvin. Un lièvre s'arrêta dans le champ pour le regarder. Il continua à danser jusqu'à ce que sa toux l'en empêche.

Quand il se passa la main sur les lèvres, il s'aperçut qu'elles étaient pleines de sang. Le vent glacial qui soufflait de la grotte de la mort avait maintenant atteint sa bouche. Il s'accroupit et cracha sur la terre pour que son sang imprègne l'écharde. Une douleur à la poitrine l'obligea à se reposer pour retrouver son souffle. A présent, il était certain que Sanna allait revenir et qu'elle comprendrait qu'il la cherchait.

En redescendant de la colline, il s'effondra, submergé par la fatigue. Son cœur battait la chamade et ses poumons luttaient pour permettre à l'air de pénétrer. Il faut que je me lève, dit-il. Je ne peux pas mourir dans cette boue, sous ce ciel couvert de nuages.

Lorsqu'il reprit le chemin de la maison, il n'y avait toujours pas de fumée dans la cheminée. Il regagna sa place dans le foin, se mit en boule et s'endormit.

Il fut réveillé par un coup de coude.

– Vanja est malade, dit Jonas. Alma s'occupe d'elle. C'est moi qui t'apporte ton repas.

Daniel attrapa l'assiette de gruau sans répondre. Il n'aimait pas Jonas qui n'avait jamais osé croiser son regard. Il donnait l'impression de mentir, rien qu'en prononçant son nom. Daniel supposait qu'il le haïssait à cause de la couleur de sa peau. Jonas avait les cheveux roux et sa peau était presque aussi blanche que la neige. A plusieurs reprises, Daniel avait entendu Edvin se plaindre à Alma de sa paresse.

Vanja était l'aînée des deux bonnes. Elle était grosse, contrairement à Serja. Elle devait être bien malade pour qu'Alma charge le valet de porter le repas à Daniel. Vanja était lourde et lente. Il lui arrivait d'éclater de rire, sans que personne comprenne pourquoi, pour aussitôt reprendre son sérieux et rester silencieuse, les mains posées sur son opulente poitrine. Le dimanche matin, quand Jonas demandait à Daniel de retirer la couverture des bonnes, c'était surtout son corps volumineux qui l'intéressait.

Daniel reposa l'assiette. Une poule picorait à côté de sa couche. Les vaches aux pis tendus s'impatientaient. La porte claqua. Serja, les seaux à la main, s'arrêta devant Daniel, les yeux remplis de larmes.

– Vanja est malade, dit-elle avec son fort accent étranger. Elle divague.

Daniel ne connaissait pas le sens de ce mot mais il voyait que Serja avait peur. Il décida de sortir de son silence.

– Elle souffre ?

– C'est dans la gorge. Elle ne peut pas respirer.

– Elle souffre ?

– Elle ne peut pas respirer ! Souffrir est une chose, mais si on ne peut pas respirer, on meurt.

Elle cogna les seaux les uns contre les autres comme si elle était en train de perdre la raison.

– Je dois traire, cria-t-elle, mais Vanja est malade. Et j'ai peur. Nous avons dormi dans le même lit. Elle a pu me contaminer.

Elle alla s'occuper des vaches sans cesser de pleurer.

Tard dans l'après-midi, Jonas revint avec le dîner.

– Elle est encore plus mal, dit-il d'une voix qui exprimait une terreur teintée de joie malsaine. Le docteur est là, ajoutat-il avant de s'en aller, mais même lui ne sait pas quoi faire.

Daniel repoussa l'assiette. Il n'avait pas faim. Près de lui, il y avait quelqu'un de très malade, quelqu'un qui allait mourir. Il savait que cela avait un rapport avec lui.

Le soir, Alma entra dans l'étable. Elle était pâle et bougeait avec difficulté.

– Tu sais que Vanja est malade, dit-elle. Son mal a évolué très vite et il n'est pas certain qu'elle s'en sorte. Elle a un abcès dans la gorge. Le docteur n'ose pas le percer, il craint qu'elle ne perde trop de sang.

– Pourquoi est-elle malade ? demanda Daniel.

– Elle n'a que dix-neuf ans, poursuivit Alma comme si elle n'avait pas entendu sa question. Ce n'est pas un âge pour mourir.

Alma repartit. Daniel attendit que Serja ait terminé la dernière traite et que le silence soit revenu pour quitter l'étable. Par la fenêtre de la cuisine, il vit Alma assise sur une chaise à côté du lit de Vanja. Elle dormait, les mains posées sur les genoux et la tête penchée en avant. Des flacons de médicaments étaient posés sur la table. Il ouvrit doucement la porte et entra. Vanja avait des taches rouges sur son visage pâle. Elle râlait à chaque respiration et sa poitrine était agitée par des spasmes. Elle allait peut-être mourir parce qu'il avait pris une écharde du genou de Jésus. Il souleva sa couverture pour voir si l'un de ses genoux était enflé et constata avec soulagement qu'il avait un aspect normal. Il n'était donc pour rien dans sa maladie. Mais c'était une mise en garde. La mort le cherchait. Elle n'allait pas tarder à le trouver.

Deux jours plus tard, Alma lui annonça en pleurant que Vanja était morte. Daniel ne disposait plus de beaucoup de temps. S'il voulait rentrer avant d'être rattrapé par la mort à son tour, il fallait qu'il s'en aille sans plus tarder.

La nuit même, il monta en haut de la colline. Sanna n'était toujours pas passée par là mais il sentait qu'elle viendrait bientôt.

Le samedi, le cercueil fut transporté au temple. Il pleuvait. Alma, vêtue de noir, apporta le repas à Daniel avant de s'en aller. Daniel prit sa main pour la première fois depuis longtemps.

– Elle était si jeune, dit Alma. Si jeune et déjà morte.

Daniel attendit que le convoi soit parti pour se lever. Pendant l'enterrement, il quitterait définitivement la maison d'Alma et d'Edvin. Il fit le tour de l'étable pour caresser les vaches.

Quand il arriva en haut de la colline, il s'aperçut que Sanna l'attendait.

27

Sanna n'avait pas découvert l'écharde. Elle n'avait pas grimpé en haut de la colline pour le voir, mais pour être seule.

Immédiatement Daniel se rendit compte qu'il s'était passé quelque chose. Toute l'énergie impatiente qu'elle exprimait auparavant avait disparu. Elle était là, inerte. Elle sembla à peine remarquer son arrivée. Il s'assit à côté d'elle et attendit. Même s'il disposait de peu de temps, il savait qu'il avait besoin d'elle pour partir. Il ne parvint pas à communiquer avec elle. Les portes invisibles qui l'entouraient étaient fermées. Pour une fois, les oiseaux noirs se tenaient tranquilles. Immobiles, ils étaient perchés sur l'arbre ou posés dans le champ.

Daniel attendait. Le visage de Sanna était sillonné de larmes. Il sentait qu'il y avait un rapport entre son état et l'homme qui l'avait traînée par les cheveux.

Quand Daniel eut un accès de toux, elle réagit enfin.

– Qui est mort ? demanda-t-elle.

– Vanja.

– Que s'est-il passé ?

– Elle a eu quelque chose dans la gorge qui l'a empoisonnée et l'a empêchée de respirer.

– Je les ai vus partir avec le cercueil. D'abord j'ai cru que c'était toi. Puis j'ai vu que c'était un grand cercueil.

– Je vais m'en aller. Le moment est venu. Je ne peux plus rester.

Elle tressaillit.

– Tu veux toujours que je vienne avec toi ?

Daniel fut interloqué. Il n'avait même pas eu le temps de lui poser la question.

– Oui, dit-il. Je veux que tu viennes avec moi. Mais il faut partir maintenant. Avant qu'ils reviennent de l'église.

Au lieu de répondre, Sanna éclata en sanglots. Il y avait autant de colère que de chagrin dans ses larmes.

– Il a abusé de moi ! cria-t-elle. Ce salaud, cette ordure a abusé de moi ! Lui qui devrait être mon père.

Daniel ne savait pas ce que voulait dire *abuser*. Il n'avait jamais entendu ce mot.

– Qu'est-ce qui s'est passé ? demanda-t-il prudemment.

Brusquement, Sanna remonta sa jupe jusqu'à la taille. Elle était nue en dessous. Daniel vit du sang séché à l'intérieur de ses cuisses.

– Il t'a battue ?

– Que tu es bête, tu es vraiment un enfant, tu ne comprends rien. Il m'a demandé de l'aider à déplacer un veau puis il s'est jeté sur moi et me l'a enfoncée. Je n'ai même pas pu crier. Il m'a mis de la paille et de la bouse de vache dans la bouche. J'ai failli m'étouffer. Il a dit qu'il me tuerait si jamais j'en parlais à quelqu'un.

Elle se mit à s'arracher les poils du bas-ventre. Daniel n'était toujours pas sûr d'avoir bien compris.

– Si je suis enceinte, on m'enfermera dans la maison des fous à Lund ! hurla-t-elle.

Elle laissa retomber sa jupe et s'effondra par terre. Quand Daniel prit sa main, elle enfonça ses ongles si fort dans sa peau qu'il dut faire un effort pour ne pas bouger.

Sa crise de désespoir prit fin aussi vite qu'elle avait commencé.

– Je viens, dit-elle, mais je ne saurai jamais marcher sur l'eau. Je suis trop bête et trop maladroite.

– On ne va pas marcher sur l'eau. C'est trop tard. On va chercher un navire.

– Je ne sais pas nager.

– On va trouver un bateau qui ne coulera pas.

– Je n'ai jamais vu la mer.

– Voici ce qui nous protégera, dit Daniel en lui montrant l'écharde qu'il avait déterrée. Elle nous protégera contre les vagues trop grandes.

Il lui raconta ensuite sa visite nocturne dans le temple.

– Je t'attendrai en bas, dit-elle en indiquant le chemin de l'autre côté de la colline. Je vais juste passer à la maison prendre quelque chose que je veux emporter. Il n'y a personne maintenant, je ne risque rien.

Au moment où elle le quittait, les oiseaux s'envolèrent et firent quelques tours en battant des ailes avant de s'éloigner des champs. Daniel les suivit des yeux jusqu'à ce qu'ils aient disparu. Pendant toutes ces semaines qu'il avait passées chez Alma et Edvin, ils étaient restés là. Ils suivaient à présent la direction qu'il avait lui-même prise la dernière fois. Il devait donc partir de l'autre côté.

Il jeta un dernier regard vers la maison avant d'aller retrouver Sanna sur le chemin.

Elle tint sa promesse.

Elle était là, un châle rouge autour de la tête et un baluchon à la main. L'autre était fermée sur quelque chose que Daniel ne voyait pas.

– J'ai pris tout ce qu'il avait, dit-elle en l'ouvrant devant Daniel.

Elle contenait des billets comme ceux que Père comptait.

– Tout ce qu'il avait, répéta-t-elle. Il croyait que je ne savais pas où il avait caché l'argent. Dans un vieux livre de cantiques derrière le meuble d'angle. J'ai tout pris.

– Je ne crois pas que nous en ayons besoin, dit Daniel. Un bateau nous attend quelque part.

– Il nous faudra forcément de l'argent. Sinon on ne s'en sortira pas.

Ils avancèrent un moment avant de s'arrêter.

281

– On va où ? s'informa Sanna.

– Vers la mer.

– Je crois que ça s'appelle Copenhague, dit Sanna. C'est de l'autre côté de l'eau. Une très grande ville.

Ils se remirent à marcher. Sanna avançait vite et Daniel avait du mal à suivre. Elle s'arrêta quand elle l'entendit tousser.

– Tu es malade, dit-elle. Tu vas peut-être mourir.

Il secoua la tête en s'essuyant les yeux.

– Je vais rentrer chez moi, dit-il. Je vais guérir et tu vas m'accompagner.

– J'aurais préféré que ce soit toi qui me l'aies enfoncée, dit-elle. Même si ça risquait de donner un enfant gris.

– Je ne peux pas avoir d'enfants, dit Daniel. Je suis trop jeune.

– Pas moi. Si je marche assez vite, je vais peut-être réussir à le faire partir.

Dans l'après-midi, ils arrivèrent à l'entrée d'une petite ville. Daniel attendit derrière une grange pendant que Sanna allait chercher de la nourriture. Elle revint avec du pain, du lait et un sac plein de poisson séché. Après avoir mangé, ils reprirent le chemin en contournant la ville. Daniel se sentit de nouveau fiévreux mais il s'efforça d'adopter l'allure rapide de Sanna sans rien dire. Elle ne voulut pas s'arrêter même quand il commença à faire nuit. Elle se retournait sans cesse en pressant le pas. Visiblement elle avait très peur.

Ils passèrent la nuit sous un pont. Sanna s'aperçut que Daniel avait chaud.

– Viens, dit-elle en mettant son châle autour de ses épaules et en le serrant près d'elle. Tu l'entends ? demanda-t-elle.

– Quoi ?

– La mer ?

Daniel n'entendait que la fièvre qui cognait contre ses tempes.

Aucune femme n'avait serré Daniel comme ça à part Be.

– Tu as de la fièvre, dit Sanna. Mais il ne faut pas que tu meures.

– Je ne vais pas mourir. Je suis seulement fatigué.

Elle le berçait comme un enfant.

– Ils ne vont pas nous retrouver, le rassura-t-elle. Est-ce qu'il y a des pommes dans ton pays ?

Daniel n'eut pas le courage de lui dire la vérité.

– Oui, il y a des pommes, dit-il. Aussi vertes que celles qui poussent ici.

– Alors ce n'est pas grave s'il y a beaucoup de sable. Du moment qu'il y a des pommes.

Sanna ne semblait pas comprendre l'importance du voyage qu'ils avaient entrepris ni à quel point il allait tout changer. Elle ne pourrait plus retourner chez elle. Si jamais ils rebroussaient chemin, Hallén les clouerait tous les deux sur des planches.

– J'ai peur, fit soudain Sanna au moment où Daniel s'endormait. Mais en même temps je suis contente. Pour la première fois je fais une chose que personne ne m'a dit de faire.

Elle éclata de rire. Daniel se sentit le cœur plus léger. On s'en sortira, se dit-il. Quand on aura trouvé le bateau, tout ce qui s'est passé ici ne sera plus qu'un mauvais rêve que j'aurai vite fait d'oublier.

– Demain nous atteindrons la mer, annonça-t-il. Il faudra sûrement encore beaucoup marcher, alors il vaut mieux dormir maintenant.

Sanna sortit à plusieurs reprises au cours de la nuit pour vérifier que personne ne les suivait. Chaque fois Daniel se réveillait. Il comprenait sa peur mais il savait qu'ils étaient en sécurité. Ceux qui étaient partis à leur recherche avaient pris la même direction que les oiseaux.

Dès l'aube, ils reprirent la route après avoir bu l'eau du ruisseau et s'être partagé ce qui restait du pain. L'étroit chemin traversait des petits bois et des champs dégagés. Tard dans l'après-midi, ils arrivèrent au pied d'une colline qu'ils décidèrent d'escalader. Daniel fut obligé de s'arrêter plusieurs fois pour reprendre son souffle. Sanna fit les derniers mètres en courant. Quand elle fut tout en haut, elle poussa un cri et se mit à sauter comme si elle tenait une corde invisible dans ses mains.

Daniel avait encore du sang dans la bouche. Il s'essuya avec sa manche avant de rejoindre Sanna qui s'impatientait. La mer s'étendait devant eux.

– C'est là que nous allons ? demanda Sanna.

Une langue de terre s'étendait de l'autre côté de l'eau. Daniel crut d'abord qu'il s'agissait d'un des nombreux lacs qu'il avait vus avec Père. Mais les contours brumeux lui firent découvrir une île et c'était bien la mer qui l'entourait.

– Où est le bateau ? demanda Sanna, en jetant de nouveau un regard inquiet derrière elle.

– Je ne sais pas. Il va falloir qu'on le cherche.

Tout d'un coup, Sanna s'énerva.

– Pourquoi es-tu aussi noir, merde ? Ils vont nous retrouver.

– Quand il fera nuit, on me verra moins bien que toi.

Le lendemain, ils s'organisèrent comme la veille. Sanna se chargea de la nourriture et ils se cachèrent dans un bosquet en attendant le soir. Daniel s'endormit. Quand il se réveilla, il faisait presque nuit et Sanna dormait à côté de lui, le pouce dans la bouche comme un petit enfant. Daniel essaya en vain de se souvenir s'il avait fait un rêve. Il espérait y déchiffrer un message mais sa tête était vide. Il toucha l'écharde dans sa poche.

Bien qu'il prît des précautions pour ne pas effrayer Sanna en la réveillant, elle mit ses mains devant son visage comme si elle s'attendait à recevoir des coups.

284

– Il faut continuer, lui dit-il.

– Comment trouver un bateau dans le noir alors qu'on ne voit rien ? demanda Sanna en grelottant de froid.

Daniel la rassura sans répondre à sa question. Puisqu'il y avait la mer, il y avait forcément des navires. Le vent avait déjà commencé à gonfler ses voiles intérieures.

Ils traversèrent un village. Un chien aboya et rompit momentanément le silence. A présent c'était Daniel qui allait en tête, suivi de Sanna qui le tenait par le pan de sa veste.

Ils continuèrent leur marche en haut de la falaise, guidés par le bruissement de l'eau en contrebas. Le vent était plus frais près de la mer.

– Où est le bateau ? demanda Sanna.

Daniel ne dit rien.

Une échelle en bois descendait jusqu'à l'eau. Daniel reconnut l'odeur de goudron qui indiquait qu'il y avait des bateaux à proximité. Des barques renversées jonchaient la plage. Quelques petits voiliers étaient amarrés à un quai en pierre, les voiles serrées autour des mâts. Daniel fut déçu par leur taille.

– Qu'est-ce qu'on fait maintenant ? s'inquiéta Sanna.

Daniel avait l'impression d'être comme Kiko à la recherche de sa proie, même s'il ne s'agissait pas d'un animal mais d'un navire.

– Attends-moi ici, dit-il. Je vais voir.

– Non, dit Sanna en serrant son bras. Tu ne me quitteras pas.

Elle le suivit, agrippée à sa veste comme une aveugle. Elle trébuchait souvent. Elle est vraiment maladroite, pensa Daniel.

Un peu plus loin un feu les attira et ils découvrirent un homme assis sur le quai, une tasse à la main.

Il nous attend, se dit Daniel. Sa présence ici ne s'explique pas autrement.

285

Daniel fit claquer ses sabots pour que l'homme ne soit pas surpris par leur approche. Il se retourna. C'était un vieillard avec une longue barbe et un bonnet troué sur la tête.

– Voilà des trolls qui me rendent visite, dit-il.

– Nous avons besoin d'un bateau pour partir d'ici, expliqua Sanna.

L'homme les fixa longuement. Curieusement, il ne semblait pas avoir peur. Sanna lui tendit l'argent et l'homme se pencha en avant pour le regarder de plus près. Puis il plissa les yeux en observant le visage de Daniel.

– Approche-toi que je te voie, demanda-t-il.

Daniel s'accroupit près du feu. L'homme ajouta quelques branches pour attiser les flammes.

– Tu es vraiment noir, constata-t-il. J'ai déjà vu quelqu'un comme toi dans une rue de Malmö. C'était peut-être toi ?

– Je ne sais pas. Je m'appelle Daniel. Je crois en Dieu.

– Et la fille ?

– Je n'ai pas de nom, dit-elle. Mais on m'appelle Sanna.

– Et vous voulez que je vous emmène à Copenhague ? Vous avez fait une fugue ?

Sanna se mit à pleurer et se cacha le visage.

– Peu m'importe la raison de votre fugue, dit l'homme. Il arrive que des enfants soient maltraités. Moi-même je me suis enfui d'Älmhult et j'ai atterri ici.

– Nous sommes obligés de partir, ajouta Daniel.

– Il n'y a pas de vent, déplora l'homme, et je ne peux pas vous faire traverser à la rame.

– Il y en a tout de même un peu, fit remarquer Daniel. Ton bateau est petit, il ne lui en faut pas beaucoup.

L'homme éclata de rire. Il n'avait presque pas de dents.

– On pourra toujours suivre les courants, dit-il en prenant l'argent que Sanna lui tendait. Aidez-moi à me relever. Mes jambes sont toutes raides.

Avant de descendre dans le bateau, l'homme donna un coup de pied dans le feu, faisant tomber les bouts de bois dans l'eau où ils s'éteignirent.

– Montez, dit l'homme. Asseyez-vous au milieu, il y a une couverture.

Sanna hésita.

– Il va couler, s'inquiéta-t-elle en désignant l'embarcation. Les poissons vont nager dans mon corps et me dévorer.

– Il ne coulera pas, lui assura Daniel. Pense à ce que j'ai dans la poche.

Sanna monta avec difficulté.

– Il est plein d'eau, s'exclama-t-elle, on coule déjà !

– Il n'y a presque rien, dit l'homme, tu n'as qu'à écoper.

Daniel monta à son tour. Quand il sentit le balancement du bateau, il fut tout à fait soulagé. L'homme largua les amarres, hissa la voile et prit la barre.

– Ça y est, on est partis.

Le bateau avançait lentement, poussé par le courant et, de temps en temps, par un coup de vent passager.

– On va couler ? demanda Sanna.

Elle éclata de rire et chuchota à l'oreille de Daniel :

– Je ne lui ai pas tout donné. Il me reste encore deux billets.

Un petit clapotis les accompagnait comme ils s'éloignaient de la côte.

– Je m'appelle Hans Höjer, annonça l'homme à la barre. J'ai mille ans, je pêche et je sais qu'il suffit de s'asseoir sur la jetée pour que quelqu'un vienne vous tenir compagnie ou vous demande de le faire traverser jusqu'à Copenhague. Je vénère la liberté. Je me fiche pas mal que ce soient des voleurs, des putains ou des faux-monnayeurs. En revanche, je ne veux pas de meurtriers à bord. Je suppose que vous n'avez tué personne.

– Non, mais quelqu'un m'a tuée, dit Sanna.

– Pas tout à fait, gloussa Hans Höjer. Tu es encore en vie, il me semble.

Soudain il tomba en avant, mort. Daniel l'avait vu mettre la main sur sa poitrine, il l'avait entendu émettre un râle et chercher sa respiration. Sanna, occupée à s'envelopper dans la couverture, ne s'était aperçue de rien.

– Pouah ! Qu'est-ce qu'elle pue ! dit-elle.

Daniel tâta le cou de l'homme pour prendre son pouls. Il ne sentit aucun battement.

Le bateau tournait en rond, poussé par le vent. La voile claquait. Sanna avait fermé les yeux sous la couverture sale.

– Il est mort, dit Daniel.

Sanna ne réagit pas.

Pour Daniel, il n'y avait qu'une seule explication à la mort subite de l'homme : c'était lui qui devait barrer. Cela prouvait bien que Hans Höjer les avait réellement attendus.

– Il est mort, répéta Daniel.

Sanna ouvrit les yeux.

– Qui est mort ? Je sais que Vanja est morte. Quelqu'un d'autre aussi ?

Réalisant qu'il n'y avait plus personne à la barre, elle s'agenouilla.

– Il est mort ?

– Il a seulement arrêté de respirer et puis il est tombé, expliqua Daniel.

– Alors, on va couler, dit Sanna en lui pinçant le bras.

– C'est moi qui vais barrer.

– Qu'est-ce qu'on va faire de lui ? Il ne va pas rester là, mort !

– Je ne sais pas. Il faut d'abord que je m'occupe du bateau.

Il rampa par-dessus le corps de l'homme et s'installa à la barre.

– Puisqu'il est mort, l'argent ne lui sert plus à rien, dit Sanna en fouillant ses poches.

Elle mit les billets dans son corsage et jeta la couverture sale sur l'homme.

– On arrive bientôt ? s'impatienta-t-elle.

– Pas encore.

Puis ils se turent. Sanna s'endormit. Elle se mit à ronfler. Daniel attendit l'aube pour savoir quelle direction prendre. Il déciderait alors de ce qu'il ferait de l'homme qui gisait mort à ses pieds.

28

Le guetteur bâilla en balayant l'horizon de sa longue-vue. La mer était calme et il faisait frisquet. Le jour se levait lentement sur le Sund avec Malmö d'un côté, Copenhague de l'autre. A l'arrière du bateau, un matelot hissait le pavillon royal bleu et jaune où était inséré le blason norvégien. Le navire faisait voile lentement vers le nord. La veille, le roi Oskar avait souffert de maux de tête et le capitaine Roslund avait affalé les voiles au cours de la nuit. A présent, ils repartaient pour Göteborg qui constituait la première escale de leur voyage à Kristiania.

Le guetteur continuait à scruter les environs. Une mouette solitaire s'était posée sur l'eau tout près et suivait le mouvement de la houle. Au loin, quelques bateaux de pêche se dirigeaient vers le nord, peut-être vers les eaux poissonneuses au-delà de la côte danoise.

Son regard fut soudain attiré par une embarcation immobile, un tout petit bateau de pêche d'où quelqu'un se préparait à jeter un filet ou peut-être une bouée. Le guetteur prit appui sur le bastingage pour mieux voir et il s'aperçut avec stupeur que l'on était en fait en train de lester un corps humain. Il cria au matelot de venir voir. Le capitaine Roslund, toujours aussi matinal, lui ordonna de se taire pour ne pas déranger le roi.

– On dirait qu'ils jettent un homme à la mer, s'étonna le matelot. Tu crois que c'est un meurtre ?

Un nouveau coup d'œil dans la longue-vue confirma sa

première impression. Il s'agissait bien d'un corps enveloppé dans une couverture et lesté de pierres. Il y avait deux personnes à bord, une jeune fille et un garçon tout noir.

– Il faut en parler à Roslund, dit le matelot en frissonnant.

Le guetteur et le matelot se rendirent ensemble à la passerelle de commande du *Drott* pour informer Roslund de leur découverte. Il les écouta, incrédule. Il accepta néanmoins de vérifier par lui-même et se raidit devant la scène.

– Si le roi se réveille, dit-il, j'espère qu'il comprendra que nous n'avions pas le choix.

Roslund donna l'ordre au timonier, tout de blanc vêtu, de changer de cap et d'augmenter la vitesse. Il estima la distance à huit cents mètres.

– Il y en a un qui est tout noir. C'est un charbonnier? demanda-t-il.

– C'est un tout jeune garçon, fit remarquer le matelot.

Pendant qu'il essayait de fixer les deux pierres qu'il avait trouvées dans le bateau, Daniel s'aperçut que le gros navire, jusque-là resté immobile, s'approchait d'eux. Sanna refusait de l'aider. Elle lui avait tourné le dos et s'amusait à plonger sa main dans l'eau en chantonnant comme si elle n'était nullement concernée.

Quand enfin Daniel parvint à pousser le corps par-dessus bord, le navire était tout près.

Un homme, coiffé d'une casquette et vêtu d'une veste aux boutons dorés, héla vainement Daniel, trop occupé à enfoncer le corps qui flottait à la surface pour lui prêter attention. Quelques matelots mirent à l'eau un canot de sauvetage et ramèrent jusqu'au bateau de pêche. Sanna se cacha sous la couverture sale, tout en continuant à chantonner un cantique que Daniel connaissait. L'homme à la casquette empoigna le bastingage.

– Qu'est-ce que vous faites, nom de Dieu? Vous l'avez tué?

Les matelots repêchèrent le corps de Hans Höjer dont les

yeux étaient restés entrouverts comme si, même mort, il tenait à savoir ce qui se passait autour de lui.

– Cet homme a bien été tué, affirma Roslund avant d'ajouter : C'est la première fois que je vois un petit noiraud tout seul sur le Sund. Et pourtant, j'en ai vu des choses dans ma vie. Pourquoi la fille se cache-t-elle sous la couverture ?

Daniel s'apprêtait à répondre mais, troublé par le chantonnement de Sanna, il ne trouva pas les mots.

Un sifflement perça le silence de l'aube. Quelques mouettes s'envolèrent, effrayées.

– Merde alors, pourquoi le roi se lève-t-il si tôt ? s'exclama Roslund en se retournant pour faire le salut militaire.

Un homme à la barbe grise se tenait sur le pont, accompagné de deux hommes vêtus de noir et de blanc. L'un portait un plateau, l'autre une serviette de toilette.

– Que se passe-t-il ? demanda l'homme à la barbe grise.

– Je l'ignore, Votre Majesté. Nous nous sommes aperçus qu'on se débarrassait d'un corps de ce bateau de pêche.

Une foule de plus en plus nombreuse s'amassa devant le bastingage. Parmi eux se trouvait une femme que l'homme à la barbe grise fit éloigner d'un signe de la main avant de continuer à s'informer.

– Qui se cache là-dessous ? demanda-t-il.

Un matelot retira la couverture. Sanna ferma les yeux et cacha son visage dans ses mains sans pour autant cesser de chantonner. Elle se balançait en avant, en arrière.

– Faites-les monter à bord et attachez le négrillon, ordonna le roi. Je dois dire que ma journée commence de façon étrange, poursuivit-il. Le soleil se lève au-dessus de la brume et je vois un petit négrillon qui vient de commettre un meurtre.

Un matelot entreprit d'attacher les mains de Daniel à l'aide de sa ceinture. Celui-ci eut vite fait de planter ses dents dans le poignet du matelot qui poussa un cri et lâcha prise. Daniel enjamba rapidement le bord du bateau. Son retour dans le désert était une fois de plus interrompu. Cette fois-ci par ces hommes en blanc. Il ne lui restait plus qu'à mourir. Plutôt sombrer au fond de la mer et se laisser entraîner par les courants jusqu'à la côte africaine que d'être enterré derrière l'église de Hallén où aucun des siens ne le retrouverait.

Sanna l'empêcha de couler en s'agrippant à lui de toutes ses forces. Il eut beau mordre et griffer, elle ne le lâcha pas.

– Je veux rentrer chez moi, cria-t-il.

Be et Kiko luttèrent avec autant d'acharnement que lui pour faire comprendre à Sanna qu'il fallait qu'elle le leur laisse maintenant qu'ils étaient si près.

– Il ne faut pas qu'on se noie, cria Sanna. On va rentrer chez nous. Quoi qu'on nous fasse, il faut rentrer.

A cet instant, Sanna trahissait Daniel en refusant de le laisser mourir. Elle s'opposait à Be et à Kiko et les empêchait de le sauver. Deux matelots le remontèrent dans le bateau et immobilisèrent ses mains derrière son dos. Il se résigna rapidement. On le souleva et l'emporta. Il essaya d'empêcher son cœur de battre et ferma les yeux.

Quand il les rouvrit, l'homme à la barbe grise se tenait devant lui et l'observait de ses yeux injectés de sang.

– Ce n'est certes pas un de mes sujets, dit-il. Même au fin fond des montagnes norvégiennes, on ne trouve personne comme lui. Un nègre.

L'homme se tourna vers le capitaine Roslund qui était debout à côté de lui.

– Que dit la fille ?

Roslund se mit au garde-à-vous, les bras plaqués le long du corps.

– A vrai dire, Votre Majesté, la fille a perdu la raison. Elle dit qu'ils étaient en route pour le désert et que l'homme est décédé subitement. Le docteur Steninger n'a décelé aucune blessure sur le corps. Il demande l'autorisation de faire une autopsie.

– A bord du *Drott* ? Vous voulez dire qu'il veut découper un cadavre sur le navire royal ? Pendant mes vacances à Kristiania ? Refusé !

Roslund claqua les talons, fit le salut et disparut.

Daniel était allongé sur une voile. Quelqu'un lui avait mis un oreiller sous la tête et une foule de gens l'entourait et l'observait. C'était l'homme à la barbe grise qui se tenait le plus près, les autres restant à une distance respectueuse. Soudain Daniel crut reconnaître son visage. Il l'avait déjà vu quelque part.

– Il semble savoir qui vous êtes, Votre Majesté, fit remarquer un homme qui portait une petite moustache.

Daniel se rappela qu'il avait vu une photo accrochée au mur de la chambre d'Alma et d'Edvin. Alma lui avait expliqué que c'était le roi Oskar et elle avait ajouté un numéro qu'il avait oublié.

Il se redressa brusquement. L'homme à la barbe grise fit un pas en arrière.

– Doucement, dit-il. Il vaut mieux se méfier. Que dit la fille ?

– Elle pleure, Votre Majesté.

– Soit. Mais avant. Qu'a-t-elle dit à propos du garçon ?

– Elle a dit qu'il s'appelait Daniel et qu'il venait d'un désert africain.

– Il me semble pourtant l'avoir entendu parler suédois avec l'accent de Scanie.

– Elle a dit qu'ils venaient d'un village près de Tomelilla.

– Ils étaient partis en bateau ?

– Le garçon voulait retourner dans le désert.

Le roi fit un geste de la main et on lui donna un mouchoir avec lequel il s'essuya la bouche avant de le lâcher sur le pont.

– Une matinée fort étrange, dit-il. Un réveil précoce et un événement spectaculaire. Qu'on lave le garçon et qu'on l'habille. Que l'on fasse cesser les pleurs de la fille. Il faut leur donner à manger. Ensuite, je veux connaître leur histoire. Que fera-t-on du mort ?

– Il sera ramené à terre, Votre Majesté.

Le roi acquiesça et se retourna. Une femme, qui sentait fort le parfum, se pencha sur Daniel. Elle le regarda puis éclata de rire.

Daniel se laissa faire sans opposer aucune résistance. On le baigna, on lui donna de nouveaux vêtements, notamment une veste avec des boutons dorés. Puis on le conduisit dans une pièce où l'attendait Sanna vêtue d'une robe.

– Le roi ! s'écria-t-elle. On est sur le navire du roi !

– Pourquoi ne m'as-tu pas laissé m'enfoncer dans l'eau ?

Elle avait la bouche ouverte et tirait sur sa robe sans l'entendre.

– C'est le roi, répéta-t-elle, les larmes aux yeux.

Daniel ignorait si elle pleurait de peur ou de joie.

Sanna l'avait trahi. Elle avait été plus forte que Be et Kiko et il fallait qu'il se venge. Il ne savait pas encore comment.

La porte s'ouvrit. Un homme, un ruban doré sur l'épaule, entra.

– Sa Majesté vous attend, dit-il d'une voix rauque.

Il leur fit signe de se lever et rajusta la veste de Daniel.

– Personne n'a le droit de s'asseoir sans l'autorisation de Sa Majesté, leur rappela-t-il. Personne ne parle à moins que Sa Majesté ne lui adresse la parole. Dans ce cas, il faut répondre de façon claire et concise en choisissant bien les mots. Pas de jurons, bien entendu. Assis, il ne faut pas croiser les jambes. Si Sa Majesté rit, il est convenable d'en faire autant, sans exagération, ou mieux encore, de sourire. Pas d'initiatives personnelles. C'est compris ?

– Oui, dit Sanna en faisant la révérence.

– Non, dit Daniel. Je veux mourir.

– Sa Majesté attend des réponses, sans digressions. Vous m'avez compris ?

– Oui, répondit Sanna en s'inclinant encore plus profondément que la première fois.

– Je veux mourir, répéta Daniel.

Ils empruntèrent un couloir étroit avant de monter un escalier qui menait à une porte à deux battants.

– Sa Majesté vous recevra dans le salon sur le pont arrière. L'usage veut que l'on fasse la révérence et que l'on s'incline à l'instant précis où les portes se referment.

Ils entrèrent dans le salon. L'homme du portrait de la chambre d'Alma et d'Edvin était assis, un cigare à la main, penché en arrière dans un fauteuil recouvert d'un tissu rouge. Derrière lui se tenait l'homme au mouchoir. A part eux, il n'y avait personne dans la pièce. Sanna fit la révérence. En s'inclinant, Daniel se rappela que Kiko lui avait parlé des rois anciens. Il lui avait expliqué qu'il fallait s'élancer devant eux et mettre sa tête sous un de leurs pieds en signe de soumission.

Le roi est mon dernier espoir, se dit Daniel.

Il avança de quelques pas. Il se jeta par terre, saisit l'une des chaussures cirées du roi et la plaça sur sa nuque. Le roi se leva brutalement du fauteuil et l'homme au mouchoir agita nerveusement une cloche. Des gens surgirent de partout. Ils semblaient traverser les murs pour encercler Daniel. Le roi se rassit.

– Doucement, dit-il. Regardons l'enfant nègre d'un œil bienveillant. Il paraît évident que la fille n'est pas très intelligente. Par contre, le garçon doit avoir une histoire étrange à raconter. Prenons des précautions et écoutons-le.

On fit asseoir les deux enfants sur des tabourets revêtus du même tissu rouge que le fauteuil du roi. Sanna se mit à pleurer, sans bruit. Quand Daniel vit les larmes couler le long de ses joues, il se dit qu'elle avait peut-être des regrets de ne pas l'avoir laissé partir avec Be et Kiko. De toute façon, même s'il était capable de la comprendre, il la haïssait.

– Quel est ton nom ? demanda le roi.

– Je m'appelle Daniel. Je crois en Dieu.

– C'est une bonne réponse, dit le roi en suivant du regard la fumée de son cigare. Mais elle semble apprise d'avance. Dis-moi comment tu es arrivé ici.

Daniel se mit à raconter. Le roi allait peut-être comprendre à quel point il était important pour lui de poursuivre son voyage. Sanna tirait sur sa robe sans rien dire. Daniel s'efforçait de répondre aux questions que le roi lui lançait de temps en temps, sans perdre le fil de son récit.

L'histoire terminée, le roi le contempla un bon moment en silence. Daniel remarqua que ses yeux exprimaient de la gentillesse, même s'ils ne le voyaient pas vraiment. Un peu comme ceux de Père quand il avait une chose importante en tête.

– Une histoire étrange, dit le roi, mais elle révèle de bons sentiments et le désir de rendre service. Tu dois rester et vivre ta vie là où on t'a emmené. Oublie le désert. D'autant plus qu'il y fait beaucoup trop chaud.

Il fit un signe et l'homme en livrée dorée, resté à l'arrière-plan, s'approcha.

Le roi se leva et tendit aux enfants deux photographies portant sa signature, identiques à celle épinglée sur le mur chez Alma et Edvin. Sanna remercia en faisant une belle révérence. Daniel fit tomber la sienne par maladresse. En se penchant pour la ramasser, il s'attendait à recevoir une bonne correction.

– Une curieuse matinée, en effet, dit le roi en quittant le salon.

Les vêtements de Sanna et Daniel étant trempés, on leur permit de garder les nouveaux. Le bateau avec le corps de Hans Höjer avait disparu. Daniel s'aperçut que deux matelots se tenaient en permanence à ses côtés au cas où il ferait une nouvelle tentative pour sauter par-dessus bord. On fit descendre une échelle de corde et on les ramena à terre, dans une ville qui s'appelait Malmö. Sanna tenait fermement la photo du roi entre ses mains. Une voiture vint à leur rencontre et le cocher reçut l'ordre de les conduire chez eux.

– Il n'osera plus me frapper, dit Sanna en se penchant vers Daniel. Il ne se permettra plus de me renverser et de me prendre maintenant que j'ai la photo du roi.

Daniel ne dit rien. Sanna l'avait trahie. Il ne pourrait pas lui pardonner.

Tard le soir, l'attelage entra dans la cour de la petite ferme. C'était Sanna qui avait indiqué le chemin. Alma et Edvin vinrent les accueillir. Tandis que Sanna essayait de leur fournir une explication, Daniel alla se coucher dans l'étable, sans rien dire. Les propos de Sanna étaient incohérents, elle passait du coq à l'âne, comme si elle sautait à la corde avec les mots. Alma et Edvin allèrent retrouver Daniel. Alma s'accroupit à côté de lui et posa sa main sur son front.

– Il a encore chaud, constata-t-elle.

– Comment parvenir à comprendre quelqu'un qu'on ne comprend pas ? dit Edvin.

– Va maintenant, dit Alma. Je vais rester un moment avec lui. Qu'est-ce qui te rend si malheureux ? demanda Alma à Daniel qui faisait semblant de dormir. Comment faire pour t'aider à supporter l'éloignement ? Ce n'est pas possible pour un enfant de garder pour lui seul un si grand chagrin !

Les quintes de toux de Daniel redoublèrent. Le docteur Madsen vint l'examiner le lendemain. Daniel, plongé à nouveau dans son mutisme, refusa obstinément de répondre aux questions.

Le docteur s'entretint longuement avec Alma et Edvin. Le soir même, Alma proposa à Daniel de revenir dans la cuisine où il aurait un meilleur lit puisque Vanja n'avait pas été remplacée. Elle lui expliqua que sa toux cesserait s'il acceptait de quitter l'étable.

Daniel savait que l'ensemble de son être était déjà gagné par la toux.

Une nuit, deux semaines après sa dernière tentative pour retourner dans le désert, Daniel se réveilla le front perlant de sueur. Il avait entendu le rire de Kiko et il l'avait vu en plein soleil. Il se protégeait les yeux de la main et il riait, sans rien dire, mais Daniel avait très bien compris. Il alla récupérer un morceau de lame d'une faux que le valet avait cassée. Il sortit ensuite dans l'obscurité. Le ciel était dégagé. Il courut pieds nus jusqu'au mur du temple où il s'accroupit. Pris d'un accès de toux, il s'aperçut qu'il avait la bouche pleine de sang.

Daniel choisit une pierre lisse dans le mur et y grava une antilope. Ce n'était pas facile et son dessin était loin d'être parfait, les jambes de l'animal n'étaient pas de la même longueur et le dos était trop droit. Il s'appliqua pour que l'œil, le plus important, soit réussi. Il fallait qu'il soit bien rond.

Son travail terminé, il s'assit et attendit.

Une nouvelle crise s'empara de lui. Il passa son doigt sur ses lèvres et récupéra le sang pour colorer l'œil de l'antilope. Il faisait trop sombre pour qu'il puisse juger du résultat.

Mais il savait qu'à l'aube l'œil serait rouge et brillant.

29

Quelqu'un l'avait vu dans la nuit.

Dès le matin, la rumeur se répandit. Peu après neuf heures, les gens se rassemblèrent près du mur du temple, sous une pluie battante poussée par des rafales de vent. Hallén se réveilla avec une douleur intense au-dessus de l'œil. Lorsque sa bonne vint lui annoncer l'étrange nouvelle, elle le trouva encore au lit, une serviette mouillée sur le front. Depuis un certain temps, Hallén n'accordait que peu de crédit à la femme vu son âge avancé. Mais comme il ne décela chez elle aucun signe de confusion, il décida de se rendre sur les lieux pour se faire une opinion personnelle. Manifestement, quelque chose s'était produit ou était en train de se produire. La main plaquée sur le front, Hallén se dirigea vers la grille du temple d'où il découvrit la foule amassée à l'ouest du mur. Il se demanda avec inquiétude si un désespéré n'avait pas choisi cet endroit pour mettre fin à sa vie. L'idée n'était pas incongrue car bon nombre de ses paroissiens adhéraient encore à la vieille conception selon laquelle les suicidés n'avaient pas le droit à une sépulture au cimetière. Son visage fut agité par un spasme, causé à la fois par la douleur et par la crainte de ce qui l'attendait. S'il s'agissait d'un suicide, il espérait surtout qu'il n'y aurait pas trop de sang. Il s'arrêta, respira profondément en imaginant un verre de cognac comme chaque fois qu'il avait à affronter un événement désagréable. Les textes sacrés ne lui avaient jamais apporté autant de réconfort qu'un verre de cognac.

Les gens s'écartèrent sur son passage. Arrivé au picd du mur, il constata avec soulagement que ce n'était pas un corps déchiqueté qui avait attisé la curiosité, mais l'image d'un animal maladroitement gravée dans une des pierres. En réalité, elle était réduite à un corps mal proportionné et à un œil énorme.

L'œil était rouge. Ou plutôt noir. Coloré sans doute avec du sang. Cet œil, qui le fixait, raviva le point douloureux qu'il avait au front. Un des paroissiens les plus fortunés, un homme antipathique nommé Arnman, tapait contre le mur avec sa canne. L'année précédente, celui-ci avait fait don à l'église d'une couronne de mariée, laide et clinquante, mais de grande valeur. Hallén le soupçonnait de s'être approprié l'objet malhonnêtement au cours d'un de ses nombreux voyages en Pologne. Arnman entretenait une maîtresse qu'il avait installée dans une propriété délabrée, proche de la ville portuaire qui reliait Ystad au continent par la mer. Il se vantait ouvertement d'engendrer un petit Polonais tous les deux ans, bien que son épouse suédoise lui donnât régulièrement de nouveaux enfants. Hallén éprouvait toujours une grande tristesse en voyant le gros Arnman au temple accompagné de sa maigre épouse. Parfois, il ne pouvait s'empêcher de les imaginer nus, ce qui le remplissait d'un sentiment de dégoût. C'était un véritable miracle si Arnman n'avait pas encore écrasé sa pauvre femme au lit.

– C'est le nègre, grommela Arnman. Ça, c'est l'œuvre du nègre.

Un murmure, qui ressemblait au bourdonnement d'un essaim d'abeilles énervées, s'éleva de la foule.

– Le nègre, insista Arnman.

Hallén fut pris d'une envie irrésistible de le chasser hors de sa vue, mais il se ravisa aussitôt. Arnman était un membre influent du conseil de la paroisse et les dons qu'il avait faits au temple lui assuraient une protection inattaquable.

– Qu'est-ce qui vous le prouvc ? demanda Hallén en pensant à cet enfant étrange du continent noir qu'il avait tenté d'éduquer mais qui l'avait remercié en glissant un serpent dans l'aumônière.

Arnman agita sa canne pour appeler un de ses valets. Celui qui se détacha de la foule avait la fâcheuse tendance à être saoul en permanence, une faiblesse qu'on lui pardonnait parce qu'il avait des dispositions pour guérir les chevaux malades.

– J'ai vu, dit-il.

– Qu'as-tu vu ?

– Je l'ai vu creuser la pierre, ici.

– Quand ?

– Cette nuit.

Arnman chassa le valet d'un coup de canne sur le dos.

– Il boit, dit Arnman. Mais ça ne l'empêche pas de voir. C'est bien le nègre qui a creusé la pierre et qui l'a barbouillée de son sang. Il n'est pas d'ici et on sait ce que peuvent être ces pratiques diaboliques.

Hallén scruta le visage d'Arnman. La douleur au-dessus de son œil était encore plus intense.

– Qu'est-ce qu'on sait ?

– Qu'il faut être vigilant avec ceux qui s'approchent de vous.

Il prononça sa phrase d'une voix forte et fut immédiatement approuvé par le murmure de la foule.

– Je me charge de l'affaire, dit Hallén avant de demander au bedeau d'effacer le dessin. Et vous autres, rentrez chez vous.

D'un pas décidé, Arnman regagna la voiture qui l'attendait sur la route. La foule se dispersa progressivement. Hallén aurait bien voulu s'entretenir avec Alma et Edvin sur-le-champ mais la douleur qui ne le lâchait pas l'obligea à retourner au presbytère et à se remettre au lit pour le restant de la journée.

Le lendemain matin, Hallén venait juste de constater avec soulagement que sa douleur s'était atténuée lorsque la bonne lui annonça que l'animal à l'œil rouge était réapparu sur le mur.

Le jour même, il se rendit chez Alma et Edvin qui étaient déjà au courant. Alma avait essayé d'aborder le sujet avec Daniel, sans succès. Il avait seulement prononcé quelques mots incompréhensibles, dans sa langue africaine.

Ensemble, ils se rendirent à l'étable où Daniel était couché, recroquevillé dans le foin.

– Il a de la fièvre, dit Alma, mais il refuse de dormir dans la maison.

Hallén observa Daniel en silence.

– Le mieux serait sans doute de l'interner, dit-il. Il a manifestement perdu la raison. Ce n'est pas normal de graver des animaux dans le mur du temple. Il s'est coupé pour avoir le sang ?

– Il l'a craché, je crois, dit Edvin.

– Il meurt de chagrin. Il veut rentrer chez lui, dit Alma. Pourquoi le mettrait-on avec les fous ?

– Tu n'y connais rien, dit Edvin. Tu entends bien ce que dit le pasteur.

Hallén essaya en vain de capter l'attention de Daniel. Il avait la désagréable impression de passer à côté d'une chose importante.

Ce garçon avait un message pour lui qu'il n'arrivait pas à déchiffrer.

– Le sang et le dessin inquiètent les paroissiens, poursuivit Hallén. Si ça se reproduisait, il faudrait envisager de le transporter à Sankt Lars à Lund.

– C'est une église ? demanda Alma.

– Tu sais bien que c'est la maison des fous, dit Edvin.

– Il n'a rien à faire parmi ces gens-là.

La bonne qui était seule depuis la mort de Vanja continuait à s'occuper des vaches sans cesser de pleurer. Daniel pensait à Sanna. Il n'arrivait pas à comprendre pourquoi elle l'avait

303

trahi. Il s'était senti heureux avec elle et elle avait partagé sa chaleur avec lui. Elle avait seulement fait semblant. Elle n'était pas celle qu'elle prétendait être. Dans le fond, elle n'était pas mieux que l'homme qui l'avait traînée par les cheveux.

Alma lui apporta à manger mais il ne toucha pas au plat.

– Ne va pas au temple cette nuit, le supplia-t-elle. Je ne veux pas qu'on t'attache. Je ne veux pas que tu te retrouves parmi les fous.

Daniel ne répondit pas. Cependant Alma assura à Edvin qu'il lui avait promis de ne plus sortir la nuit.

– Le valet pourrait coucher ici, suggéra Edvin. Ou moi.

– Ce n'est pas la peine, dit Alma. Daniel ne sortira pas.

– Le valet a dit qu'Arnman a posté quelques-uns de ses hommes devant le temple, précisa Edvin.

– Cet homme me fait peur. Il leur a certainement demandé d'attaquer Daniel s'ils le voient.

– J'aimerais savoir ce qui se passe dans sa tête. Il voit des choses que nous ne voyons pas. Il y a des gens autour de lui. Je le sens.

– Ce n'est pas pour ça qu'on veut te mettre dans une maison de fous, fit remarquer Alma. Et pourtant, toi, tu voudrais l'y envoyer.

– J'essaie seulement de le comprendre. Rien d'autre. C'est comme s'il racontait une histoire. Parfois il me semble que la terre d'ici se transforme en sable et qu'il fait chaud.

Daniel suivait leur conversation. Il comprenait pratiquement tout, bien que sa langue africaine ait repris le dessus dans sa conscience.

– Il est brûlant, constata Alma en mettant sa main sur son front. Je ne comprends pas pourquoi le docteur Madsen ne fait rien. Ce n'est quand même pas son chagrin qui lui donne de la fièvre ?

– C'est la toux, dit Edvin. Et tu sais aussi bien que moi qu'il n'y a rien à faire.

– Je ne veux pas qu'il meure, dit Alma. Il faut que Hans Bengler vienne le chercher pour le ramener dans son pays.

Daniel était de nouveau seul avec les vaches qui bougeaient dans leurs stalles. Il entendit un rat gratter quelque part dans un coin et une poule secouer ses ailes. Tout au long de la nuit, il pensa à Sanna. Il n'y avait qu'une explication possible à sa trahison : elle était habitée par un mauvais esprit venu le détruire. Qui avait bien pu l'envoyer ?

Il s'endormit et retrouva Sanna dans son rêve. Elle était perchée en haut d'un arbre avec les oiseaux noirs. Il avait d'abord cru que c'était Be qui l'attendait pour l'emmener avec elle, mais il s'agissait bien de Sanna. De la suie noire coulait de ses narines.

Il se réveilla brusquement, sentant confusément que le dessin qui se cachait derrière le personnage de Sanna était en train de prendre forme. Si elle avait été mise sur son chemin, c'était pour empêcher Be et Kiko de venir le chercher. Tant qu'elle était là, il n'avait aucune chance de retourner dans le désert. Ce n'était pas la peine qu'il apprenne à marcher sur l'eau ni qu'il trouve un navire pour le ramener dans le désert puisque Be et Kiko étaient là, tout près de lui.

Il était trop jeune pour reconnaître tous les mauvais esprits prêts à s'emparer des âmes humaines. Bien des choses restaient encore obscures pour lui. Il fallait absolument trouver un moyen pour que Sanna dévoile sa véritable identité et pour savoir qui l'avait envoyée.

Daniel passa la nuit à naviguer entre veille et sommeil. A l'aube, il but l'eau et vida l'assiette qu'Alma lui avait apportées. Il avait besoin de forces pour démasquer Sanna.

Il établit une stratégie fondée sur les conseils de Kiko. Pour dépister les mauvais esprits, lui avait-il expliqué, on procède de la même manière que pour les animaux.

Au bout de quelques nuits de réflexion, la solution lui apparut comme une évidence.

Dans la poche de sa veste, il y avait encore l'écharde du genou de Jésus.

La réalisation de son plan était pour la nuit suivante. Sa fièvre baissa soudain, signe qu'il était sur la bonne voie. Il avait fini par comprendre la nature des forces invisibles qui l'empêchaient de retourner dans le désert.

Il continuait à tousser et à cracher du sang. Mais le docteur Madsen laissait croire à Alma qu'une guérison était encore possible.

Quand Daniel quitta l'étable, tout était parfaitement calme. Pas un souffle de vent. Pas un bruit. Il s'arrêta dans la cour, à l'affût de la moindre manifestation de vie. Il avait emporté une des lanternes qu'Edvin avait installées dans l'étable, et une boîte d'allumettes.

Arrivé au pied de la colline, il tendit l'oreille et écarta les narines pour humer l'air, comme le lui avait appris Kiko. Sanna était sale et ses vêtements exhalaient une odeur acide. Il se mit à grimper, toujours sur ses gardes. Une fois en haut, il alluma la lanterne, en veillant à ce que la flamme reste la plus faible possible, et enfouit l'écharde. Il avait choisi l'endroit où Sanna avait l'habitude de s'asseoir, soit pour gratter la terre en se balançant nerveusement, soit pour rester immobile, les yeux clos. Puis il se mit à ricaner dans la nuit comme une hyène, conformément aux conseils de Kiko. Les hyènes sont des animaux qui suivent la mort de près. Non seulement elles se nourrissent de cadavres d'animaux, mais elles déterrent aussi les corps humains, en s'appropriant leurs esprits, les bons comme les mauvais. Puis, dans sa langue africaine, Daniel chuchota à la terre que l'écharde hébergeait un esprit capable de le ramener dans le désert. Sa mission accomplie, il éteignit la lanterne et regagna l'étable.

Le matin, en ouvrant les yeux, Daniel découvrit le visage de Jonas penché au-dessus de lui.

– J'ai entendu quelqu'un rire cette nuit, dit-il. Ça ressemblait à un cochon mais ça venait d'un être humain. C'était forcément toi.

– Non, dit Daniel. Ce n'était pas moi.

Jonas écarquilla les yeux puis courut chercher Alma et Edvin.

– Je l'ai entendu parler, cria-t-il.

– Il a dit quoi ?

– « Non, ce n'était pas moi. »

– C'est tout ?

– Oui.

Alma se précipita à l'étable.

– Il paraît que tu as retrouvé la parole, dit-elle.

Daniel ne répondit pas. Elle insista.

– Ce n'est pas la peine, dit Edvin. Le valet s'est trompé.

– Non, je l'ai bien entendu.

– Ton travail t'attend, dit Edvin en le poussant dehors.

Dans l'après-midi, Daniel prit la lame et quitta l'étable en se faufilant par une petite ouverture à l'arrière du bâtiment. Il courut à travers les champs, enveloppés par la nappe blanche de la brume. En voyant que Sanna se trouvait sur la colline, occupée à creuser l'endroit même où il avait enterré l'écharde, Daniel sentit son cœur battre plus vite. Le visage de la jeune fille s'illumina. Elle vint à sa rencontre et le prit par le bras. Il n'y avait plus aucun doute. Elle sentait la bête, ses vêtements ressemblaient à une fourrure et son rire était celui d'un animal.

– Je ne croyais plus te revoir, dit-elle.

A présent, les champs étaient entièrement ensevelis sous la brume. Sanna s'accroupit dans la boue, la photo du roi dans la main. Elle passait son doigt sur la signature quand Daniel sortit doucement la lame de sa poche et la plongea dans sa nuque. Elle tomba en avant. Sans un bruit. Il lui donna plusieurs coups pour s'assurer qu'elle était bien morte. Alors seulement, il la retourna. Pour que ses yeux grands ouverts ne puissent plus le voir, il les barbouilla de glaise et, pour qu'elle ne puisse plus parler, il enfonça et tassa tout ce qu'il put de terre dans sa bouche. Essoufflé et en sueur, il essaya ensuite d'enlever le sang qui avait éclaboussé sa veste. Puis il enterra la lame et la photo du roi.

La brume avait effacé la silhouette des arbres mais Daniel n'avait pas besoin de repères pour traîner le corps de Sanna. A plusieurs reprises, il fut obligé de s'interrompre et de s'accroupir pour tousser. Il ne prêtait plus aucune attention au sang qui remplissait sa bouche puisqu'il serait bientôt chez lui. Il plaça le corps de Sanna sous les arbres où les oiseaux noirs avaient l'habitude de se poser. Il recouvrit le cadavre de branches mortes. Les oiseaux en feraient rapidement leur affaire en le déchiquetant de leurs becs. Malgré sa fièvre, il se sentait invincible. Il ne lui restait plus maintenant qu'à s'allonger dans l'étable et à attendre que Kiko et Be viennent le chercher.

Le soir même, il se mit à sculpter un personnage en utilisant un de ses sabots. Ce serait son cadeau pour Be et Kiko. Il voulait leur prouver qu'il avait fait des progrès dans l'art de façonner le bois. Quand Alma vint lui porter son repas, il cacha son travail et se mit tout de suite à manger.
– Pas si vite, lui recommanda-t-elle. Ton estomac ne le supportera pas.
Daniel eut soudain envie de lui faire part de ses projets pour la rassurer et lui dire que tout était en train de s'arranger, qu'il ne resterait plus dans l'étable et qu'il ne leur créerait plus de soucis. Mais il changea d'avis en pensant à la maison où le docteur Madsen et Hallén voulaient l'enfermer.

De nouveau seul avec les animaux, il se déshabilla entièrement et se lava soigneusement de la tête aux pieds avec de l'eau glacée. Il restait encore quelques taches de sang sur ses vêtements qu'il frotta avec la brosse qui servait aux chevaux. Puis il se rhabilla et se remit à tailler le sabot en s'efforçant de rester calme et concentré pour que Kiko soit satisfait du résultat.

A l'aube, il sortit dans la cour.

La brume était encore dense. Il entendit le croassement des oiseaux. Edvin, qui était sorti pour pisser, ne le découvrit qu'après un moment.

– Tu as l'air d'aller mieux, dit-il.

– Oui, répondit Daniel. Je suis presque guéri.

30

Chaque fois que Daniel reprenait son sabot pour le sculpter, il marquait le temps qui lui restait à vivre en faisant une entaille dans l'autre.

Il attendait. Rien ne comptait plus maintenant qu'il s'était mesuré avec le Mal et qu'il lui avait prouvé sa supériorité. Mais ce n'était pas la première clarté matinale s'insinuant à travers les fenêtres de l'étable qu'il attendait, ni l'installation progressive du crépuscule. Son attente était une écoute. La première manifestation de l'arrivée de Be et de Kiko serait sonore. D'où qu'ils viennent, leurs voix les précéderaient. Elles seraient d'abord faibles comme des chuchotements, et se confondraient peut-être avec la respiration des vaches ou les battements d'ailes des poules. Il fallait qu'il soit attentif à chaque bruit les annonçant.

Les efforts qu'il avait dû faire pour déplacer le corps de Sanna avaient aggravé sa toux. Épuisé par la fièvre qui l'inondait par vagues, il passait le plus clair de son temps à dormir.

Un après-midi, quand il sortit de sa torpeur, il découvrit le docteur Madsen debout devant lui, une lettre à la main.
– Ton père a donné de ses nouvelles, dit-il en souriant. Il t'a envoyé une lettre du Cap.
Père était devenu une sorte de mirage dans la mémoire

de Daniel. Son visage n'était plus qu'une ombre et sa voix s'était tue.

– Il m'a demandé de te lire sa lettre.

Edvin et Alma se tenaient à une bonne distance derrière le docteur, visiblement impressionnés par la lettre.

A mon fils Daniel dans la Suède lointaine, commença le docteur Madsen.

Pour moi, tu es toujours Daniel Bengler. Parfois, je me dis que ce nom serait sans doute plus facile à porter pour un adulte, mais existe-t-il réellement des noms de famille qui conviennent à un enfant ? Je me trouve actuellement au Cap, la ville où nous avons commencé ensemble notre voyage. Te souviens-tu de la grande montagne qui ressemblait à une table ? Et du jour où nous avons vu des dauphins sauter dans la mer ? J'ai traversé l'Europe à bord d'un véhicule qui était dans un état déplorable, si bien que le voyage pour arriver jusqu'à Marseille m'a demandé beaucoup de temps. C'est là que j'ai embarqué pour regagner ce pays. Cela fait maintenant quatre mois que je suis au Cap. Au début j'ai été malade, terrassé par une intoxication alimentaire qui m'a bien fait souffrir. Je suis guéri même si j'ai cru que la maladie allait m'emporter. J'ai pratiquement terminé mes préparatifs pour retourner dans le désert. Cette fois-ci, je prendrai la direction du nord-est. Il y a de grands espaces peu connus et j'espère y trouver des insectes que je me ferai ensuite une joie de présenter aux Suédois. Mon départ s'est fait de façon précipitée, j'en suis conscient, mais maintenant tout va pour le mieux. J'ignore la date de mon retour. Père.

– Une bien belle lettre, commenta le docteur en la rangeant dans l'enveloppe.

– Il ne demande même pas des nouvelles du petit ! s'exclama Alma, bouleversée.

– Au moins, nous savons qu'il est en vie, dit Edvin. Et nous savons qu'il mettra du temps pour revenir.

Madsen posa la lettre près de la tête de Daniel.

– Une bien belle lettre, répéta-t-il.

Il tâta le front de Daniel, examina ses yeux et écouta sa poitrine. Chaque respiration était accompagnée d'un sifflement.

– Le mieux serait bien sûr de le transporter dans un sanatorium, dit-il à Alma et Edvin, une fois l'auscultation terminée. Mais il ne faut même pas y penser.

– Si ça doit lui faire du bien, je vendrai mes chevaux, affirma Edvin avec conviction.

Le docteur Madsen leva la main dans un geste de refus.

– L'argent, ça peut toujours se trouver, dit-il. Les gens pleurent facilement d'émotion devant un enfant malade. De surcroît, devant un enfant qui a rencontré le roi. Ce n'est pas une question d'argent. Il n'est pas en état de supporter un déplacement dans un endroit qu'il ne connaît pas.

Il regarda Daniel endormi dans le foin.

– Il a besoin d'une diète faite de lait et d'œufs, et il faudrait l'installer dans la maison. Certes, la proximité des animaux n'est pas dangereuse, mais elle n'est pas saine non plus.

– Il serait plus aisé d'installer les animaux dans la maison, commenta Edvin. Quoi que nous fassions, il voudra rester ici. Et je refuse de l'attacher.

– Réfléchissez-y, dit le docteur Madsen en s'en allant.

La conversation se poursuivit dans la cour. Daniel se remit à tailler le sabot qu'il avait caché sous son oreiller. Le bois était dur et son bras fatiguait vite. Il sentait que Be et Kiko s'étaient rapprochés. Mais ils étaient encore trop loin pour qu'il perçoive leurs voix.

Deux jours après la visite du docteur Madsen, Alma vint le trouver dans l'étable à un moment inhabituel. Daniel remarqua qu'elle avait pleuré et il eut peur qu'elle ne soit malade. Elle s'effondra dans la paille à côté de lui. Avait-elle l'intention de s'y installer, elle aussi ?

– J'ai quelque chose à te dire, commença-t-elle, et il vaut mieux que tu l'apprennes par moi que par quelqu'un d'autre : Sanna est morte. Quelque chose de terrible a dû se passer. C'est un des employés de Nilsson qui l'a trouvée. Elle a été tuée.

Daniel acquiesça, l'air réjoui. Il ne comprenait pas la réaction catastrophée d'Alma qui, stupéfaite, le vit éclater de rire.

– Tu apprends que Sanna est morte et tu ris ! Je croyais pourtant que tu l'aimais bien, malgré son handicap.

Daniel cessa immédiatement de rire, pour faire plaisir à Alma.

– Quelqu'un l'a tuée, poursuivit Alma. Quelqu'un a criblé son corps de coups de couteau avant de le profaner et de le cacher sous des branchages dans le champ. Il y a un meurtrier ici et nous ignorons qui il est.

Daniel ne connaissait pas le mot *meurtrier*. Il décida cependant de cacher la vérité à Alma. Même s'il pensait qu'elle aurait dû être soulagée d'être débarrassée de Sanna, il sentit qu'il valait mieux ne pas lui dire qu'elle n'était pas un être humain mais un animal, et un animal dangereux. Il y avait tant de choses qu'Alma et Edvin, et probablement aussi le docteur Madsen, ignoraient sur les forces dissimulées sous la terre, parmi les arbres et, surtout, à l'intérieur des êtres.

Les jours suivants, la mort de Sanna fut l'unique sujet de conversation des villageois. Ils semblaient tous effrayés à cause de celui qu'ils appelaient le *meurtrier*. A plusieurs reprises, Daniel avait failli tout expliquer, mais chaque fois un pressentiment le retenait.

Un matin, Edvin vint le voir dans l'étable.

– Il y a un homme dans la cuisine qui veut te parler de Sanna, dit-il. Il vient de Malmö et il a fait tout ce chemin pour retrouver cette satanée personne qui a fait tant de mal à Sanna.

C'était la première fois que Daniel entendait Edvin pro-

313

noncer ce mot si important pour Père. *Satané.* Ça signifiait qu'Edvin était en colère.

– C'était moi, dit Daniel.

Edvin se raidit.

– Que dis-tu ?

– C'était moi.

– C'était moi quoi ?

Les questions d'Edvin troublèrent Daniel qui regretta immédiatement d'avoir parlé.

– Je suis heureux de t'entendre parler de nouveau même si je ne comprends pas ce que tu dis.

– *Je vais bientôt rentrer chez moi.*

– Tu es malade, dit Edvin en hochant la tête. Et tu ne guériras pas tant que tu persisteras à vouloir rester dans l'étable. J'ai l'impression que tu divagues, mais je vais quand même chercher la personne qui veut te rencontrer.

L'homme qui entra dans l'étable était jeune. Il n'avait presque pas de cheveux et ses mouvements étaient rapides, comme s'il était très pressé. Il regarda Daniel avec curiosité. Edvin lui proposa un tabouret.

– On a parlé de toi dans les journaux, dit-il en s'asseyant, et du voyage en bateau que vous avez fait, toi et la fille qui est morte. On a parlé de ta rencontre avec le roi aussi. Je te croyais plus grand et surtout je n'avais pas pensé te rencontrer dans de pareilles circonstances.

Il déplaça le tabouret, pour le rapprocher de Daniel.

– Tu sais ce qui est arrivé. Sanna a été sauvagement assassinée et il faut que nous trouvions celui qui a fait ça. Il sera sans doute décapité dans la cour de la prison de Malmö. Quelqu'un qui a commis un crime aussi horrible peut très bien recommencer. C'est pourquoi il faut le retrouver. Tu comprends ce que je dis ?

Daniel était impassible.

– Il comprend, affirma Edvin qui se tenait un peu en retrait. Mais il est malade et s'exprime très rarement.

314

– J'ai besoin de te poser quelques questions, poursuivit l'homme. As-tu souvent rencontré Sanna depuis votre retour ici ?

L'homme sur le tabouret dégageait une odeur d'eau de toilette et de tabac. Daniel ne l'aimait pas. Il était convaincu qu'il ne comprendrait pas ses explications et qu'il était venu le chercher pour lui couper la tête. En plus, Daniel n'avait pas le temps. Kiko et Be n'allaient pas tarder à arriver. Il fallait donc le faire partir le plus vite possible. La meilleure façon était certainement de répondre à ses questions.

– Non.

– Vous ne vous êtes pas revus ?

– Non.

– Sais-tu si Sanna avait l'habitude de rencontrer quelqu'un qui n'était pas de la région ?

– Non.

– Avait-elle peur de quelqu'un ? Je ne parle pas de son père adoptif dont elle avait une peur bleue. Ça, je le sais. Mais ce n'est pas lui le coupable. Je l'ai déjà interrogé longuement et il s'est expliqué. Quelqu'un d'autre ?

– Non.

L'homme se passa la main sur son crâne chauve sans quitter Daniel des yeux.

– Vous avez essayé de quitter la Suède, dit-il. Je comprends que tu veuilles retourner en Afrique. Mais pourquoi avoir entraîné Sanna ? Peut-être a-t-elle voulu fuir quelqu'un qui lui faisait peur ?

– Il lui tirait les cheveux.

– Qui ?

– Son père adoptif.

– Il y a quelque chose qui cloche. Vous êtes revenus et soudain quelqu'un l'a tuée.

Il se leva.

– On l'aura, dit-il en souriant. Un homme qui a commis un tel crime ne s'en tirera pas comme ça.

Lorsque Edvin raccompagna l'homme, Daniel sentit une immense fatigue l'envahir. Il lutta pour rester éveillé mais sombra rapidement dans un sommeil profond.

Il se réveilla quelques heures plus tard avec une forte fièvre. Son cœur battait très vite, il avait des sueurs froides et devait plisser les yeux pour distinguer Alma qui le regardait avec inquiétude. Edvin et le valet se tenaient derrière.

– On va te mettre dans notre lit, expliqua Alma en s'approchant de très près. Tu seras seul dans la chambre.

Daniel était trop faible pour résister quand Edvin et Jonas le soulevèrent. Il pleuvait lorsqu'ils traversèrent la cour. Daniel ouvrit la bouche pour attraper quelques gouttes sur sa langue. Aussitôt installé dans la chambre, il se rendormit.

Cette nuit-là, il commença sa plongée dans l'inconnu.

Durant ces jours qui lui restaient à vivre, il ne s'était levé qu'une fois. Il avait rêvé que Be et Kiko étaient enfin arrivés et qu'ils l'attendaient. Il était sorti dans le froid, mais dehors il n'y avait personne. Il était allé dans l'étable reprendre le sabot et le couteau qu'il avait ensuite cachés sous sa chemise. Il avait appelé Be et Kiko, il avait crié leurs noms dans le vide, sans obtenir de réponse. Alma et Edvin l'avaient entendu et étaient venus le chercher. Il n'avait opposé aucune résistance.

Cela n'avait été qu'une brève interruption dans sa descente vers la mort.

Parfois, il était pris de violents accès de toux inondant les draps de sang, mais la plupart du temps il restait immobile à la lisière du rêve et de la réalité. Muré dans son silence, il évitait les regards des autres et finit par ne plus reconnaître personne, Alma et Edvin mis à part. Hallén venait le voir régulièrement, ainsi que le docteur Madsen. Alma fit même appel à une guérisseuse de Kivik, censée le guérir en lui enduisant la poitrine de graisse de vache. Mais rien ni personne n'empêchaient Daniel de continuer à sombrer. Il ne sentait aucune douleur, n'éprouvait aucune faim et ne distinguait plus le jour de la nuit.

En commençant sa descente, il comprit que le chemin qui menait chez lui ne passait pas par l'horizon mais par son propre intérieur, par les profondeurs où Be et Kiko l'attendaient. Dans ses rêves, il devinait déjà le sable aveuglant sous la forte lumière du soleil. Il était parfaitement calme. A présent, plus rien ne l'empêchait de retourner chez lui. Be et Kiko ne l'avaient pas abandonné. Kiko lui en voulait sans doute d'avoir mis autant de temps à se manifester, mais même cela ne l'inquiétait pas. Il avait encore la force de sculpter son sabot quelques heures par jour. Kiko serait content. Il avait fait des progrès et mériterait qu'on lui confie un jour la responsabilité de maintenir en vie l'antilope sur la paroi rocheuse.

Son voyage vers le désert touchait presque à sa fin. Il perçut enfin les voix des siens, à présent très proches. Peu à peu, il distingua aussi leurs visages. Un garçon, à peine plus âgé que lui, fut le premier à venir jusqu'à son lit. Daniel ne se souvenait pas de son nom, mais il s'agissait bien du troisième fils de l'aînée des sœurs de Kiko. Quand Daniel s'étonna de l'absence de Be et Kiko, le garçon lui expliqua qu'ils étaient partis à la chasse mais que leur retour était imminent.

Edvin apparut dans la chambre, en même temps que le garçon, avec un bol de lait qu'il posa sur la table. Il s'attarda un instant avant d'aller chercher Alma. Le garçon s'assit au pied du lit et Daniel en profita pour lui faire une présentation rapide du couple.
– Elles sont revenues, dit Edvin à Alma.
– Qui ?
– Les voix ! Tu ne les entends pas ? Tu ne sens pas que Daniel n'est pas seul ici ?

– Tu te fais des idées, dit Alma tout en tendant l'oreille. Il n'y a personne à côté de lui.

– Merde alors ! Tu n'entends donc pas qu'il n'est pas seul !

– Tu es fatigué, dit Alma en prenant la main d'Edvin. Tu dors mal parce que tu t'inquiètes. Moi aussi, je m'inquiète. Mais il faut faire confiance à Dieu.

– Dieu, la rabroua Edvin. Qu'est-ce qu'il en sait, lui ?

– Ne blasphème pas.

Ils quittèrent la chambre. Le garçon se leva, fit un signe de la main à Daniel et disparut. Daniel ferma les yeux et continua à s'enfoncer. Il sentit la chaleur du sable sous ses pieds. S'il mettait sa main en visière pour se protéger les yeux, il pouvait aussi apercevoir quelques zèbres dans la lumière tremblante. Bien qu'il n'éprouvât aucune faim, il avait envie de planter ses dents dans la chair d'un animal chassé par Kiko.

Il était entouré de sable et de buissons rabougris quand il crut revoir Père : un squelette blanchi gisant près d'un cours d'eau à sec. A côté de la main aux doigts hérissés, il découvrit une petite boîte en bois. Il la reconnut immédiatement. C'était celle que Père lui avait souvent demandé de garder et qui contenait l'insecte qui devait porter son nom. Daniel l'ouvrit et y trouva un papillon séché dont les ailes se transformèrent en une po dre bleuâtre dès qu'il les effleura. Il remit la boîte près du squelette en espérant que quelqu'un, la femme aux boutons noirs peut-être, retrouverait Père et le ramènerait dans son pays.

Il arriva enfin chez lui. Il reconnut d'abord la silhouette des montagnes avec la grotte de l'antilope, puis il vit deux personnes se détacher au loin et s'approcher. C'étaient Be et Kiko. Be portait un nouvel enfant dans le dos. Elle lui apprit qu'une petite sœur était née pendant son absence. Il tendit son cadeau à Kiko qui le regarda longuement avec admiration. Il ne semblait pas du tout fâché.

– Tu as acquis la patience, finit-il par dire. Tu es devenu adulte.

Molo sourit. Il était chez lui. Le nom qu'on lui avait donné pendant un certain temps s'effaça de sa mémoire, comme tout ce qu'il avait vécu.

Daniel mourut à l'aube d'un matin d'été, après plusieurs semaines de coma. Le docteur Madsen n'avait rien pu faire.

Au moment de la mise en bière, Alma découvrit la sculpture qu'elle montra à Edvin.
– Tiens, il a taillé un cerf dans son sabot, dit-il. Pourquoi ?
– Il faut le mettre à côté de lui dans le cercueil, dit Alma. Il ne doit pas partir seul.

Ils posèrent la sculpture près de sa tête et vissèrent le couvercle. De nombreuses personnes assistèrent à l'enterrement. Au lieu de faire son homélie à partir d'un texte biblique, Hallén en profita pour insister sur l'importance de soutenir l'évangélisation de l'Afrique.

Tout le monde ignorait qu'en réalité le cercueil était vide.

Le désert du Kalahari, mars 1995

Il passa la nuit dans un hôtel à Ganzi, entre Francistown au Botswana et Windhoek en Namibie. Le petit village, abandonné en plein désert, se composait de quelques maisons torturées par le vent. Le sable s'infiltrait partout dans l'hôtel. Le menu du restaurant avait beau proposer un grand choix de plats, le sable en constituait l'ingrédient principal. Le sable grinçait entre ses dents, même quand il buvait un verre d'eau.

Dans le bar dépeuplé, deux hommes étaient engagés dans une transaction commerciale. La discussion se faisait en toute tranquillité. Les deux protagonistes marquaient souvent une longue pause avant de reprendre leurs pourparlers. L'urgence n'avait aucun sens dans le désert. Le barman étant absent des lieux, il se retrouvait seul dans le bar avec ces deux hommes et il ne put s'empêcher d'entendre leurs propos. Un camion s'était enlisé juste après la frontière namibienne et son propriétaire cherchait à vendre aussi bien le véhicule que le chargement, qui se composait de pneus de vélo, d'articles de mercerie, de vêtements d'enfants, de chaussettes et d'un stock de casquettes acquis à un prix dérisoire.

Il décida de faire un tour dans l'unique rue avant la tombée de la nuit et ne connut jamais le résultat de l'affaire. Le désert était partout. Poussé par la curiosité, il entra dans un magasin pour voir quel genre d'articles on y proposait. Une très jeune femme noire se tenait derrière le comptoir. Elle lui demanda aussitôt de l'épouser et de l'emmener avec lui, ce qui le mit mal à l'aise. Il s'en alla rapidement.

Après un dîner composé d'œufs, de pommes de terre, de légumes et de sable, il regagna sa chambre où il passa une grande partie de la nuit à se battre contre les moustiques. Le bruissement nocturne du désert lui donnait l'impression d'être sur une île, au milieu d'une mer infinie.

Le lendemain matin, en voyant le nombre de piqûres qui recouvraient son corps, il fit une évaluation rapide des jours dont il disposait avant que le paludisme ne se déclare. L'incubation était d'environ quinze jours. D'après ses calculs, il serait alors loin du désert. Un brutal accès de fièvre pourrait signifier qu'il avait été contaminé.

Il poursuivit son voyage vers la frontière namibienne. On l'avait prévenu que la piste était en très mauvais état, parfois même inexistante. Les quatre roues motrices de sa Jeep lui permirent cependant d'avancer. Il s'attendait à voir, d'un moment à l'autre, le camion enlisé qui devait se trouver quelque part dans cette mer de sable.

Il s'arrêta pour pisser. Ce désert sans relief n'avait rien à voir avec les douces dunes de sable qu'il avait vues en images et qui derrière leurs crêtes ondulées en cachaient d'autres. Ici il n'y avait pas de collines. Quelques rares buissons poussaient par-ci par-là dans le sable gris. A l'horizon, la terre se confondait avec le ciel dans un brouillard terne.

Au moment de s'installer à nouveau derrière le volant, il découvrit une ligne en pointillés qui avançait rapidement dans sa direction. Ne pouvant pour l'instant voir s'il s'agissait d'hommes ou d'animaux, il s'abrita à l'ombre de la Jeep et plissa les yeux pour observer. C'était bien un groupe d'hommes. Il en compta trente et un.

Un vieillard maigre aux cheveux gris et aux jambes arquées fut le premier à arriver à sa hauteur. Il lui jeta un regard plein de curiosité et dit :
– *I know how to speak English.*

Il fut surpris. On lui avait raconté que les peuples nomades du désert, les Bochimans, ne parlaient pas d'autres langues que la leur avec cet étrange « click » caractéristique, si difficile à reproduire.

La Jeep fut rapidement encerclée par les nomades qui le regardaient avec gentillesse. Même les jeunes enfants ne semblaient éprouver aucune crainte. Il réalisa soudain que la situation était inespérée. On ne pouvait pas convenir d'un rendez-vous avec les nomades, en particulier avec les gens du peuple San, et voilà que le hasard avait placé sur son chemin un de leurs groupes. En plus, l'un d'eux parlait anglais. Il ne retrouverait jamais une occasion pareille.

Il expliqua au vieil homme qu'il avait une histoire à raconter et lui demanda s'ils avaient le temps de l'écouter. L'homme se renseigna auprès des autres. Visiblement l'idée plut à tous et ils s'installèrent aussitôt sur le sable, en plein soleil malgré la chaleur écrasante.

Il leur raconta l'histoire d'un garçon à qui on avait donné le nom de Daniel et qui était arrivé en Suède 130 ans auparavant. Au fur et à mesure que le vieil homme traduisait ses paroles, le silence s'emparait des gens, un silence qui venait de l'intérieur, une concentration d'une intensité qu'il n'avait jamais connue. Il leur dit tout ce qu'il savait, sans omettre aucun détail, tout ce qu'il avait réussi à apprendre concernant ce petit garçon qui était maintenant enterré dans un cimetière dans le sud de ce pays lointain nommé la Suède. Il leur expliqua aussi qu'il avait entrepris ce long voyage pour obtenir des précisions dans les archives allemandes – devenues les

325

Archives nationales de Namibie – sur les gens qui avaient emmené Daniel en Suède.

Une fois son histoire terminée, il leur montra la photo, prise dans un atelier à Lund et qu'il avait réussi à retrouver. Elle appartenait à la famille de Hans Bengler qui la lui avait confiée avec une certaine réticence. Il n'avait pas compris les raisons de ce comportement. Après tout, ce n'était peut-être que de l'inquiétude. On aurait dit qu'un silence honteux entourait l'histoire de Daniel.

En voyant la photo passer entre les mains des membres du groupe, il eut la sensation d'assister à un rituel religieux.

Le vieil homme se mit à parler. Il chercha longuement ses mots comme s'il était très important pour lui de s'exprimer avec exactitude.

Il le remercia d'être venu de si loin, de ce pays dont il n'arrivait pas à prononcer le nom, pour ramener l'esprit de Daniel à l'endroit où il aurait dû vivre et être enterré.

Une femme se leva et s'avança quand le vieil homme eut fini. Elle portait un très jeune enfant dans le dos.
– *Her name is Be*, dit le vieil homme.

Il rencontra son regard et se dit que la mère de Daniel avait sans doute été comme cette jeune femme. Il savait aussi que, mentalement, elle serait désormais la mère du garçon enterré dans un pays lointain.
Le groupe reprit son chemin. Bientôt il ne vit plus qu'une ligne noire s'éloigner dans la clarté aveuglante du soleil.

Dans les archives de Windhoek, il ne trouva aucun document apportant de nouveaux renseignements sur Daniel, Hans Bengler et Wilhelm Andersson. Il passa une journée

326

entière à feuilleter de grands classeurs de photos faites par un photographe anglais du nom de Frank Hodgson, qui avait beaucoup voyagé dans ce que l'on appelait à l'époque le Sud-Ouest africain allemand. C'était dans les années 1870, à l'époque où Daniel était parti pour la Suède.

Une des photos représentait un homme, une femme et un garçon, alignés et figés devant l'appareil. Le garçon ressemblait beaucoup à Daniel sur la photo de Lund. Ces trois personnes auraient très bien pu être Be, Kiko et Daniel – dont personne ne saurait jamais le vrai nom.

L'air sec et brûlant se dressa devant lui comme un mur quand il quitta les Archives nationales.

Deux jours plus tard, il repartit par le même chemin. Quand il se trouva à l'endroit où il avait raconté son histoire aux nomades, il s'arrêta pour scruter l'horizon à l'aide des jumelles qu'il s'était procurées à Windhoek. Il tourna lentement sur lui-même. Aucune trace humaine. Le désert était totalement vide. Comme il voulait arriver à Ganzi avant la nuit, il n'osa pas s'attarder plus longtemps.

Il reprit sa route à travers le désert vide et parvint à Ganzi juste avant le coucher du soleil.

Quelques années plus tard, il écrivit ce livre qui se termine ici.

POSTFACE

Il s'agit ici d'une œuvre de fiction. Les événements et les personnages présentés dans ce roman n'ont pas de modèles précis. Cela ne signifie pas pour autant que d'éventuelles ressemblances avec des personnes réelles et des événements historiques soient le fruit d'un pur hasard.

Un roman ne décrit pas nécessairement ce qui s'est produit. Son rôle est de raconter ce qui aurait pu se produire.

Henning Mankell.
Mozambique, avril 2000.

TABLE

RÉALISATION : PAO ÉDITIONS DU SEUIL
REPRODUIT ET ACHEVÉ D'IMPRIMER
SUR ROTO-PAGE PAR L'IMPRIMERIE FLOCH À MAYENNE
DÉPÔT LÉGAL : MARS 2004. N° 52381 (59401)
IMPRIMÉ EN FRANCE